決定版 男たちの大和 上

辺見じゅん

ハルキ文庫

JN276202

角川春樹事務所

決定版

男たちの大和〈上〉

目次

一章　神話

1

日本が太平洋戦争に突入した昭和十六年十二月八日の朝、呉《くれ》市長の水野甚次郎《みずのじんじろう》は、東京の虎ノ門《とらのもん》に近い南佐久間《さくま》町の自宅で、二人の憲兵隊員に逮捕された。呉海軍建築部贈収賄事件にからむ嫌疑で、その日のうちに、横須賀の大津《おおつ》海軍刑務所に拘置《こうち》されている。

この朝、広島県呉市は穏やかな冬晴れだった。呉市民は朝六時の臨時ニュースに眠りを破られ、だれもが異様な緊張と興奮に包まれていた。

午前十一時四十分、情報局発表の「宣戦の大詔《たいしょう》」が発せられると、本通りのラジオ店前に集まった市民たちから、「万歳」の声が湧《わ》き起こった。ラジオ店はどこも、夕刻には在庫品を一掃《いっそう》した。

緊急の市議会が午後五時半に開かれ、真珠《しんじゅ》湾奇襲成功の興奮のなか、満場一致で政府への激励電報を可決した。

「米英ニ対スル宣戦布告ノ大詔ヲ拝シ恐懼《きょうく》感激ノ至《いた》リニ堪《た》ヘズ　軍都呉市民ノ団結ハ夙《つと》ニ鉄石ノ如シ　イカナル苦難ニモ堪ヘ　イヨイヨ堅忍不抜ノ精神ヲ昂揚《こうよう》シ　モッテ聖業完遂ニ邁進《まいしん》センコトヲ期ス　ココニ呉市会ノ議決ヲ経テ　遥《はる》カ閣下ノ御健闘ヲ祈ル」

この激励文は、内閣総理大臣、海軍大臣、陸軍大臣、軍令部総長、参謀総長に打電された。

市議会に水野市長の姿は見えなかったが、議員たちが市長欠席にさほど不審を抱かなかったのは、彼が貴族院議員も兼ねていたからである。大方、この非常時に際し、国事に奔《ほん》走《そう》中なのだと思っていた。

貴族院議員と市長の兼職は奇妙に思えるが、これは今日の地方自治法と異なり、「市長名誉職条例」が市議会で可決された場合、「市長は必要に応じて名誉職とする」（市政第七十三条第一項）ことが適用されていた。土木建築業「水野組」（現・五洋建設）の社長でもある水野は、東京に水野組事務所を持ち、月の三分の一以上は上京していた。そのような水野市長に不満をもつ議員もいなかったわけではない。

翌十二月九日は、前日と変わって小雨の降りつづく、寒い日になった。市の総《そう》氏《うじ》神《がみ》亀山神社では、午前九時から敵国降伏戦勝祈願祭が、十一日には、二《に》河《こう》公園で米英撃破大呉市民大会が催されたが、市長はあらわれなかった。新聞は市長逮捕を報じなかったが、肝《かん》腎《じん》の市長の欠席に、ようやく市民の中から不審の声が聞こえ始めた。

呉市役所の中川助役宛《あ》てに一通の電報が届いたのは、翌十二日の正午過ぎである。

「都合ニヨリ呉市長ヲ辞任ス」

水野甚次郎からの電報だった。

この突然の電報に、市役所も市議会も騒然となった。辞任の理由はわからない。だが、この電報が届く以前に、市長逮捕を知っている者が、何人かいた。

「電報は、たしか市長の弁護士を通じ、横須賀からだったと思います。その前日の十二月十一日でしたか、私は中川助役から市長逮捕を聞きました。いま、呉鎮守府《くれちんじゅふ》の中島参謀長から電話が入り、市長に事務を執行できぬ事態が生じた、市長代行を至急置いてはどうか、といわれたと、聞いたのを覚えています」

当時、文書課主任だった浜本康民の回想である。

水野市長逮捕は、呉鎮守府を通じて市役所に知らされたのだ。

辞任を告げる水野の電報を受け取ると、市議会はただちに広島県に善後策を相談した。県からは、「海軍の意向を聴き、一日も早く市長を選出されたい」との回答が届いた。

水野の逮捕と辞任をめぐるドラマを水道拡張部の用度《ようど》課長だった中邨末吉《なかむら》が、のちに手記『焼土の中から』に詳《くわ》しく書きとめている。中邨は水野市長逮捕の数日前、親しい中国新聞記者から耳打ちされていた。

「市長が危ないぞ、何か心当たりはないのか」

憲兵隊に市長が狙《ねら》われていると告げられたのだ。そういえばこの数日、市役所内で憲兵の姿を見かけていた。

「地獄の七丁目だからな。何をやりだすかわからんよ」

中邨は答えた。地獄の七丁目とは、本通り七丁目と中通り七丁目の真ん中に憲兵分隊が置かれていたことからの符丁であった。その付近は商店、料理屋の立ち並ぶ繁華街である。先日も女子学生と歩いていた若者が、「おまえら、この非常時に……」と連行された。

水野市長辞任を認めた市議会は、さっそく、市長選衡《せんこう》委員会をつくった。このメンバーと議長、副議長が連れ立ち、呉鎮守府を訪問した。一行に面会したのは、中島寅彦参謀長である。

「海軍としては、だれを市長に選出せよとは申さん。また、これはいうべき筋でもない。しかし、ご承知と思うが、海軍と市政は不離不即《ふりふそく》の関係にある。軍港都市の市政の運行いかんは直接、間接に海軍に及ぼす影響は多大であると言わねばならない。それゆえ、市長選出には海軍も重大な関心を持っていると申しあげておく」

中島参謀長は自慢の髭《ひげ》を撫《な》でると、あらかじめ用意していた、市長選衡に関する四項目を文書で示した。

一、海軍と積極的に協調提携し、軍港都市たる特性を遺憾《いかん》なく発揮すべき市政を実施する人物なること
一、専心、市長の職に全力を捧《ささ》げ、公正無私、真に市民と市政に忠実なる人物なること
一、旧態退嬰《たいえい》を避け、新奇放漫を排し、堅実潑溂《はつらつ》たる市政を実施する人物なること
一、一切の派閥的対立関係にある如き人物を避くること

「まあ、このような人物なら海軍として全面的に協力する考えがある」

にこりともせず言い放つと、

「市長選出は、市議会が一体となって、広島県知事に委任したらどうか」

とつけ加えた。

委員会の一行は、これが呉鎮守府の一番言いたいところなのだと、あらためて気づいた。一瞬、彼らの表情に戸惑いが走った。これまで県知事に市長候補を一任した前例などはなかった。一行の複雑な表情を見てとったか、中島参謀長は、

「県に頼みに行かれるのも、海軍から言われたからというのではなく、委員会が自発的に行かれるようされたい。海軍が市議会に圧力を加えるのでないことは、誤解のなきように」

やんわりとクギを刺した。会見は終始、用意周到な海軍側の提案で終わった。

そのころ、すでに呉の街では「すうどん売り切れ」の張り紙を出す食堂もあらわれていた。煙草《たばこ》は空き箱と引き換えでなくては買えなかったし、米、砂糖、衣料、マッチなどの生活物資は厳重な統制下におかれた。戦勝ムードの昂揚《こうよう》が鎮《しず》まると、

「呉は軍港都市だから近く軍政がしかれるらしい。市長は海軍軍政官の指揮を受けて市政を執行する。そのために、水野市長は追放されたのだ」

噂《うわさ》はひそかに流れた。一日中、ラジオからは勇壮な「軍艦マーチ」が鳴っている。開戦以来連戦連勝の大本営発表の戦果を耳にしながら、市民たちは、いつもの年の瀬とは違う落ち着かない毎日を過ごしていた。

市議会が広島県知事への「白紙一任」を決めて、選衡委員会のメンバーがふたたび鎮守府へと眼鏡《めがね》橋を通って出向いたのは、香港《ホンコン》が陥落した十二月二十五日である。

やがて、年が明けた。松の内のしめ飾りの残っている昭和十七年一月七日、広島県知事より後任市長の内示を受けた。

「この筋書は海軍と県との間では打ち合わせ済だった」

中邨末吉は書いている。知事の背後で新市長選びに動いたのは、東条英機内閣の湯沢三《み》千《ち》男《お》内務次官だった。呉鎮守府の依頼を受けた海軍次官が、元広島県知事の湯沢内務次官を訪れて相談した。こうして「海軍に積極的に協調できる人物」として一五代呉市長に選ばれたのは、長野県知事の鈴木登だった。

一月二十日、呉へ着任した新市長は新聞記者に次のように語った。

「呉市は軍港都市としての特殊の使命をもっているので、この点海軍当局をはじめ各方面のいろいろな意見を聴き、市政の充実と進展を期していきたい。市政に対してはあくまで公正明朗、財政は困難のようだが一意専心、挙市一体となって至誠奉公の一念をもって貫いていく所存である。

とくに戦時下の軍港都市に招かれて、他の都市では容易に携わることのできない重大かつ特色のある行政事務を担当することは、まことに名誉・光栄の極みである」

2

呉市長水野甚次郎が、呉海軍建築部贈収賄事件にからんで憲兵隊に逮捕された事件は、当時の新聞では伏せられている。ただし、事件から五日後の昭和十六年十二月十三日付の中国新聞は、

「水野呉市長当分帰呉不能　中川助役代行」

の見出しで、数十行の記事を載せている。だが、それも十二月三日以来上京中の水野が、

「ある事情のため帰呉しがたい事処が判明した」

と記されているだけで、この「ある事情」については触れられていない。また、市役所も市議会も、逮捕された事実は知っていても、その嫌疑が何であったかさえ水野が翌十七年二月二十八日に呉に帰ったあとまでわからなかった。水野に公判で無罪の判決が下ったのは、それからさらにのちの昭和十八年十二月である。

水野はこのときの一件がよほど身にしみたのか、

「雪辱したい一念だった」

と側近に語っている。水野の雪辱は、戦争が終結した翌年の昭和二十一年、ふたたび呉

市長にカムバックしたことで半ば果たされた。このときは呉の助役にと東京から高良《こうら》とみを招き、

「これからの世の中、男はすべて戦犯である。女性が政界に進出すべき時代がきた」

と市役所に女性課長をつくり、話題を呼ぶことになる。

この呉海軍建築部贈収賄事件については、「呉市の上水道拡張問題にまでさかのぼる」と、関係者の一人、浜本康民は複雑な背景を語っている。

呉市は大正末より常時水飢饉《みずききん》に悩まされていた。軍港開設とともに呉海軍鎮守府は二河《にこう》川の上流を堰止《せきと》めて水道を引いていたが、市民は昭和十年代になっても井戸水を飲んでいた。

海軍からは日に何千トンという水が、「分水分与」の名目でわけ与えられていたが、人口の増加とともに、水不足は悪化するばかりだった。しかも、支那《しな》事変を境に戦局が厳しくなるにつれ、海軍、呉工廠《こうしょう》の水の使用量も増えていった。

市議会では、この水道問題に関し歴代の市長が市民の批難にさらされた。前市長時代にも鎮守府提案をめぐって、市議会議員の買収問題が起き、市議会議員総辞職の事態を招いていた。新市議会は前市長の松本派と水野派の二大派閥のあいだで紛糾、新しく市長に選出されたのが水野甚次郎だった。

水野は市長就任の挨拶《あいさつ》でも、「水道問題は早急に決着する」と語ったが、派閥抗争の絶

えぬ市議会や海軍側との折衝に難渋《なんじゅう》した。

そのころの新聞は、「海軍の水道断案《だんあん》に、愈々《いよいよ》後任市長決戦寸前」と報じている。

「水野じゃない、水の出ん市長だ」

市民からのはげしい批難に水野がさらされたのは、六〇年来の大旱魃《かんばつ》に見舞われた昭和十四年の夏である。毎日三時間給水という異常事態となった。二四万の人口を擁する呉市にとって、水はまさに死活の問題であった。

水野市長の決断で、ようやく下三永に貯水池をつくる案が市議会を通ったのは、昭和十三年の一月。その年の秋には、起工式が行なわれたが、それからが困難をきわめた。土地の買い上げや海軍側からの二〇〇万円の補助金決定にたどりつくまで、二年間かかった。

そして十六年の正月、水野は新年の挨拶に、海軍側の指導監督官である服部海軍建築部長を訪れた。このとき水野は、懸案の水道問題がようやく片づき、工事も始まったそのお祝い代わりにと、二〇〇〇円の金を贈った。服部建築部長はそうしたお金はもらう筋でないとその場で返した。つねづね服部を信頼していた水野はこの一件に感動し、部下の中邨末吉に語った。

「いや、あらためて服部さんには惚《ほ》れなおした。だいたい、あの人は海軍の偉い人には珍しく人柄も庶民的だね、海軍を辞《や》めたら市へ招きたい。いや、ああいう人こそ国会に出して応援したいと思うよ」

中邨は水野の情に激しやすい一面を知っていたので、苦笑して聞いていた。そうした水野の性格の一端を、浜本康民はこう語っている。

「水野さんは親分肌というか、金には無頓着《むとんちゃく》な面があった。私も一度、『きみにはよく働いてもらった、一緒に食事をしたいが時間がないので』、と無造作に封筒を渡されたことがある。なんだろうと思ったら、お金が入っていた。それが、私の一か月分の給料ほどの大金だったので、驚きました」

こんな話もある。ある人が金の無心にきて、二〇〇円ほど欲しいと指を二本出すと、

「わかった」と言って、小切手を書いた。二〇〇〇円だったそうだ。名誉市長職には条例で年俸三六〇〇円の手当が出ていた。水野は月々三〇〇円になるその年俸を返上し、旅費一切も受けとらなかった。

服部部長に祝い金を返された水野は、その後に服部が横須賀の海軍建築部長に栄転する話を聞き、今度は餞別《せんべつ》のしるしと、わざわざ通帳をつくり、印鑑を添えて差し出した。

「これは私の金ではない。あなたから預かっていた金だ」

と言う水野に、

「それでは預かっておきましょう」

と服部は机の引き出しに入れておいた。この預金通帳が、海軍工廠で起きた贈収賄事件のときの捜査で見つかったのが、水野逮捕の発端となった。海軍工廠の贈収賄事件とは、

ある御用商人が鉄鋼材を工廠に納めるための付け届けが発覚したことに始まる。別の御用商人が憲兵隊に密告したのだという。

水野の逮捕は、海軍からの補助金二〇〇万円の一部が服部建築部長に礼金として渡されたとする嫌疑である。それ以後市役所では部課長が次々に逮捕され、中邨末吉もその一人だった。

水道拡張工事の収支計算書にある不足金をめぐり、

「何に費《つか》いこんだ。水野になんぼ渡した」

と数日間、憲兵分隊の拘置所にぶち込まれ追及されている。

当時の憲兵分隊長は柳瀬といい、気に食わぬ奴は警察署長でも引っ捉《とら》える、と高言して憚《はばか》らない男だった。市議会を翼賛《よくさん》市議会につくり替え、海軍の仰せのとおりに運営すると言っていた。

「市役所の小役人や市議会議員などは、この戦時体制下というのに滅私奉公の翼賛精神が入っておらん。利権屋ばかりだからだ。こいつらのホコリを片っぱしから叩《たた》き出せ」

というのが口癖で、市議会議員も次から次へと拘引《こういん》された。

軍港地の陸軍憲兵隊は海軍司法警察官も兼ねている。鎮守府司令長官の捜査命令さえ出れば、どのような捜査も可能だった。この柳瀬憲兵分隊長の憲兵行政に拍車をかけたのが、中島寅彦参謀長だったと中邨末吉は記す。

中邨は戦後呉市の助役を二期務めているが、若いころは東京で学び、新聞記者をしていた。昭和四十五年に市役所を退職した後は、呉市文化財保護委員のかたわら、『呉及び其の近郷の史実と伝説』などの著書をはじめ、郷土史の研究に晩年を費やした人である。『焼土の中から』という手記は、呉市役所を退職した翌年からほそぼそと書き継がれたもので、この水野市長逮捕をめぐる一件は当事者としての悲憤慷慨《こうがい》をまじえて実になまなましく再現されている。その中で、次のように語っている。

「水野市長をやめさせるために逮捕したようでもある。はじめは電話で、次は電報で、最後に辞表で、遂に水野市長は闇《やみ》から闇へ葬り去られた。この間五日間、あまりにも手きびしい異例の弾圧だった。それなのに貴族院議員の方はやめないでもよかった。これも全く不思議である」

この「市長をやめさせるために逮捕したよう」などという一節は、どこから出て来たのであろうか。これは、水野の逮捕後にひそかに伝わった街の噂とも符合する。呉に軍政をしくために市長が追放されたとするなら、水野は軍港都市の市長には不適格な人物であったことになる。

事件後、鎮守府の中島参謀長が市長選衡の条件として示した項目に、次の一条がある。

「海軍と積極的に協調提携し、軍港都市たる特性を遺憾なく発揮すべき市政を実施する人物なること」

水野の憲兵隊逮捕事件は今日も真相は謎《なぞ》に包まれている。太平洋戦争突入という歴史的な朝の突然の逮捕は、偶然であったのだろうか。海軍刑務所に拘置された水野は、呉市長辞任を拒否している。「黒白がはっきりするまで辞めぬ」と答える水野に、電報での辞任をさせたのは十二月十二日である。その前日には呉鎮守府の中島参謀長を通じ、「市長職務代行」を設けよとの内意が、中川助役に伝えられている。軍港地の陸軍憲兵が海軍司法警察官を命じられ、鎮守府司令長官の捜査命令が出ればどのような捜査も可能であった背景には、鎮守府の強力な意志が働いていたといえよう。水野市長が逮捕されたときの呉の鎮守府長官は豊田副武《とよだそえむ》だった。

水野と豊田副武の関係については、かつての鎮守府長官官舎跡に建つ呉市の「入船山《いりふねさん》記念館」館長の城戸《きど》則人が、次のような話を伝える。

「水野甚次郎がやられたとき、豊田副武が側近に、あれは土方《どかた》だからな、と言ったという話を聞いてます」

浜本康民も、

「貴族院議員と威張っておったって、水野は土方の成り上がりじゃないかという気持が、鎮守府のお偉方にはあるんですね。反感を持たれていたという感じがします」

という。

また、海軍の中には、貴族院議員で「水野組」の社長である水野に、「市政をほったらかしにしている」という批判もくすぶっていた。

「水野組」は土木建築業が本業である。そもそもが呉で生まれ、呉鎮守府の工事で発展してきた会社だった。「水野組」の創立者は、先代の四代目甚次郎である。代々「甚次郎」を襲名する水野家は、宮原《みやはら》村で農業のかたわら売薬業を営んでいた。

明治十九年に呉が軍港地に決定すると、宮原村では宅地や田畑の大半を海軍用地に買収され、職を失った村民の大半は海軍の工事人夫になって働くようになった。そうした時の流れを冷静に見ていた四代目甚次郎は、土木業への転身を決意した。時に明治二十三年、最初に手がけた大きな仕事は、呉海軍工廠第一ドックの敷地拡大のための鍬取《くわとり》工事である。このときは「大日本土木会社」の下請けにすぎなかったが、工事を通じて経験を積んだ四代目は、組をひきいて関東へ進出、横浜ドック会社の潮留《しおどめ》工事の下請けをした。「水野組」と社名を改めたのもそのころで、四代目甚次郎は三十四歳だった。明治三十五年には佐世《させ》保《ぼ》海軍工廠の船台工事の指名入札にも加わった。同業者の脅迫を受けたが、佐世保海軍工廠の建築部部長が彼に目をかけてくれ、落札に成功した。明治三十六年には、日露《にちろ》間の戦雲が濃くなるのを見越した海軍から、対馬《つしま》に海軍の根拠地をつくる仕事をもらった。職工人夫をひきいて要塞《ようさい》や兵舎の建設工事にあたり、砲台や兵舎を迅速《じんそく》につくりあげた。明治三十八年五月のバルチック艦隊襲来を目撃したのは、このときである。のちに日本海海戦にこの要塞が役立ったことを知った。

明治期の「水野組」の仕事は、呉や佐世保を中心にした港湾工事で、その三分の二は海軍の発注によるものである。つまり「水野組」は日本海軍とともに歩み、海軍の保護をうけて大きくなった会社であった。

四代目甚次郎が亡くなったのは昭和三年十二月、享年七十一歳だった。最後の仕事は同年八月の広島市観音町の干拓工事で、人夫たちと工事現場で起居をともにしながら倒れた。

当代の五代目甚次郎は幼名を恭造と呼び、明治十四年生まれである。少年時代は東京に学んだが、在学中に徴兵適齢に達し、近衛《このえ》歩兵第一連隊に入隊した。三十七年の日露戦争に従軍した折、鴨緑江《おうりよくこう》渡河戦で右大腿部《だいたいぶ》に貫通銃創を受け、内地に送還された。除隊後の明治三十九年には学校もやめ、四代目の事業の片腕になった。大正九年、長く呉市の市議会議員だった父のあとを引き継ぎ、無競争で当選したのが、政界への進出となった。

五代目水野甚次郎が父を語るとき、好んだ昔話がある。明治二十八年に横浜二号ドックで潮留工事を請け負ったときのことだ。飯場《はんば》の小僧の中に「新コ」と呼ばれる十一歳の少年がいた。仕事が終わると、いつも本を読んでいた。四代目は「新コ」に目をかけ、勉強させてやりたいと思ったのか、工事が終わると呉へ連れて帰ろうとした。喜ぶと思ったのに少年は、横浜は自分の生まれ故郷だから離れたくないと断わった。四代目は別れるとき、

「おまえはきっとえらい男になれる。そのときはわしに会いに来いよ」

と言った。少年は、

「えらくならなかったら会いません。たとえ顔を合わせることがあっても逃げます」

と答えた。

少年にはなぜ親方がえらくなれるといったのかわからなかったが、その言葉は沁《し》み入るように胸に落ちた。のちに作家長谷川伸《しん》となった「新コ」は、荒々しい工事現場を着物に角帯の姿で押し通した親方を懐かしがり、

「水野という人はえらい人だった。私をよくかわいがってくれた。事業に成功し、列車の中で箱師《はこし》に三万円もすられる身分だ。いまは貴族院議員、呉市長になっている。私はえらくなっていない。都《みやこ》新聞の平記者一五年では、合わす顔もない」

と書いた。長谷川伸は四代目と五代目の甚次郎を一緒にして記している。四代目は昭和三年に亡くなり、その子が五代目を襲名したことを知らなかった。

箱師に車中で三万円すり取られたのは明治四十一年、四代目甚次郎が岡山の宇野湾築港が終わって呉へ帰る車中での話である。四代目はすぐに警察当局に届けたが、「請負師のごときが何をぬかす」と取り合わなかった。憤慨した彼は、箱師のなまりから、阪神地方の者と推定して神戸警察署に探査を依頼した。水野組より数名の部下を全国に走らせ、秘密探偵まで雇った。

二人の箱師の一人は静岡に、一人は満州に高飛びしたのを突きとめ、神戸警察署に逮捕させたのは、その数年後である。この一件に四代目甚次郎が費やした資金は、明治末の金

額で二万円だったという。のちに箱師を捕えるまでの執念とも情熱ともつかぬ行動に対し、

「あのときは官憲がわしを請負師ふぜいがとあなどりおったからだ」

と息子に笑って語ったという。五代目甚次郎となった水野は、この話を折あるごとに、実に大事そうに語った。

水野の「貴族院議員は辞めても市長は辞めぬ」というセリフや市長への戦後の返り咲きには、四代目に通う血筋というものを感じさせる。

昭和十二年四月、水野が市長になったときに、長老の一人は、

「きみの悪いクセは、カッとのぼせるラムネ式にある。市長就任後は充分慎《つつし》まれたい」

と注意している。また、水野が市長就任にあたり禁酒を決心したのは、祝宴の最中に酔って、某市議会議員が彼の弟の妻を仲居か女給にとり違えたのが動機だった。市長になった就任挨拶では、

「私は人並み以上に血もあり涙もろいが、市民の福利を害するものありとすれば、法律の許す限り断乎《だんこ》たる処置にでる。昨日、市長受諾以来、私は一番好物の酒をやめた。が、諸君に酒をやめよというのではない。しかし、公務中の飲酒は絶対に避けられたい」

と語った。当時の市役所で公務中に飲酒が行なわれていたのには驚くが、水野の挨拶もまた、市長としての抱負や指針を述べるというより請負師の啖呵《たんか》のようだ。水野はまた、

「私は酒が好きだが、酒にのまれてしまう人間は嫌いだ」

とも言っていた。

市長時代の水野は、「熱血市長」とも「ヒトラーきどり」ともいわれた。ドイツのアドルフ・ヒトラーが総統に就任したのは昭和九年。その前年の十月、ドイツは国際連盟を脱退している。満州事変、満州国建国と大陸侵略を進めつつあった日本も、昭和八年三月に国際連盟脱退。日独防共協定が結ばれたのは、昭和十一年秋である。昭和十二年七月には、支那事変がはじまった。このときから日本は長い戦争の時代に入り、敗戦の破局へと歴史をたどることになる。

水野が市議会で「ヒトラーきどり」と野次られたのは、昭和十三年夏の「吏員断髪令」のときである。このとき、水野は、

「長髪の愚を捨て断髪すべし、日本古来の美風に還《かえ》れ、老人に対しては強制せぬ」

と訓示し、若い吏員たちの反発にあっている。各課で一、二名が実行した程度だったが、「市長へのごますりの年末は、丸坊主昇給だ」と言われたりした。水野の断髪令は時局にいちはやく便乗した措置で、その後、丸坊主旋風は呉工廠・銀行・民間会社へと広がった。

「ヒトラーきどり」といわれた水野は、全国に先がけてこれまで「一か年」と限定されていた応召軍人の給与を「応召期間中」と定め、このときは「あっぱれ市長」ともてはやされた。支那事変勃発の翌昭和十三年、呉市も前年に変わらず応召者が増えた。十三年の応召および現役出征兵は四〇〇〇余名、一〇世帯に一人の割合にのぼった。

水野が常日ごろ好んだ言葉は、「明治の請負師魂」である。親分子分の関係を好み、黒鍬が主体だったころの昔かたぎの血を、父の代から受け継いでいた。豊田副武がそうした水野を、「あれは土方の成り上がり」と見ていたことは十分考えられる。水野もまた、自分がそう見られていたことを知っていたのではなかったろうか。

「水野の逮捕は元鎮守府長官だった嶋田《しまだ》繁太郎《しげたろう》の工作という説もありましてね。これは当時、水野のそばにいた中川助役が戦後もずっと経って言ってました」

と「入船山記念館」館長の城戸則人が語っている。

嶋田繁太郎は太平洋戦争開戦時の海軍大臣である。東条内閣の海相として対米英開戦に承認を与えた嶋田は、「東条の副官」とかげ口をたたかれた。兵学校の同期生に山本五十《いそ》六《ろく》がいるが、

「ああいうのを巧言令色《こうげんれいしょく》というのだ」

と山本五十六は嫌っていたらしい。藤田元成が呉鎮守府の副官に決まり、夫人を連れて挨拶に行くと、

「鎮守府はうるさいとこだよ」

と山本は言った。

嶋田を指して言ったのか、呉鎮守府そのものを言ったのかは定かではない。

嶋田繁太郎が呉鎮守府司令長官になったのは、昭和十三年十一月から十五年四月までの

一年六か月ほどである。呉市長の水野甚次郎と鎮守府長官とは軍港都市だけに接触の機会も再三だった。水野逮捕後に、呉鎮守府の命を受けた海軍次官が東条内閣の湯沢三千男内務次官を動かし新市長を決定した背景には、嶋田繁太郎の影がなかったとはいえない。しかも、時の鎮守府長官は「貴族院議員とはいえ、あれは土方の成り上がり」と水野を嫌っていた豊田副武である。水野に対する嶋田と豊田の思惑が、何らかのかたちで暗黙裡《あんもくり》に働いていたとも考えられる。

水野はまた、昭和七、八年ごろから航空機国防論者であった。

軍令部の要求にもとづいて、艦政本部が新戦艦の基本計画に着手したのは、昭和九年の十月である。日本海軍の大勢が戦艦中心の大艦巨砲思想に占められていたころ、

「不沈艦などありえない。今後の戦闘は飛行機の攻撃力にある」

と早くに主張していたのは、山本五十六だった。

水野はこの山本に国会で会うと、海軍は飛行機をもっと増強すべきではないかと煽《あお》ったりしていた。

「水野さん、たしかにあなたのいう通りだが、これは陸軍の協力がないとね」

すると、水野は、

「飛行機を造る金がなければ、全国的に富籤《とみくじ》をやって金を集めりゃいいですよ。それに、少年航空兵を増強して、人材を育成する必要がありますね」

と言った。会うたびに、水野が「富籤」をくり返すので、

「よう、愛国富クジ屋！」

と山本はからかった。

水野の防空論は、民間航空施設の拡充、民間パイロットの養成にまでふくらんでいた。昭和十二年には自ら「航空促進会」を設け、その主宰者になっている。また水野は、海軍へ戦闘機一機を寄贈した。

水野が貴族院でもしきりと防空論を唱え、揶揄《やゆ》されていた事実は、記録にも残っている。昭和十四年の貴族院での水野の発言に、

「今回も防空論を一席、愛国富籤論で〝考えておりませぬ〟とアッサリ一蹴《いっしゅう》された時代と違い、今回は荒木（貞夫）、板垣（征四郎）、塩野（季彦）、木戸（幸一）の各大臣答弁」とある。

水野が昭和三十三年八月に亡くなったとき、病臥《びょうが》中の長谷川伸は弔辞を贈ったが、その中で、水野の航空機への思い入れに触れている。

「日本の航空機発達についても、昭和大戦の終末期にあたり挺身《ていしん》したことなどただ一つあげるのみでも、あなたが日本人として残した足跡の大きさを強烈に感じます」

長谷川伸は昭和十四年四月、先代の四代目水野甚次郎の墓参にと呉を訪れている。このとき水野は、日ごろの自論である航空機国防論について語ったのかもしれない。

水野が会社の経営より政治へと傾斜しはじめたのは、昭和十二年に呉市長になったころからである。「水野組」は五代目甚次郎の彼を中心に実弟の水野忠一が大黒柱として支えてきたが、昭和十五年に五十代の若さで亡くなった。水野は同じくもう一人の片腕だった義弟水野礼三（四代目の長女と結婚）に、

「自分はこの非常時、呉市長でもあるし、もっと政治方面に力を注ぎたい。水野組はきみが中心になってくれないか」

と頼んだ。

水野はまた、インドのチャンドラ・ボース、ジャワのスカルノ等の東南アジア、インドの独立運動の指導者たちとも親しかったという。

水野の政治家的な手腕は、父のあとを引き継いだ大正末から活発化し、しだいに呉市の実力者にのし上がっていく。呉という軍港都市のもっている特質と土木建築業という商売とが相まって、自然国防問題に対する意識が強まってくる。背後に、鎮守府が控えていることを考えれば、発言には慎重でなければならないが、水野はそういう点に無頓着なところがあった。そうした水野に対し、当時呉鎮守府司令長官の嶋田繁太郎は不快な思いでいたにちがいない。

「水野組」の昭和十二年から十五年にかけての呉海軍施設部の受注工事を見ると、「秋月隧道掘削《ずいどうくっさく》工事」「八本松火薬庫敷地造成および線路延長工事」「光《ひかり》工廠工場新築およびその

他」「長郷工員宿舎新築」などがある。呉海軍施設部が「水野組」に支払った金額は一三四五万円となっている。嶋田繁太郎から見れば、「水野組」は海軍の保護を受けた「土建屋」という意識が根強い。一方、水野には海軍だけでなく官公庁、民間会社の受注も増加していたので、資本金三〇〇〇万円の「水野組」総帥としての自負もあった。水野のアクの強さが嶋田鎮守府司令長官を刺戟《しげき》した面がなかったとはいえない。

巨大戦艦「大和《やまと》」と「武蔵《むさし》」の建造予算が、帝国議会を通過したのは、水野が市長になる四か月前の、昭和十一年十二月である。一隻当たりの建造費は一億一七五九万円だったが、計上予算はその八割の九八〇〇万円とし、排水量も三万五〇〇〇トンと非常に小さく見積った。これは二隻の建造の規模を知られぬための措置である。

日本海軍は機密物件を六つの段階に分けている。部内秘、秘、極秘、軍極秘、軍機、最高は国家機密。「大和」と「武蔵」は五番目の「軍機」にあたる。これまで「国家機密」に値する機密物件はなかったので、「最高機密」扱いの「軍機」だった。そのため、予算を通過させるに当たっても慎重を極めた。予算を作る大蔵省職員、国会で審議する代議士にも悟《さと》らせぬ巧妙な仕掛《しかけ》をした。架空の駆逐艦三隻と潜水艦一隻の予算を上乗せした。この予算案を作りあげた海軍の首脳の一人に、当時軍務局長だった豊田副武がいる。

水野が呉市長を務めたのは、昭和十二年四月から開戦時の昭和十六年十二月までである。「呉市勢要覧」には十二月十三日辞任となっているので、正確には昭和十六年十二月十二日までが呉市長在任期間になる。

「大和」が「A―一四〇」と呼ばれ、艦型が決定したのは昭和十二年の三月。呉海軍工廠の造船ドックに最初の竜骨《キール》を据《す》え、起工されたのは、その年の十一月四日である。昭和十五年八月八日に進水を終え、ドックから岸壁に移して艤装《ぎそう》工事の完了したのが、十六年十一月二十八日。「大和」の最後の主砲公式試験が徳山沖でひそかに行なわれ、呉へと帰って来たのは太平洋戦争の始まった昭和十六年十二月八日であった。

水野甚次郎の市長在任期間と「大和」の最終決定から誕生までの期間は、奇妙に符節があっている。

3

昭和十五年八月八日の朝八時、呉市の宮原通りから四道路《よつどうろ》付近を中心に、突如銃声が鳴りひびいた。陸戦隊が現われ、空砲の発射を合図に、市街戦ならびに防空演習がはじまった。

呉市の朝のラッシュは、海軍工廠への工員の出勤から始まる。海軍工廠の始業は七時十分だが、一〇分前には全員出勤している。工員たちの出勤ラッシュは終わっていたとはいえ、街を歩く人々の姿も多かった。市民たちは町角に立つ憲兵や海軍警邏《けいら》隊に交通を遮断《しゃだん》され、突然のものものしい成行きに何事が起きたのかとおどろいた。ときおり空襲を予想した演習は行なわれたが、早朝からの防空演習は初めてだった。

そのころ、呉海軍工廠の北東に位置するドックでは、全長二六三メートルの「一号艦」が進水を待って巨大な姿を横たえていた。

「一号艦」の「大和」の進水は、ドック内に海水を入れて浮上させ、曳船《ひきぶね》で海面へ曳《ひ》きだす方法が採られる。「二号艦」の「武蔵」のときのように船台を滑り下ろす苦心とは比較にならないが、巨大な艦を水平に浮揚させ、ドックの渠口《きょこう》から曳きだすのは容易ではなかった。艦底に三〇〇〇トンの海水を注水、次いでドック内にも注水する進水テストは二日前に無事終えていた。

この朝、進水関係者はドックに午前五時に集まった。海面の高さに艦を浮かびあがらせる仕事も終え、あとは極秘に建造をすすめてきた「一号艦」の進水式を待つだけだった。

二葉の古ぼけた記念写真がある。一枚には進水式台となる神殿風の建物を背景にした人々の姿が写っている。破風《はふ》造りの屋根の頂には、日章旗を真ん中に二本の軍艦旗がひるがえっている。背景は黒くつぶれていてはっきりしない。

もう一枚は、四一名が緊張した表情を浮かべて三列に並んでいる写真だ。

これは進水式の朝七時三十分に、「一号艦」を背景に写された造船部員たちの記念写真である。前列には庭田尚三造船部長を中心に、作業主任の芳井造船大佐、設計主任牧野造船中佐、船殻工場主任の西島造船中佐等が夏期礼装で並んでいる。夏期礼装の人々にまじって夏帽子、背広姿は造船技師たちだ。

「一号艦」は起工から竣工《しゅんこう》引き渡しまで四年一か月余を要したが、この間の造船部長は三代にわたっている。その中でも進水から竣工という最も仕事栄えのある時期に造船部長を務めた庭田尚三は、みずから「幸福者」と自負している。

写真は二葉とも、この庭田の秘蔵である。原板は当時焼却してしまった。庭田にとって当時をしのばせるものは、このひそかに写した記念写真二葉だけである。このような写真撮影をしたことさえ、長いあいだ秘密にされていた。

庭田尚三が呉工廠造船部長として着任したのは、昭和十四年十一月である。そのころ「一号艦」は棕櫚《しゅろ》縄のカーテンに覆《おお》われ、すでに防禦《ぼうぎょ》甲板以下の甲鉄部分はできあがっていた。毎日ドック内で作業をしていた工員は二〇〇〇名以上もいたが、船体が大きいために彼らはアリのように小さく見えた。

庭田は「一号艦」が極秘の存在であることを着任前から熟知していた。新艦、それも今まで世界でも造られたことのない規模の艦が計画されていることを耳にしたのは、昭和十年ごろだったろうか。すでに軍令部は艦政本部に対し、四六センチ（一八インチ）砲搭載《とうさい》可能な戦艦の建造を要求していた。

大正十一年二月六日、アメリカの首都ワシントンで開かれた「ワシントン会議」は、海軍軍備制限条約で、いわゆるワシントン条約を締結した。その条約で、アメリカ、イギリス、フランス、イタリアに日本を加えた五大国は、一〇年間主力艦の建造を停止するとともに、主力艦・航空母艦の保有トン数の比率を米・英・日は五・五・三に制限することが定められた。日本に「六割艦隊」なる言葉が生まれたのは、このときからである。つづいて昭和五年の「ロンドン海軍軍縮会議」では、重巡洋艦保有率が米英に対し七割という制限を受けた。「六割海軍」「七割海軍」などと皮肉られたのも、相次ぐ軍縮での劣等比率からだった。こうした軍縮条約で、日本海軍は次第に勢力を減衰された。

海軍部内に五・五・三の劣等比率に対する不満が吹き出したのは、昭和五年のロンドン条約締結の時からである。いわゆる「条約派」「妥協派」と見なされていた人たちが敬遠され、「艦隊派」と称する人たちが主導権をにぎり、軍縮協定破棄が主張されるようになった。

そこで、この条約の期限切れを待ち、ただちに条約から脱退し、いまだ米英も造っていない四六センチ砲を搭載した戦艦を建造し、米英を圧倒しようとする計画が海軍省と軍令部でひそかにすすめられていた。

日本がこうした大戦艦建造を思いたった動機には、かつて四九センチ砲を一門造り、成功させた経験があった。大正九年に呉海軍工廠の砲熕《ほうこう》部で試作、亀ケ《かめが》首《くび》実験場で試射したところ、その破壊力の大きさに驚いたことがある。

新しく強力な戦艦建造を念願していたのは、軍令部だけではなく、造船官たちも同様だった。

「もはや来るべきときは来た。我々技術者も、この瞬間こそ、鶴首《かくしゅ》して待ち構えていたのである。すぐにも飛んで行って、ワシントン会議の条約文を引き破ってきたいような気持を圧《おさ》えて、雌伏を続けていたときだった」

「一号艦」の設計計画主任（艦政本部第四部、造船部門）であった福田啓二中将の回想である。

軍令部からの新戦艦建造の申し出に「気負いたった」と、率直に記している。

以前から艦政本部では、アメリカが「一号艦」に匹敵する四六センチ砲搭載の新戦艦を建造する可能性を考え、どんな性能になるか試算したことがある。その結果、「一号艦」に匹敵する艦は難しいのではないかという結論になった。

米海軍にはパナマ運河という一つの制約がある。パナマ運河の水門の幅は一一〇フィート（三三・五メートル）。これに合わせて幅一〇八フィート（三二・九メートル）の船を造ったとしても、ほそ長い防禦力の弱い艦になるだろう。

「とすれば帝国海軍の思惑通り、将来少数精鋭のホープとして、太平洋の王者たるだろう」

と福田中将は記している。

アメリカが「一号艦」をしのぐ大戦艦を計画しているのではないかという考えは、造船技術者だけでなく、日本海軍が最も恐れたところである。米国海軍を仮想敵国とする日本海軍にとって、「一号艦」は極秘に建造されねばならない切札でもあった。呉海軍工廠の造船部長たちが、「一号艦」の機密保持を使命として受けとめたのも、ここにあった。市民にも察知されてはならなかった。

呉の街は、すり鉢の底を三分の一ほど割ったような地形である。割ったところに海軍工廠があった。

灰ケ峰《はいがみね》からおりてきた丘陵は海岸線近くにきても平地にならず、家並みは段丘状にひしめいている。人口は昭和十年の国勢調査では二三万一三三〇人、昭和十六年には四〇万人にふくれあがった。全国一の人口増加率である。

まず、工廠を見下ろす宮原町の道路ぞいには目隠しの塀がつくられ、工廠に面した窓はすべて閉鎖するように指示された。工廠付近の農家には証明書が発行され、畠仕事のときもかならず携帯《けいたい》する。憲兵隊に要求されたときはすばやく提示する義務が課せられた。

呉線を走る列車は、海岸側の窓をすべて板で閉ざし、とくに吉浦《よしうら》駅から呉に抜ける「トンネル」の出口は、トタン板の屋根で視界をさえぎった。また、軍港内で唯一の民間港の川原石《かわらいし》港も閉鎖され、島回りの船はひと山離れた吉浦港に回された。一般船舶には麗女《うるめ》島検問所で検問後、出入りの許可を与えた。

進水後の話だが、ある日、庭田造船部長は呉線の列車に乗っていて展望車のデッキに立ち、何気なく港内を見下ろした。すると、目隠しの塀の上から、工廠の岸壁が覗《のぞ》いている。庭田の報告で急遽《きゅうきょ》、目隠しの高さが継ぎ足された。

工廠内は、機密保持の厚い壁に閉ざされた巨大な密室になった。「一号艦」近くの区域は厳重をきわめ、直径五センチほどのバッジを胸につけた者以外は、すべて立入り禁止とされた。この大きなバッジには、顔写真とともに立入り場所を示す色分けがなされていた。巨大な密室である工廠内には、「一号艦」をめぐる幾つかのドラマもまた生み落とされている。

これは進水式前の話だが、注排水用バルブの設計図の一部を業者に見せた技師の一人は、その後の運命まで狂わせてしまった。

「一号艦」には、技術武官二三名、技師一三名とともに、六六〇六名の工員が参加している。この一三名の技師の中にKという男がいた。本来なら、晴れの進水式の記念撮影に加わるべき一人だった。

Ｋ一等技師は注排水装置の考案者でもある。これは「一号艦」の特色の一つとされ、従来の戦艦にはない機構だった。艦が魚雷や砲弾で片舷《かたげん》が破壊されて浸水したとき、反対舷に注水し、艦の傾斜を急速に復原させる装置である。

この注排水用バルブを工廠では大阪の業者に外注した。担当責任者がK技師である。業者はあまりの大型バルブに驚き、その部分の設計図だけでも見せてほしいと頼んだ。K技師は断わったが、業者のほうも途方にくれた表情になった。この業者にはこれまでもたびたび工廠の仕事を請け負わせていた信頼感があった。そこで、K技師は納期に間に合わせるため、

「秘密は厳重に守ってほしい」

と念を押し、ひそかに自分の部屋にその業者の技術者を招いた。注排水装置用の全体図を見せて説明した。技術者もようやく納得した。

半年後、このバルブは納期通り工廠へ収められた。それからしばらくして、突然K技師は憲兵隊に逮捕され、「機密漏洩《ろうえい》罪」で懲役三年の刑を宣告された。工廠内からK技師の姿は消えたが、関係者はこの件につき現在も口を閉ざしている。将来を約束されていたK一等技師のその後についてはだれも知らない。

K技師の事件は、発注業者側からの露顕とされているが、何のためにだれが密告したか今日も真相は謎である。K技師は「軍機」徹底のためのスケープゴートともいえた。

工廠のドック内には、いま「一号艦」が造船関係者の種々な思いを集めて巨大な体を横たえていた。岩山のようにそそりたつ船体は最上甲板から艦底までおよそ二三メートル。艦上に主砲が据えられる日も間近かった。

艦首に紅白の綱とくす玉をつけたことだけが、関係者たちにとってせめてもの誕生祝いといえた。

進水式の日時が最大満潮時である昭和十五年八月八日八時半と決まってまもなく、庭田たちに天皇陛下がお忍びで臨席されるという内意が伝わった。

二年と七か月、神経と肉体を擦《す》り減らしてこの仕事に従った関係者には、海軍兵学校卒業式への行幸の際に立ち寄られるというこの内意は、ひとしおの喜びだった。だが、急遽、天皇の臨席は取り止めになり、吉田善吾《ぜんご》海軍大臣も欠席となった。内外の情勢の急速な変転に、海軍省からは進水式秘匿《ひとく》が厳重に通達されたからである。

この昭和十五年という年は、年頭から激動をはらんでいた。政府はドイツ、イタリアと三国同盟を結ぶべきか否かでもめつづけ、一月十六日に成立した米内光政《よないみつまさ》内閣は、この七月十六日に陸軍によって総辞職させられていた。近衛文麿《このえふみまろ》に大命降下、第二次近衛内閣が成立した。支那事変は長期化し、「三国同盟」をめぐり、日米開戦へとつづく緊張を見せはじめていた。

「一号艦」の進水式は「二号艦」に比べても淋《さび》しいものだったと、当時の造船関係者は回想する。その三か月後に行なわれた「二号艦」の進水式には伏見宮博恭《ふしみのみやひろやす》王軍令部総長をはじめ、及川古志郎海軍大臣、豊田副武艦政本部長が列席した。もっとも、「一号艦」の進水式に吉田善吾大臣が欠席となったのは、病気のためだったともいわれる。

吉田善吾は米内内閣倒閣後も、第二次近衛内閣の海相を務めたが、九月に入ってまもなく病気を理由に辞職している。

「吉田善吾が病気になったのは、精神的な重圧だよ。三国同盟を早く締結させろと、陸軍だけでなく海軍の一部からも突き上げられちゃたまらんね。同期の山本五十六からはもっとはっきり反対せよといわれるし、間にはさまって、精神的にまいってしまったのだ」

海軍内にはそうした声も聞かれた。

午前八時を少し過ぎたころ、天皇の御名代として、呉に在港中の「八雲」の艦長久邇宮《くにのみや》朝融《あさあきら》王が艦載艇《かんさいてい》で工廠桟橋に着いた。それを合図に、ドック内の海上に煙幕が張られた。警備艇の焚《た》く発煙筒の黒煙が、にわかに海面を覆《おお》った。市民の眼《め》に「一号艦」が曳き出されるのを隠すためだった。

午前八時二十分、桟橋から車でドックに到着した久邇宮が、日比野《ひびの》呉鎮守府司令長官の先導で式場のドック内に姿を見せた。

久邇宮が式台に立つと、吉田海軍大臣の代理として日比野呉鎮守府司令長官が一礼し、おごそかに封書を開いた。

「命名書。軍艦大和。昭和十二年十一月四日其ノ工ヲ起シ、今ヤ其ノ成ルヲ告ゲ、ココニ命名ス。昭和十五年八月八日。海軍大臣吉田善吾」

命名書を読む日比野長官の声は押さえたような小声だった。式台の近くにいた者以外には、「大和」という艦名は聞こえなかった。参列者には機密保持上の配慮のように思えた。

しかし、正式に「大和」と命名されたこの一瞬、造船関係者は緊張と感動をおぼえた。庭田造船部長もその一人である。庭田は七月中旬に艦名が「大和」となる内示を受けていた。大正時代に戦艦の名は日本の国名をつける制度ができた。日清《にっしん》戦争時に「大和」「武蔵」という鉄骨木皮のスループ艦があり、初代の「大和」は明治二十年に建造され、初代艦長は東郷《とうごう》平八郎である。昭和三年廃艦にされていたので、新しく建造の戦艦に「大和」の名が継がれることは予想していたという。

「大和」という日本人に最も身近な名称が付されたことに、庭田は満足した。

「進水はじめ」

芳井進水主任の声に、「大和」の艦首についているもやい綱がとかれ、一〇人の作業員が各々の綱をにぎった。つづいて「曳き方はじめ」「進水よろし」の声がドック内に響いた。

進水の瞬間《とき》がきた。砂川兼雄工廠長が進み出ると、小さな金の斧《おの》で式台上の支綱《ささえづな》を切断した。一瞬、「ギロッチング・シャー」の支綱が大きくゆるむと、艦首の紅白のもやい綱が切れた。五〇〇トン二隻、三〇〇トンと一五〇トン三隻、合わせて五隻の曳き船が「大和」をゆっくり曳き出しはじめた。「大和」は煙幕の張りめぐらされた海上へ、毎秒一フィートの速度で二〇分ほどかかりながら、ドックから離れていった。

参列者たちは、鋼鉄が生きものに成長した巨大な姿を黙然《もくねん》と見送っていた。

庭田はふと、造船屋仲間が進水式の状況で艦の運命を占うのを思い出した。「宮古《みやこ》」「筑《つく》波《ば》」「河内《かわち》」は進水時に、故障やにわかな荒天に見舞われていた。後にそれらの艦の不幸な最期を知ったとき、やはり進水式は不吉の予兆だったと言い合った。

「大和も武蔵も、僅《わず》かに三年余りの短命で自殺に等しい最期を遂げたことは、華々しかるべき進水式が、あたかも私生児のような誕生であったことと思い合わせ、やはり不運な艦であったと、感慨無量の念を禁じ難かった」

後になって、庭田尚三は手記にそう書いている。

そのころ、呉市長の水野甚次郎は、この八月八日に進水式が行なわれたことを知っていたのであろうか。この日、早朝から陸戦隊の大演習が呉鎮守府の命で行なわれていたので、あるいはひそかに伝え聞いていたかもしれない。水野はいつごろ、「大和」がドックで「軍機」艦として建造されていたことを知っただろうか。正確な年月日はわからないが、少なくとも、昭和十二年十一月四日に起工される以前に察知していたように思える。

「大和」の建造命令が呉鎮守府の当時の司令長官加藤隆義中将に発せられたのは昭和十二年八月二十一日付だが、その一年前の十一年七月、艦政本部から呉工廠に対し、造船ドックを一メートル掘り下げること、ガントリークレーンを一〇〇トン以上にすること等が命令されている。

呉海軍工廠の最大ドックの面積は一万四〇〇〇平方メートル、長さ三一三・九四メートル、幅四四・八六メートルだった。深さは一〇・三三メートルだったが、それを一メートル掘り下げよと命令されたのである。しかし、呉工廠ではコンクリートで頑丈に固めたドック内を一メートル掘り下げる工事は、外注に出すしかなかった。どこにこの重要な工事を請け負わせるかとなれば、信用のできる会社にまかすしかない。そこで選ばれたのが、水野が社長をしている「水野組」だった。水野が市長になる九か月前である。前市長松本派と水野派が市議会で抗争のさなかだった。おそらく水野は、日本一の呉海軍工廠の最大ドックをさらに一メートル掘り下げると知り、これはよほどの大艦が造られると察知しただろう。また、「大和」の主砲を四六センチ砲とする契機になった、大正九年試作の四九センチ砲一門が試射され成功したのは、亀ケ首発射試験場である。このときの工事を請け負ったのも、やはり「水野組」だった。

4

進水後の「大和」には、最後の仕上げ段階としての艤《ぎ》装《そう》工事が待っていた。艤装ドックに曳航《えいこう》されると、舷《げん》側《そく》甲鉄や上部構造物の構築、主砲をはじめ兵器の積載、内部の総仕上げ等の重要な作業が始まった。

「大和」の引き渡しは昭和十七年六月十五日に予定されていたが、海軍省から三度にわたる工事の繰り上げが要求された。

「昭和十六年末までに竣工せよ」

三度目の繰り上げ要求が強引に伝えられたのは、その年の梅雨の季節に入った六月ころだった。

すでにその二か月前には、日米交渉がワシントンにおいて、日本の野村吉三郎大使とアメリカの国務長官コーデル・ハルとの間に始まっていたが、難航していた。アメリカの対日姿勢は極めて強硬だった。日本の陸海軍部隊が仏領インドシナ南部に進駐したころから、対日経済圧迫の措置を取っていた。綿と食料品を除き、一切の物資の輸出禁止である。この輸出禁止品目の中でも石油は日本の貯蔵量に限りがあり、喉元《のどもと》に刃をつきつけられた恰《かっ》好《こう》であった。海軍の内部でも仏領インドシナなどの地下資源を獲得する意味もあって、開戦を主張する者が次第に多くなってきた。

昭和十六年四月に入ったころ、工廠内の艤装《ぎそう》工場の三階にある大きな一室に、奇妙な看板が掲げられた。看板には、「宮里大佐事務所」（別称「呉鎮守府Ⓐ《マルエイ》艦事務所」）と書かれている。この部屋では、宮里秀徳大佐を艤装員長に、「大和」の艤装をめぐる事務がひそかに進行していた。

付として選んだ。

「大和」の乗組員は、呉鎮守府所属の海兵団の下士官、兵を中心に選抜される。この選抜にあたったのが、鎮守府の人事部だった。人事部は兵科・機関科・主計科などの各科から数名ずつの下士官、兵を最初の艤装員付として選んだ。

この最初の艤装員付に選ばれ、その後も「大和」と三年余の生活を共にした人々に、主砲発令所の細田久一、副砲の三笠逸男《みかさいつお》、主計の丸野《まるの》正八、機銃の内田貢《みつぐ》等がいる。

三笠逸男の記憶によると、当時の艤装員付は四、五〇人足らずで、四月から九月まで月ごとに増員されていったという。三笠をはじめ、細田、丸野、内田たちは昭和二十年四月の沖縄特攻に至るまで乗艦し、生き残った数少ない人々である。このときの艤装員付名簿は残されていないため、他の人々については氏名も退艦か戦死かも定かでない。「大和」の乗組員という場合、この四月の艤装員付から二十年四月の沖縄水上特攻となった「天」一号作戦までの乗艦者を含めるが、俗に「大和」の生存者といわれる人々は、「天」一号作戦に参加し生き残った乗組員を指している。大阪に本部を置く「戦艦大和会」のメンバーは「大和」に乗艦経験のある者、もしくはその遺家族であるが、「天」一号作戦における生存者もその約五割程度が参加しており、その他の人々の消息は不明である。ちなみに、「大和会」の会員は昭和五十八年現在、八六五名といわれている。

四月に艤装員付となった細田久一の話によると、そのころ「大和」は「一号艦」とも呼ばれず、「Ⓐ艦」と教えられた。艦名「大和」と知らされたのは、竣工引き渡しの式が行なわれた十六年十二月十六日であった。

艤装員付の下士官、兵のための身分証明書作りを担当した一人に、鈴木清主計兵がいる。鈴木清は当時、上海海軍特別陸戦隊勤務だった。突如、「呉鎮守府Ⓐ艦付」を命ぜられ、呉駅に到着した。鈴木は行先を確かめるために駅の公衆電話で鎮守府人事部に問い合わせると、

「鎮守府の構内の専用電話を使用せよ」

と人事部の対応は思いもかけぬ厳しい口調であった。鈴木が人事部の兵隊に引率されて連れて行かれたのが、この「宮里大佐事務所」だった。鈴木はそこで初めて艤装員付であること、防諜《ぼうちょう》にくれぐれも注意を怠らぬことを念入りに申し渡された。

「青葉《あおば》」乗組みの三笠逸男二等兵曹が、鹿児島の志布志《しぶし》湾から呉の「大和」の艤装員に赴任《ふにん》したのは四月五日である。厳重な身分調査のあと、工員たちともども胸に顔写真を焼きつけたバッジをつけて艦内に入ったのは、一週間後だった。

繋船《けいせん》堀の桟橋から初めて「大和」を見上げたときは、その巨大さに圧倒された。まるで呉の麗女《うるめ》島が眼前に立ち塞《ふさ》がったように思った。

まだ「大和」に主砲が搭載されず、艦橋工事のただ中である。広大な甲板には大きな穴が無数にあき、工具が散乱していた。中でも、直径一二メートルもの円筒がひときわ大きく目に飛び込んだ。クレーンが鈍いうなりをあげ、鉄の構築物が次々と組み上げられているさまは壮観だった。見上げると二六メートルの高さだ。

「これが、艦橋か」

と息をのんだ。支筒内にはのちに四人乗りの艦橋エレベーターが取り付けられるが、このときの工員たちは天空に向かうような階段をあえぎながら登っていた。

三笠をはじめ、艤装員付の人たちは戦闘艦橋のための模型を見せられ、兵員配置のモルモットの役目も果たした。

艤装工事末期に撮影された、「大和」の最も古い写真がある。十六年九月二十日の日付のあるこの写真は、工廠の浮桟橋《うきさんばし》に繋留《けいりゅう》中の「大和」である。艦首左方に遮蔽《しゃへい》用のガーターとネットが、右には修理中の空母「鳳翔《ほうしょう》」が写った珍しい写真だ。

甲板には、バラック建ての作業小屋や当直下士官と思える人物の後ろ姿が写っている。

「この写真を見ていると、わしじゃなかろうかと思ったりしましてね」

広島市内の八丁堀交叉《こうさ》点《てん》付近で写真のＤＰＥ業を営む三笠は、この二坪ほどの店内の隅に貼《は》られた大きなカレンダーの写真を見ながらいう。艤装時の写真は昭和五十七年度「戦艦大和会」のカレンダーにもなっている。

三笠のちいさな店は、昭和四十年代頃から広島市内の「大和」の元乗組員や遺族たちの溜《たま》り場になっていた。戦後三〇余年経って、ようやく行なわれ始めた「大和」の沈没位置解明に、当時の乗組員だった石田恒夫、八杉康夫と奔走した一人である。

「私は生き残りとは思っていない。死に損ないだと思っとる。どうしておまえだけ生きて帰って来たのか、と遺族に問われるのがつらくてね」

口《くち》ごもるように語る。

三笠逸男は、大正七年、広島県安佐郡安佐町大字《おおあざ》飯室《いむろ》字《あざ》下烏帽子《えぼし》に、生まれた。山と山にはさまれた日蔭《ひかげ》の村で、六人兄妹の四番目だった。

海軍に志願したのは昭和十年、十六歳のときだった。昭和十年というこの年は、どこも不景気で農家の次男以下は食べるに困って海軍に志願した者が多かった。そのころの海軍の志願者には、山口県につづいて広島県出身者が多くを占めていた。

「家は百姓家で、親父《おやじ》は、志願せんでもいずれ兵隊にとられる、ゆっくりいけといったが、海軍に入って努力すれば上にあがれる。早く親に迷惑かけずに食う道を探したいという気持でいっぱいだった。おふくろはうつむいて何にも言わなかった」

海兵団を出て海軍三等水兵として初めて乗ったのは、巡洋艦「衣笠《きぬがさ》」である。このとき父親が亡くなった。二・二六事件の年だった。

「衣笠」の艦長は三等水兵の実家に、

「ゴソンプノシヲココロヨリイタミモウシアゲマス」

と弔電を打ってくれた。

母親は、よほど嬉しかったのか、これを仏前に供えて家宝のように大事にした。

そののち、横須賀の海軍砲術学校練習生、高等科を卒業した。「熊野《くまの》」「伊勢《いせ》」「青葉」と乗りついで、「大和」の艤装員付になったときは二十二歳である。二等水兵、一等水兵、三等兵曹を経て、志願して六年目に海軍二等兵曹に進級していた。順当な進級だった。

三笠は艦内に毎日出入りしているうち、この新戦艦がこれまでの戦艦の基準をはるかに越えた性能や設備をもっていることに目をみはった。

当時、ワシントン条約の期限切れに備えて計画された「大和」の主要目は次のようであった。

全長　二六三メートル
最大幅　三八・九メートル
排水量　公試六万九一〇〇トン
　満載状態七万二八〇九トン
速力　二七・四六ノット（一五万馬力）
重油量　満載時六三〇〇トン（一六ノットで七二〇〇浬《かいり》を航走する量。公試成績では一万一

五〇浬を示した）

主な兵装

主砲　四六センチ三連装砲塔三基九門

副砲　一五・五センチ三連装砲塔四基一二門

高角砲　一二・七センチ連装砲塔六基一二門

機銃　二五ミリ三連装八基二四挺《ちょう》、一三ミリ連装四基八挺

その他　カタパルト（旋回式）二基、水中聴音機一組、搭載飛行機六機

艦の全長は二六三メートルで東京駅の長さとほぼ同じ。艦底から艦橋のトップまでは五一メートル、一八階のビルの高さに相当する。排水量に比較して極めて短いために外見上はあまり大きく見えない。この大きな艦を小さく造り上げるところに建造技術者の苦心があった。長さに比較して幅が異常に広いのは、巨大な主砲を備えるための安定性や防禦力《ぼうぎょりょく》の点からの配慮による。魚雷回避には艦の全長は短いほうが良いが、スピードは鈍る。そのため、造波抵抗を減らし、速力を増す球状艦首（バルバス・バウ）が考案された。これにより全速力における船体抵抗は約八パーセント減少できた。

最上甲板は艦首が盛り上がり、第一主砲砲塔付近が一番低く、中部甲板はふたたび高く

なって水平にのびている。側面の線は全体に波形を呈し、俗に「大和坂」と呼ばれた。

「大和」がのちに他艦の乗組員たちに「大和ホテル」と羨望《せんぼう》されたのは、これまでの戦艦に見られない数々の近代設備が備えられていたからだ。

艦内に直通電話が四九一本、伝声管が四六一一本、さらに電話交換室を通す一般電話が設けられていた。

兵員居住区は著しく改善され、ハンモックで寝るのは新兵期間中で、あとはベッドになる。居住区の一人当たりの床面積は三・二平方メートル。駆逐艦の三倍以上のスペースで、サーモタンクによる暖冷房も艦内に設けられていた。

「大和」が不沈艦の神話を生んだのは、集中防御区画を重視した設計がほどこされたことにもよる。

艦隊の根幹となる戦艦にとって防御力はとくに重要だが、砲弾、爆弾、魚雷の攻撃に対処するため、厚い甲鉄で囲み、それらの破壊力が艦内に及ぶのを防いだ。これを集中防御、ないし直接防御といった。また、被弾によって生じた破孔からの浸水を局部的にくいとめ、艦の浮力と復原力を維持するための防御を、間接防御と呼んだ。

「大和」には、この二種の防御が最新鋭の技術を駆使して取り入れられていた。

この集中防禦区画はヴァイタル・パートと呼ばれ、艦の心臓部にあたる。弾庫火薬庫、罐室《かましつ》、機械室、発電機室、水圧機室、発令所、通信室の一部、注排水指揮所などがある。この防禦区画は、上面を厚さ二〇センチ、側面を四一センチ、前後面を三〇センチの甲鉄の箱で囲んだ。

これは、「大和」と同じ四五口径四六センチ砲で、射程二万メートルないし三万メートルで撃たれても貫けないことを基準にされていた。とくに魚雷防禦として、弾庫火薬庫は艦底部分にさらに五センチから八センチの甲鉄が張られていた。

「大和」は、いわば甲鉄の箱舟であった。

しかし、航空機による空からの攻撃を受けた場合、煙突や通風孔から爆弾が艦内に突入し、被害を受ける場合もありうる。これに対しては、蜂《はち》の巣甲鈑《こうはん》という防禦構造が考案された。この蜂の巣甲鈑は、甲鉄に無数の小穴をあけたかたちが、蜂の巣に似ているところから呼ばれた。これによって爆弾の艦内への貫通を防ぎ、しかも重量が軽くすんだので画期的な研究成果だった。

この蜂の巣甲鈑をめぐって、山本五十六と「大和」「武蔵」の当時の設計担当責任者、福田啓二造船少将との間に、こんな話がある。

あるとき、福田の部屋に山本が入ってきて、

「どうも、水を差すようですまんけれど、君たちは一生懸命にやっているが、いずれ近い

うちに失職するぜ。これからは海軍も、航空兵力が大事で、大艦巨砲は要らなくなると思う」

福田の肩に手をかけて言った。

このとき、福田が、

「いや、そんな事はありません。私たちは絶対とは言えないまでも、極めて沈みにくい艦を造って見せます。それだけの可能性を考えて設計しているのですから」

と言って説明したのが、この蜂の巣甲鈑だった。

「うむ、しかし……」

山本は不服そうに黙ってしまった。

「今思えば、素手で白刃の中に飛込んだ大和の末路を見はるかしておられたのであろうか」

のちに福田はこのエピソードを記している。

山本五十六は終始、「大和」「武蔵」の建造に反対で、それだけの金と資材があれば海軍航空部隊の充実がはかれると強調したが、海軍部内の大艦巨砲主義者を説得できなかった。

「大和」は世界の戦艦史上、類を見ない規模と機能を備えた戦艦として設計された。

しかし、皮肉にも真珠湾への航空奇襲によって開戦した日本海軍は、戦闘における飛行機の優越性も実証したのである。

海軍の本領は、東郷平八郎の例をまつまでもなく、艦隊決戦にあるとされてきた。山本はすでに戦争の方式が巨艦主義から飛行機中心の時代へと移行したことを知りながら、この未曾有《みぞう》の不沈戦艦に連合艦隊の司令長官として坐乗《ざじょう》し、ミッドウェー攻略をなかば強引に進めた。アメリカの太平洋艦隊をおびきだす作戦だったが、ここには艦隊決戦へかけざるをえなかった山本のひそかな決意がのぞいている。

「大和」の建造費は、昭和十二年三月の艦政本部予算によると、約一億三七〇〇万円である。昭和六十年代の物価に換算すると、一五〇〇億円以上といわれる。

当時の用兵者の思惑に対し、確実に応《こた》えて設計された「大和」は、日本の工業技術の最高水準を示し、まさに海に浮かぶ鉄の要塞《ようさい》であった。

『連合艦隊の栄光』および『連合艦隊の最後』を書いた伊藤正徳《まさのり》は、小泉信三をして、「比類なき海軍記者」であるとともに、「彼にとっては、初恋の対象も最後の恋人も帝国海軍だった」と言わしめた人だが、この伊藤正徳が、

「大和を生んだ造船の野心と技術のほうがおそろしい」

と記している。まさに至言である。

戦艦建造はむろん戦争を前提としているわけだが、〈大和を生んだ造船の野心と技術〉は、巨艦主義の衰退という時の趨勢《すうせい》や、戦略、戦術論を超越した別のエネルギーがはたらいていたように思える。

これは近代国家となって日の浅い日本が欧米列強に伍《ご》して一歩もヒケをとるまいとした、悲願の象徴といえた。

極秘のうちに誕生したこの巨艦は、乗組員たちはもとより、多くの人々のあいだに不沈戦艦の「神話」を生じていった。

「大和は世界一美しいフネだった。四〇年近く経っても、青春を犠牲にして悔いのないフネだった」

生存者の一人で、学徒出身の渡辺光男は、この艦に乗ったことが誇りだったと語っている。

大日本帝国の象徴である「大和」が沈むことがあるとしたら、それは日本の最期のときであった。「大和」は沈まない艦でなければならなかった。

艤装工事が仕上げ段階に入ると同時に、「一号艦」乗組みの予定者も決まった。艦内は、こうした士官、下士官、兵たちでふくれあがった。昭和十六年九月から十月にかけての乗組員数は、およそ一五〇〇〜一六〇〇名にものぼった。

そのころ、「一号艦」に乗り組んだ人々には、先にあげた細田久一、三笠逸男、丸野正八、内田貢たちのほかに、村田元輝、家田政六、梅村清松、坂本一郎、西部音治、板東《ばんどう》定昌、後藤虎義、塚本高夫、高橋弘《ひろむ》、杉谷鹿夫らがいた。

彼らは、「大和」が竣工する以前からの乗組員であると同時に、昭和二十年四月七日の沖縄水上特攻における生存者でもある。しかも、彼らはすべて、特務士官（昭和十七年十一月一日以降、「特務」という呼称は使用されなくなる）と下士官兵だった。

「士官は一、二年で転勤するが、下士官兵は呉所轄の艦をまわるだけなので、なんども同じ艦に乗る。士官は同居人だが、下士官や兵は、艦の家族と思っている」

と言うのは、積み重ねた体験を信念とし闘って来た、水兵からの叩き上げの特務士官、家田政六である。

「大和」の乗組定員数は約二三〇〇名（ただし、最後の沖縄戦は三三三二名）である。そのうち、准士官以上は約一五〇名、残りの下士官兵は約二一五〇名である。乗組員の約九割が下士官兵であった。「艦は人」とはよくいわれる言葉だが、「大和」を支えたのは、家田政六のいう「艦の家族」である下士官兵たちだった。

「大和」は多くの秘密をもった兵器だったが、わけても秘中の秘は主砲の四六センチ徹甲弾である。現存する戦艦のいかなる厚さの甲鉄をも貫き、その命中弾一発で敵戦艦を撃沈することが可能とされていた。最大射程四万二〇〇〇メートルは、東京から大船までの距離にあたる。この四六センチ砲群射撃の脳髄ともいうべき主砲射撃指揮所の射手と旋回手は、海軍きっての優秀な技倆《ぎりよう》の持主でなければならなかった。射手には村田元輝が選ばれ、その女房役である旋回手は、家田政六であった。家田は、山口県出身で五年先輩の村田元輝射手に、全幅の信頼を寄せていた。

　愛知県知多《ちた》半島の突端の漁村に生まれた家田政六は、船が好きで海軍を志願した男だった。海軍に入ると航海士の免状がもらえると聞き、志願したのは大正の末だった。海軍砲術学校の特修科を優秀な成績で終えた家田は、この特修科の教員も務めている。このときの先輩が村田元輝だった。家田の乗った艦がまた多い。「伊勢」と「扶桑《ふそう》」は二度、そのほか「阿武隈《あぶくま》」「浅間《あさま》」「三隈《みくま》」に乗っている。呉所轄の艦をまわって、「大和」乗艦のときは二十七歳の兵曹長であった。

　九月二十日に乗り込んだ家田は、艦の性能を知ることに努力した。艦内の隅々にまでもぐり、「大和」を造った工員たちの説明を聞き、たんねんにノートに整理した。竣工式の行なわれるころには、艦の性能・機構から自分の配置である射撃盤にいたるまでのおよそを極めた。知り極めると、一層艦への愛着を覚えた。

　九月から乗組みの兵たちは、各部署の指揮官たちから艦内構造の説明を受け、自らの配置を知ることに専念した。

　佐藤志末吉《しまきち》工作兵曹は、艤装工事中甲鉄に包まれたヴァイタル・パートの舷側装甲《げんそくそうこう》の外側につけられた魚雷対策用のバルジに工員たちと潜り、浸水個所《かしょ》の有無を調べた。移動灯をたよりに真っ暗な箱の一つずつを点検していると、人体内部の闇《やみ》の回廊をさぐっているような錯覚にとらわれる。パイプの鈍い金属色は、血管のように思え、この不気味な光沢に怖《おそ》れと高揚を覚えた。バルジを調べているうち、佐藤工作兵曹はその完璧《かんぺき》とも思える艦に不死身の肉体を感じ、神秘的な信仰さえ持つにいたった。

運用科の兵に、高橋弘二等水兵がいた。彼は毎日下士官の「整備作業かかれ」の号令で艦の窓ガラス拭《ふ》きや、ハッチのパッキングの手入れなどに従事した。その数か月、高橋の海軍生活の中では最も安らかな期間といえた。

高橋弘は、昭和十五年の徴募兵である。父親は広島で小商売をしていたが、酒を飲んではよく暴れた。六人兄妹の長男に生まれたが、家の暮らしは楽でなく、尋常小学校を出ると間もなく大阪に丁稚《でっち》奉公に行った。父親はかつて呉の工廠で電気関係の仕事をしていたこともあるので、幼いころから海軍さんは見慣れていた。呉の街角で怒鳴られ、叩かれている水兵服の海軍さんには憧《あこが》れよりも怖れのほうが強かった。

徴兵検査で甲種合格になり、海軍にとられたときは気落ちした。「大和」の艤装員付に選ばれたときも、さほどの感激はなかった。その前に掃海艇に乗ったときの制裁の厳しさから、新戦艦乗組みとなれば、軍規風紀がさらにうるさくなることを思って気が重かった。

「大和」は竣工引き渡しの式が済んだあと柱島《はしらじま》に碇泊中だったが、一度改装のために呉のドックに入港したことがある。まだ旗艦《きかん》になる前のことで、このとき乗組員に休暇が与えられた。広島の家に戻ると、父親はどんな艦に乗っているのかと訊《たず》ねた。彼は初めて、父親に「大和」だと告げた。

「それじゃ、祖父《じい》さんの乗っとったフネと同じだ」

父親が奇遇を喜ぶ声で言った。祖父は海軍軍人で日清戦争のときに乗ったのが、初代の「大和」だったという。そういえば家に古ぼけたフネの写真があったが、あれも「大和」だったのかと思った。だが父親の強調する奇遇への感傷も感激も彼には遠かった。

呉工廠にいたことのある父親は、息子の乗っている「大和」の規模を知りたがった。高橋は、祖父さんの乗っていた「大和」とは比較にならぬ化け物のような艦だと言いかけ、極秘なのを思い起こした。休暇に先立ち親兄弟にも言うなと固く戒められていたからだ。それっきり、彼は父親の質問にむっつりと黙り込んだ。

「大和」乗組みが極秘扱いだったことを強烈に記憶しているのは、やはり艤装時から乗組みの、工作科の板東定昌兵曹も同様だった。工作艦「明石《あかし》」から七月に転勤になった板東も毎日艤装ドックに通うたび、この艦のことを人に言ったら軍法会議だと嚇《おど》された。

十月に入ると、乗組員は二〇〇〇名近くになった。上甲板の右舷側《みぎげんそく》の兵員烹炊所《ほうすいじょ》で竈《かまど》の御祓《おはら》いをすませると、最初の乗組員たちの食事が作られた。この食事は、やはり艤装時から乗組みの丸野正八主計兵たちが作った。

先に記した「大和」の最も古い乗組員は三年余の艦上生活を共有しながらも、互いの交流はない。村田元輝、家田政六、塚本高夫たちが互いに知っていたのは、ともに主砲射撃指揮所という共通の配置であったからだ。

戦時中言葉を交わすこともなく過ごした「大和」の乗組員たちが、互いにその存在を知り得たのは、戦後もかなりたってからのことである。

昭和十六年十月十六日から三日間、土佐沖で「大和」の予行運転が初めて行なわれた。最終日は南西二〇メートルの強風の吹く、荒れた天候になった。随伴した三隻の駆潜艇は途中で落伍したが、「大和」は動揺を見せず、舷側《げんそく》に波が白く砕けるだけだった。彼らはあらためて世界最大の戦艦に乗り組むことのできた喜びと気負いを感じた。この日は、機関出力一五万三〇〇〇馬力、速力は二七・四ノットと予想以上の記録を収めた。つづいて、十月二十二日から八日間、投揚錨《とうようびょう》テスト、全力後進テスト、操舵《そうだ》テスト、飛行機射出テストなどをつづけた。主砲、副砲、高角砲、機銃等の兵器装備のテストも順調に進み、十一月下旬からは大小各砲の公試が始まった。

折からの内外情勢も波乱をふくんでいた。「大和」が予行運転を開始した十月十六日のその日、近衛内閣が倒れて二日後に東条英機の戦争内閣が誕生した。開戦への不気味な地鳴《ひびき》りは間近に聞こえはじめた。十月三十日には、対米開戦をめぐり大本営政府連絡会議で激論がたたかわされた。つづいて十一月五日の御前会議で、開戦は十二月上旬と決定した。

陸海軍はすでに八日を開戦日と予定し、作戦準備がすすめられている。十一月十八日、ハワイ、真珠湾をめざす機動部隊の旗艦「赤城《あかぎ》」は、佐伯《さいき》湾から千島列島のエトロフ島単冠《ひとかっぷ》湾へ向かった。そして、十二月二日、連合艦隊の各部隊に、司令長官山本五十六の名で、

「ニイタカヤマノボレ　一二〇八」

の電報は発せられた。

それから五日後の十二月七日、「大和」の最終テストである主砲公試が行なわれた。

十二月七日は、冬晴れだった。

日曜日の呉の街がまだ眠りから覚めやらぬ五時過ぎ、乗組員たちは「総員起こし」の号令の前に、すでに起床していた。この日、主砲発射テストが行なわれることは、乗組員にも知らされていた。

午前十時、「大和」はすべての準備を完了し、工廠桟橋から周防灘《すおうなだ》へ向かった。主砲公試は姫島《ひめじま》の東方海上から徳山湾口にむけ発射される。外海を避けたのは三連装四六センチ砲の威力を察知されぬための措置だった。

この日、庭田尚三造船部長は宮里秀徳艤装員長と一緒に艦橋に立っていた。ときおり、宮里艤装員長に艤装員が暗号電報を届けるたび二人は小声で何事か話していたが、庭田造

船部長は、それが開戦を控えた電文とは思ってもみなかった。甲板上には、爆風圧力を確かめるためにモルモットを入れた籠《かご》も用意され、ボートはすべて飛行機甲板下の両舷にある短艇格納庫に納められていた。距離は二万メートル、二艘のいかだの間に立てられた大キャンバスが標的である。

「総員配置につけ」

ブザーが鳴ると、乗組員は爆風を避けるために、全員甲板上から姿を消し、通風孔も可能なかぎり閉鎖された。

「撃《う》ち方、はじめ」

方位盤室の村田元輝射手の引き金が海面の標的に向かってしぼられた。

主砲が火を噴《ふ》いた。砲塔内の弾着時計が作動する。

「弾着」

瞬間、水平線上に水しぶきが盛りあがった。巨大な水柱が大きく広がり、せり上がった。

標的は消えていた。

徳山市内では主砲発射音と弾着音が、遠雷のような轟《とどろ》きとなって聞こえた。

その日の夕刻、「大和」はすべての公試を無事に終了させ、徳山湾に戻って仮泊した。

乗組員たちは主砲が火を噴きあげたときの爆風の衝撃を、

「モルモットの内臓が破裂してしまったそうだ」

と語っては、その威力に感嘆した。だが、開戦が数時間後に迫っていることなど予想もしなかった。

呉工廠の幹部たちと徳山の旅館「松政」で祝宴を開いた庭田造船部長が、開戦を知ったのは翌朝である。庭田は壱岐《いき》付近で遭難した伊号潜水艦の救難作業に立ち合うため佐世保へ向かう途中、下関《しものせき》駅で号外を手にして初めて知った。

「あたかも、この大戦艦の竣工を待って開戦したかのように錯覚した」

と庭田尚三は記している。

なお三笠逸男は、この主砲公試は伊予灘《いよなだ》で行なわれたように記憶している。

十二月八日の朝、艦内放送で開戦を知った乗組員たちも同様の思いを抱いた。

「大和の公試運転が終わったので、戦争を始めたのだと思った」

三笠逸男もそう思い込んだ一人である。公試運転のとき四番副砲にいた三笠は、主砲発射テストのときの驚きよりも、最大速力が「二九・三ノット」と艦内放送されたときのことを鮮やかに記憶している。後部の飛行甲板に出て見ると、スクリューがからまわりしていた。公式では二七、四六ノットだったから、三笠は放心したように見ていた。これは従来の戦艦の常識を越えた海の要塞なのだとあらためて思った。

烹炊所《ほうすいじょ》の丸野正八主計兵は、艦内に流れる開戦放送がかき消えるほどの歓声の坩堝《るつぼ》の中

で、

「えらいことになった」

とつぶやいた。

「大和」は午前中のテストを終えると、呉軍港へ引き返した。

途中、「大和」は、山本五十六長官を乗せた旗艦「長門《ながと》」を中心に、戦艦「陸奥《むつ》」「伊勢」「日向《ひゅうが》」をはじめ数隻の駆逐艦群を率いた連合艦隊が、太平洋を目ざして南下して行くのとすれちがった。

単縦陣をとった連合艦隊はその威容を無言で誇示しているように映った。「長門」の艦上でもしきりと手をふる乗組員たちの姿が見られた。

「大和」の乗組員たちは、この「大和」がやがて旗艦になって洋上作戦の先陣に立つ日のことを思い、晴れがましかった。

全長二六三メートルの「大和」の、流線型をえがいて艦首へ至る甲板の線は、端正で力強かった。一三階建ての前檣楼《ぜんしょうろう》の先端は、仏塔が立っているようにそびえていた。艦首からは、甲鉄の箱舟のように見えた。

「大和」は冬の内海を舷側に白い飛沫《ひまつ》をあげながら、呉へと向かった。

「太平洋戦争は大和にはじまり、大和に終った」

伊藤正徳《まさのり》は、そう記している。

二章　待機

1

「大和」が旗艦となって山本五十六《いそろく》司令長官が乗艦した日、乗組員たちは分隊ごとに前甲板に集合して整列した。

昭和十七年二月十一日、柱島《はしらじま》泊地に繋留《けいりゅう》中の「大和」の右舷舷側に、大将旗を艦尾に立てた白い長官艇《てい》が横づけになった。タラップを踏む靴音が聞こえ、司令部の幕僚《ばくりょう》たちを従えた山本長官が艦上に一歩踏み出すと、軍楽隊は、将官礼式の音楽を奏《かな》で、マストに大将旗が上がった。

兵員たちは、不動の姿勢で舷門に注目した。ちょうど、舷門脇《わき》に並んでいた一四分隊の運用科の高橋弘二等水兵は、間近に見て、

「なんや、小柄でずんぐりしているな」

と思ったのが、第一印象だった。

舷門をおりたところで長官は一瞬足をとめ、艦橋のあたりを見上げた。

高橋弘はハッとした。長官の指が二本なかった。妙に厳粛な気持になった。

「おい、そこの者、連合艦隊参謀長の階級姓名を言え！」

司令部要員の幕僚が立ちどまって質問を投げる。

高橋弘が自分が指されたのかと緊張したとき、

「宇垣纏《うがきまとめ》少将であられます」

左隣の同年兵が素早く答えた。

金モールの幕僚は、呉《くれ》鎮守府司令長官や呉海兵団団長の階級姓名等を、次々と乗組員に答えさせながら歩いていった。乗組員たちは、最低限、こうした海軍の高官たちの階級姓名は覚えているよう言われている。儀式の最中の些細《ささい》な不手際が、あとで罰直《ばっちょく》につながることぐらい、一日でも艦内生活を味わった者なら身にしみて知っていた。

衛兵伍長の三笠《みかさ》逸男も舷門近くで長官を迎えていた。口を一の字に結び、背筋をのばした長官の姿を、いかにも艦隊を率いる提督にふさわしいと思った。

この日、連合艦隊司令長官を初めて見て、感動と緊張で固くなった乗組員もいた。

折目正しい第一種軍装の長官は、士官たちの敬礼に答礼をかえしながら、高柳儀八初代艦長の先導で長官室のハッチへと降りていった。司令部の幕僚たちが、そのあとに随《したが》う。

間もなく、乗組員たちは、分隊ごとに解散した。

機銃分隊の長坂来三《ながさかきたる》等水兵の肩を同年兵の一人が叩《たた》きながら、

「大和が旗艦になって長官が乗ろうと、おれたち徴募兵は関係ないよな」

と囁《ささや》いた。

「ああ、旗艦になって張りきっているのは兵長たち以上だろ」

「進級率がまず違うそうだ。どうせなら旗艦に乗らにゃ損だというわけだ」

戦闘の中心は、何といっても旗艦にある。下士官たちが旗艦乗組みということで興奮するのも、海軍の軍人として最高の栄誉と思うからだ。だが、程度の差はあれ、旗艦になったことで、兵士たちもある種の晴れがましさを覚えた。

「今晩あたり、甲板整列で締めつけられるぞ」

「まったくだ。軍艦大和に軍規風紀の嵐《あらし》が吹き荒れるか」

彼らにとっては、やはりそのほうが切実だった。

そして、長坂三等水兵にしても、慌ただしく一種軍装に着がえ、「総員登舷礼」をもって山本長官を迎えたその日の緊張感は、生涯忘れえない記憶となった。

長坂来は昭和十六年の徴募兵である。海兵団での新兵教育を終えると、二か月間江田島の海軍兵学校で、風呂《ふろ》当番、食事当番などの陸上勤務をしていた。

長坂が「大和」の乗組みを命じられたのは、山本長官を迎える二か月前のことだった。

「大和」の竣工《しゅんこう》引き渡し式が終わって二日後の、昭和十六年十二月十八日である。竣工式の日、乗組員たちには新造戦艦の名を正式に「大和」と伝えられていた。

長坂は「大和」乗艦を伝えられ、十八日の朝、呉の桟橋から内火艇《ないかてい》で柱島泊地に向かった。柱島は広島湾の南、岩国《いわくに》市の東南にあり、周囲を十数の小さな島が囲んでいる。島々の中では泊地の北にある柱島が最も大きいため、その名をとって柱島泊地と呼ばれていた。

付近の海面は瀬戸内海の一般商船航路からも隔絶され、しかも広々としているので連合艦隊の重要な繋泊地《けいはく》になっている。竣工式後の「大和」は、この柱島泊地にいる旗艦「長門《ながと》」の西のブイに繋留されていた。

内火艇は静かな冬の朝の海面に機関の音をひろげて走った。

柱島沖には大小さまざまな艦艇が繋泊している。同乗の者が思わず、

「すげえ、山みてえな艦《ふね》だ」

と声をあげた。

長坂もまずその大きさにびっくりした。まさに小山のようにどっしりしている。艦というより島だ。鋼鉄の島だと思った。左手の島の山稜《さんりよう》をさえぎって立ちふさがっていた。

マストの先端は薄くかかった冬の靄《もや》にかすんでいた。内火艇は吸い込まれるように、左舷側の舷梯《げんてい》についた。右舷の舷梯は大尉以上の士官の昇降口である。

重い衣嚢《いのう》をかついで、これを登るのだ。

舷門からは乗組員たちが見ていた。衣嚢をかついで舷梯をのぼるのはつらいが、取り落としては恥《はじ》と、注意して一歩ずつ登った。

「遅い、急げッ」

当直将校らしい声が上から飛んでくる。

露天甲板は、塵《ちり》一つないほど手入れが行き届いていた。

長坂は思わず靴を脱ぎかけたが、みんなそのままなので慌てて後を追いかけた。露天甲板は広かった。のちに「大和坂」と呼ばれる勾配《こうばい》のついた広い前甲板には目がくらんだ。この日の新乗艦者は、およそ一〇〇名ほどだった。数名の下士官と海兵団を出たばかりの十六、七歳の志願兵にまじって、二十一歳の長坂と同じ年恰好《としかっこう》の徴募兵たちもいる。長坂には気のせいか、若い志願兵にくらべると、これら赤紙で召集を受けた年嵩《としかさ》の徴募兵のほうが、どこか不安な表情を見せているように思えた。

居住区に衣嚢をしまうと、分隊ごとの艦内見学が始まった。これは、艦内旅行と呼ばれ、新兵と他艦から転勤の下士官兵とでは異なるが、たいていは一週間かかる。

長坂たちは、班長の引率で艦内のあらゆる場所に連れて行かれた。

主砲にはさすがに驚いた。艦首に向かって六門、艦尾に三門。艦首の六門は三門ずつ背負式砲塔になっていて、砲塔は厚い鋼鉄でずっしり包まれている。その砲塔から長い煙突を横にしたような肉厚の砲身が三門並んでいる。見上げているだけでも不気味だった。

「主砲の口径はおまえたちは知らないでもよいが、とにかく世界一だ」

班長は、無限の威力を誇示している砲身を眺めながら言った。

「こいつが火を噴いたら、敵はお陀仏《だぶつ》だ」

新兵たちは、嘆声をあげた。

艦の前部に士官室がある。分隊長以上のいる士官室は右舷、兵学校出の中・少尉、少尉候補生はガンルーム（第一士官次室）、特務士官（兵隊あがりの中・少尉）のいる第二士官次室は反対舷だった。各士官の個室は上・中甲板にある。通路は幅二メートルあって、リノリウムは磨き上げられ、士官室の他に酒保《しゅほ》（売店）、理髪室、洗濯室、ラムネ製造場と、ちょっとした娑婆《しゃば》っ気《け》をかもしだしている。兵員たちが〈銀座通り〉と呼ぶところだ。

艦長室は中央寄り上甲板の右舷にある。

「ここが、艦長室である」

新兵たちはその前を通るだけで、室内の様子はわからなかった。この艦長室のインテリアは、庭田尚三造船部長が「武蔵《むさし》」を造っている三菱重工の長崎造船所に委託した。うす紫の壁に架けられた横山大観の「富嶽《ふがく》」、川合玉堂《かわいぎよくどう》の「三笠山《みかさやま》」は彼自身のアイデアである。

長坂が乗艦したときの艦長は、初代の高柳儀八だった。

この艦長室の前に、白木の神棚をしつらえた「大和神社」がある。日本の艦にはそれぞれ神社があったが、「大和」は奈良県天理市の「大和《おおやまと》神社」の分霊を船霊《ふなだま》として祀《まつ》っていた。正月には乗組員たちも、艦内の「大和神社」に詣《もう》でる慣習があった。

艦長室のとなりが司令長官室である。

「よいか。本艦は間もなく連合艦隊の旗艦となる予定だ。おまえたちは名誉ある旗艦の水兵として、一日も早く、本艦の生活および訓練に慣れることだ」

引率の班長は、艦長にでもなったかのように力んだ口調になった。

しかし、「大和」が実際に旗艦になったのはそれから二か月後である。長坂たちが乗艦した五日後に、山本長官以下の連合艦隊司令部要員が「大和」を訪れ、高柳艦長の案内で艦内を視察した。

この視察後に、司令部から幾か所かの改善を要求されたことは、乗組員たちも知らない。そのため、年明けには呉の第四ドックで可能なかぎりの改装をし、再び柱島に戻って長官以下司令部要員を迎えたのだった。


「大和」の竣工式の行なわれた昭和十六年十二月十六日にも、不吉な出来事が起きていた。その日、艦尾に近い後甲板では午前九時から式典が始まった。中央には艦長以下乗組員が、左右に呉工廠《こうしょう》の造船関係者が並んでいた。

「あれは軍艦旗が掲揚され、神主《かんぬし》が祝詞《のりと》をあげている最中だった。突然、拡声器が〈一番砲塔火災〉と告げ、工作科の兵たちが慌てて飛んで行った。場所は一番砲塔の弾火薬庫で、原因はマグネシウムの切磋《せっさ》切り粉の積み重なったあたりからの発火と聞いている」

艤《ぎ》装《そう》時からの乗組みの工作科兵曹、板東《ばんどう》定昌の証言である。

幸い火災はボヤ程度だったため至急消火されたが、竣工式での出来事だっただけに造船関係者にも乗組員にも衝撃だった。極秘にされた進水式の淋《さび》しさにもまして、「大和」の行く末に翳《かげ》りをおぼえる者もいた。

「大和」は建造後も軍機扱いは変わらず、乗組員たちも定められた艦内見学のあとは、各人の配置、居住区、食事を作る烹炊所《ほうすいじょ》や酒保といった生活に不可欠な場所以外への立ち入りは厳しく戒められていたので、古い兵員でも驚くほど艦内の地理を知らない。各人のいくつかの話を総合しないと艦内のエピソードもわからない仕組みになっている。この火災の件についても、二日後に乗艦した長坂たち新兵が聞かされていないのは、関係者以外への箝口令《かんこうれい》がしかれていた事情もあった。ただ、艤装時からの乗組みの機銃分隊の内田貢三等水兵などはやはり衝撃を受けたのか、板東定昌と同様の証言をしている。


「本日は、艦内早巡り競走を行なう」

長坂たち新乗艦者が最上甲板に整列させられたのは、一週間の艦内旅行が終わった日だった。

この艦内早巡り競走は、新乗艦者たちがいかに艦内を知ったかを調べるテストなのだ。各人各様に指定場所に行き、認め印をもらっていち早く出発点に帰着することを競った。兵員たちの土地カンを養う訓練の一種であるとともに、ここでの順位は彼らの能力や配置を決定する参考にもされた。

帰着時間はあらかじめ一時間以内と定められている。新兵たちは号令がかかると各自渡されたカードをにぎり、指定の何か所かに走った。その場所はめいめい異なっていた。新兵たちはラッタル（階段）を上り下りし、通路を曲がっているうち、右舷左舷の区別も、今自分のいる場所の、どちらが艦首でどちらが艦尾であるかさえ、わからなくなる。

「大和」は巨大であるだけでなく、その内部構造も複雑に造られていた。船体は最上甲板、上甲板、中甲板、下甲板、最下甲板のほか、船艙《せんそう》甲板、船艙（二重底）の七層に分かれており、場所によっては九層になっていた。しかも各層には三〇〇から四〇〇以上の区画がある。通りすがりの乗組員に訊ねると、右だと答えニヤニヤ笑っている。それが反対の方角で、何時間も艦内を放浪する新兵も決して少なくない。

もっとも、長坂たちが乗ったころは竣工式から間もなかったため、通りすがりの乗組員たちに聞いても、

「おれも来たばかりでわからないよ」

と彼らのほうも困惑の表情だった。

「大和」も半年、一年と経《た》つと、この艦内早巡り競走もだんだん厳しくなった。定刻を二〇分超過した兵が、息せききって戻るなり往復ビンタで迎えられたこともある。この最初の経験で艦隊勤務の厳しさを思い知らされた。

艦内旅行の最終日、いよいよ早巡り競走がはじまった。コースは海図室、諸倉庫などす

べて見学した場所ばかりだが、いざ一人で廻《まわ》るとなると混乱してしまう。

志願兵はさすがに機敏で、一五分か二〇分で戻ってくる者もいた。ところが某一等水兵は昼食を過ぎても帰ってこない。四時間余が超過していた。彼は理髪師で三十八歳の補充兵だった。

艦内スピーカーで、

「新乗艦者、艦内にて一名行方不明。即刻最上甲板に連れてくるように」

と放送した。手分けして捜すと、中甲板にこの補充兵はいた。ふらふらになって駆け足をしながら、まだ必死に指定場所を捜している最中だった。

艦内ではラッタルの登り下りも駆け足と教えられていた。歩いているところを甲板士官に見つかればその場で殴られる。通路がわからなくなったら、同じ場所を廻っていてもよいから駆けていること、と新乗艦者は最初に申し渡されている。

補充兵はこの言いつけだけは守っていた。

海軍では、常に敏速が要求される。

「スマートで、目先がきいて、几帳面《きちょうめん》、負けじ魂、これぞ船乗り」

がモットーである。

目先がきくとは、単に要領がよいということではない。艦が戦場であり、そこが死に場所となる海軍軍人にとっては、何ごとにつけ敏捷《びんしょう》さが要求された。しかも、一人の失敗は共同の責任であり、同年兵制裁につながった。

長坂たちはこうして、一週間の艦内教育を終え、「艦内旅行」と書かれた赤い腕章をはずして、はれて「大和」の乗組員の一員になった。

山本長官を迎えたその夜、長坂たちが予想していたように、巡検が終わると早速、甲板整列がかかった。

甲板整列というのは、各分隊の班ごとに下士官、古参兵たちが、若い兵隊を露天甲板に並べて気合を入れることだ。このときの制裁に使用されるのは、「海軍精神注入棒」といわれる樫《かし》の棍棒《こんぼう》だ。バッターともいう。この棍棒にも太さによって一号から五号まである。三号は太さが一〇センチほどで、四号になると節もそのままにごつごつしている。五号は鉄の棒だ。

どの部屋にも、この五本の棒が神棚に祀《まつ》るようにうやうやしく置かれていた。汗と血のにじんだ棒は不気味な光沢さえ放っていた。「尻《しり》泣かせ棒」ともいわれ、柄《え》には仰々《ぎょうぎょう》しくふさがついていたりする。

「本艦は、本日より山本司令長官をお迎えし栄えある旗艦になった。しかるに、貴様《きさま》たちはそれに値しない。これからカツを入れてやるから感謝しろ！」

その夜、古参兵の一人は長坂たちの前に立つと、威嚇《いかく》するように、バッターで甲板を叩いた。

バッター制裁は慣れているというものの、やはり気持のいいものではない。

「一人ずつ前へ出て足を開け！　手を上にあげろ！」

横一列に並んでいた長坂たち新兵は、一人ずつ前に出て、甲板に両足を開き、両手をあげた。

その夜は旗艦になったからか、最初から三号棒である。一発目はとくにきつく、風を斬《き》る音がする。旗艦になって張り切ったのか、振り方も鋭い。新兵たちの尻を目がけ、渾身《こんしん》の力を込めて打ちおろす。七、八回叩いたところで三号棒は折れてしまった。

「よし、次はおれだ」

兵曹が待っていたように、節だらけの四号棒をとりだした。三、四発目で新兵の一人は気を失って倒れた。

「なんだ、こんなことで倒れやがって！　貴様、なんたるざまだ！」

兵曹は、そばのバケツの海水を思いきりかけ、さらに打ちすえた。

長坂も同じように、三号、四号の棍棒で打たれた。気絶はしなかったが、頭がしびれて腰から下に火のような激痛が走った。

この夜はどの分隊でも同じような整列がおこなわれているのか、隣の甲板からもバッターの音に重なって叫び声が聞こえる。主計科は、大きなめししゃもじだった。

しかし、甲板整列はあらゆる軍艦についてまわる制裁である。開戦以来長坂たちは、訓練の厳しさは味わっても、まだ「敵」というものに遭遇していない。ただ、これは内側の「敵」ではないかと思うときがある。肉体はもとより精神につよく作用し、新兵には目に見えない「敵」より、この内側の敵のほうが怖ろしかった。

「海軍から甲板整列を引いたら、何が残るだろうか」

のちの昭和十八年三月に乗艦した志願兵佐向祥禎《さこうよしさだ》は回想する。海兵団、通信学校を出た佐向は、艦内旅行の終わった晩に、さっそく新参者を鍛える歓迎の儀式を迎えた。海兵団、通信学校では、教班長か班長が主にしごきの係だが、艦では上等兵曹から一等兵曹へ、一等兵曹から二等兵曹へ、そしてまた二等兵曹から兵長へと天下りしてくる。

たとえ、殴られて怪我《けが》をしても、医務室ではラッタルから転げ落ちたと言いつくろう。治療する軍医は無論、どうしてこうなったか知っている。

その夜、長坂は殴られた痛みをかばい俯《うつぶ》せのくの字になりながら、同年兵に、

「おれたち徴募兵は偉くなろうなんて気持ないものな。だけど、兵長、二曹と善行章《やまがた》がつきはじめると、殴るようになるやろか」

自問の口調になった。

「さあ、でも一〇人いりゃ七、八人はそうなるんじゃなかろうか。自分だけはそうならんつもりでも、もっと上の連中が許さんかもしれんし。味噌汁《みそしる》一ぱいの数が違うだけでも、

上だからね。軍隊って、そういうとこですよ」

おとなしい同年兵は、悟《さと》ったように答えた。

甲板整列は毎日ではないが、日々の日課の中で長坂が最もつらかったのは、甲板洗いだった。

午前六時の「総員起こし」のラッパのあと朝礼があり、すぐに甲板士官から、

「露天甲板洗えッ！」

の号令がかかる。

広い甲板を水を流してデッキ・ブラシで洗うのだが、うしろで古参兵の兵曹や兵長が絶えず監視の眼を光らせている。

「おそい！」

「尻が高い！」

矢つぎばやの声に追いかけられる。

さすがに一か月も経つと甲板洗いの要領もわかってくるが、気持がなじむまでには至らなかった。

右足のかかとに尻を載せ、左足は斜め前に突きだし、腰にはずみをつけて、両手でデッキ・ブラシを動かす。端まで着くと、

かけ声で、再び体の向きを変え、列を作って一気にこする。

寒《かん》の内はとくにつらかった。体は熱くなるが、裸足《はだし》の足の裏は床の冷たさで感覚が麻痺《まひ》し、霜焼《しもやけ》になる。そのうえ、長官室のある右舷側の甲板は、長官に足音が響かぬようにと申し渡されている。甲板掃除はともかく、長官側の通路は通行が禁じられているので、右舷に用事があっても左舷の通路から遠まわりしなければならない。

「旗艦も楽じゃないよ、な」

兵隊はぼやきたくなる。

甲板洗いが終わると、

「雑巾《ソーフ》、用意」

の号令がかかる。

ふたたび一列に並んで、ていねいに甲板の水気を拭《ふ》きとる。甲板の端から端まで蟹《かに》のようにはいずりまわる作業の連続だった。

長坂は甲板洗いをしていると、初めて「大和」に乗ったときのことが思い出された。思わず靴を脱ぎかけたほど手入れが行き届いていたのも、この苦役のせいであったのかと合点がいった。

「まわれえーッ」

甲板洗いに比べると、夕食後の洗面器洗いはまだ辛抱できる。しかし、これも下士官が兵をしぼる材料なので、神経を集中させて磨かねばならない。毎晩、この洗面器に顔が映るぐらい歯磨粉で磨き上げないと、翌朝上官は洗面をしてくれなかった。

佐向祥禎の話では、意地の悪い兵曹になると、洗面器の底に指をこすりつけ、少しでも歯磨粉の粉末が指に付着すると、やり直しを命じる。今度は大丈夫だろうと差し出すと、洗面器に水を入れたまましばらく水面を睨《にら》みつけている。水面にわずかな粉末でも浮かんでいると、ふたたびやり直しになった。

「なぜ、こんな馬鹿げたことをくり返すのか。戦争と関係がないじゃないか」

と佐向は思ったものだった。

若い兵隊たちが酒保で使う小遣いの大半は、夜、部屋の隅での上官たちの靴磨きのチリ紙代と、この洗面器洗いの歯磨粉代に使われた。

長坂はこの新兵期間中、一週間に一度くらい洗顔をしたいと思っていた。

この話には少し説明がいるかもしれない。

「一週間に一ぺん顔を洗えば上等だ。僕は大和に乗って沈没するまで一度も洗ったことはない」

佐向と同じ和歌山県出身で航海科信号幹部付の高地俊次は答えている。

高地は昭和十八年の志願兵で、佐向より四か月遅い七月に乗艦している。沈没までというと、一年九か月になる。高地俊次は当時十八歳だった。彼はその理由をこう説明する。

「顔を洗えと号令がかかるとき、若い兵隊はちょうど食事の用意に走りまわっている。すぐに並ばないと水はもらえん。フネでは何より真水は貴重品なんですわ」

志願兵と徴募兵の間には微妙な確執があった。徴募兵側からは、あいつらは志願して艦に乗っているのだから覚悟もあるし、出世も早いという見方がある。一方、志願兵にしてみると、

「貴様ら、それで志願兵か」

と何かにつけていわれる。

甲板整列でとりわけ厳しい下士官には、徴募兵上がりが多かった。志願兵は年齢も若く、娑婆の生活経験もほとんどないまま入隊している。艦内生活が初めて実社会の洗礼という面もある。

高地が洗顔よりつらかったと語るのは、風呂に入れず洗濯も充分でないまま配置にいるときだ。高地の配置は第一艦橋だった。和歌山県田辺市中三栖《みす》にある山と川の町に、高地は農家の次男として生まれた。少年時代から畑仕事には慣れているので肉体的なつらさは辛抱できるが、ときに我慢できないことがある。

南方で配置に就いているときなど、背中はたちまち汗と塩で世界地図を描く。このとき、おまえ臭いぞ、あっちへ行っとれといわれたのは堪《こた》えた」

「艦橋勤務というのは、少将、大佐、中佐と偉いさんにとり囲まれとる。このとき、おまえ臭いぞ、あっちへ行っとれといわれたのは堪《こた》えた」

と語っている。

高地と違って、長坂の最初の配置は艦の最下甲板であった。

長坂来は入隊まで、愛知県知多郡武豊《たけとよ》駅の貨物係だった。海兵団に入隊するまでペンとソロバン以外、重いものは持ったことのない事務屋である。徴兵検査、海兵団の身体検査ともども乙種だが、成績は抜群だった。新兵教育後も、

「もっと体を鍛えろ。おまえはフネに乗るからな」

耳打ちされ、二か月の陸上勤務も体を鍛える作業についていた。

長坂の配置は二五ミリ機銃の弾薬供給員である。日課は特別の変更がない限り、午前八時より始まる。彼は機銃の弾薬庫員として下甲板ふかくもぐり、重さ六貫（二二・五キログラム）ほどの曳光《えいこう》弾や通常弾の木箱をマンホールやラッタルをくぐり抜け、機銃座に運ぶのが訓練である。この訓練の目的は、迅速《じんそく》に弾丸を運び、弾倉に弾丸を早く装塡《そうてん》することである。幾度もくり返されるこの作業では、まず体力を必要とした。

弾丸の運搬に仲間より遅れると懲罰は厳しかった。弾薬箱を両手で命令があるまで差し上げていなければならない。途中で落とせば誘爆の危険があり、止めると、例の「海軍精神注入棒」で叩かれる。

しかし、貨物係だった長坂も、兵士としての訓練を受けているうちに、正式の機銃員に憧《あこが》れた。何といっても、艦上で華々しく戦闘で活躍するのは機銃員である。一日も早く機

機銃員になろうと努めた。

「大和」が旗艦となって山本長官を迎えたときには、長坂も念願の機銃員に配置がえになり、っていた。

2

昭和十七年二月、「大和」に移乗したその日から、山本長官は、朝夕の軍艦旗の揚げ下ろしには、かならずきちんと正装した姿で後甲板にあらわれた。

このとき、水兵から選ばれた一二名の儀仗《ぎじよう》兵が、喨々《りようりよう》と鳴りひびく喇叭《らつぱ》の音とともに旗《はた》竿《ざお》をのぼる軍艦旗に捧《ささ》げ銃《つつ》をおこなう。

「捧げェッ！　銃《つつ》ッ！」

衛兵司令の声に、長官以下乗組員総員は不動の姿勢で敬礼をする。軍楽兵による国歌が吹奏され、勇ましく荘厳な朝夕の儀式に、旗艦としてひときわ華やかな彩りを添えた。この一瞬が、乗組員の矜持《きようじ》でもあった。

旗艦になって乗組員たちの楽しみとなったのは、昼食時に艦内放送から流れる軍楽演奏だった。十二時前、三二名の軍楽隊員は七つボタンに正装して長官室の真上の露天甲板に整列する。従兵の合図で、長官がスプーンをとると同時に、岩田軍楽隊長が指揮棒を振りはじめる。長官が食事のあいだ、軍楽隊の演奏はつづく。

食事中の演奏曲目は、あらかじめ簡単なプログラムが作成され、大将旗のマークの下に曲目と日付が印刷されている。

例えば、昭和十七年八月十三日の柱島における演奏曲目は次のようだった。

一、行進曲　「上海陸戦隊」海軍軍楽隊作曲
二、序　曲　「皇帝の為の生命」グリンカ作曲
三、邦　楽　「胡蝶《こちょう》の舞」海軍軍楽隊編曲
四、行進曲　「大東亜決戦」海軍軍楽隊作曲

行進曲が並んでいるが、この時期連合艦隊はミッドウェー攻略に失敗し、再び柱島泊地に腰を据えたところで、ソロモン群島ガダルカナル島にアメリカ軍上陸の報が届いていた。勇壮な曲目が選ばれたのも、長官をはじめ総員の士気を鼓舞するためだったろう。その四日後、「大和」はトラック島に向かうため柱島をあとにしている。

山本長官はもともと、こうした勇壮な行進曲より、長唄《ながうた》や外国のポピュラーミュージック、あるいはベートーベンなどを好み、よく演奏させていた。長官の郷里にちなむ「越後《えちご》獅子《じし》」はわかるとしても、最も好んだ曲目に童謡の「村のかじ屋」があったのは面白い。

この「村のかじ屋」が艦内に流れてくると妙な気持になるのは、機銃分隊の内田貢三等水兵である。トンテンカン、トンテンカンと聞こえてくるたび、

「長官はまた、なんでこんな子供たらしな曲が好きなんやろか」

彼は首をかしげた。内田の実家は四日市《よっかいち》で鉄工所を経営していた。

内田貢は昭和十六年の徴募兵で、四月に新兵教育を終えるとすぐ、戦艦「日向《ひゅうが》」に乗った。二十二歳のときである。主砲射撃指揮所の村田元輝、塚本高夫をはじめ「日向」からの転勤者が「大和」に多いのは、この艦が呉管轄の最新最大の戦艦だったからだ。

ところが、内田は、

「おまえは、退艦だ」

「日向」に乗って一五日目で、退艦させられている。

どこに廻されるのかと思っていると、「呉鎮守府へ出頭せよ」との命令である。内田の海軍帽には、まだ「大日本軍艦日向」と入っていた。ただし、昭和十六年末には、帽子はすべて「大日本帝国海軍」と変わる。

内田は呉鎮守府の人事課へ行った。下士官が内田を引率した。当時呉工廠内にはドックへ工員を運ぶ電車が走っていて、下士官は内田を電車に乗せた。ドックの上の山々には桜が咲いていた。どこへ行くのかと聞く内田に、

「そんなことは、聞かんでもよろしい」

内田と年のさほど違わない下士官は、答えた。

電車を降りて連れて行かれたのが、艤装工場の三階にある例の「宮里大佐事務所」だっ

た。

　衣嚢をかついで三階まで階段を登っていくと、広い室内には机が並び、書類が重ねられている。内田は「事務所」の三文字を見て、なんとも情けなかった。

「わしはなんでまた、こんな処で事務をせんならんのやろ」

　最も性にあわない仕事だと、納得いかない表情になった。艤装員付の人々も、まだ、三〇余名ほどしかいなかった。

　内田は艤装員付の兵士たちの中でも、風変わりな存在だった。宮里秀徳大佐の顔は一度も見たことがないし、事務所にも朝晩顔を出す程度である。「一号艦」の艦内作業も記憶に残る仕事をした覚えはない。彼は毎日、集会所の建物の二階にあった柔道場で稽古《けいこ》をつづけた。それが内田の仕事ともいえた。

　内田は少年時代から家業を継ぐ気持はなく、柔道家になろうと思っていた。海兵団の新兵教育のときも、特技の欄に「柔道」と書いた。小学校を出たときには講道館の初段の免状をもらい、入団前は五段である。

　海軍では、「海軍柔道」の言葉があるほど、実戦的な一種独特の強さで知られていた。たとえ段を持っていようと、海軍の審査で与えられる段が優先する。このとき内田と一緒に審査を受けて段を授与されたのは三十数人中三人しかいない。ほとんどが無級からの出発で、審査の成績次第で柔道部の教員にもなれた。

「大和」では午後の一時間は「別科」といって体育の時間にあてられ、総員が体操、柔道、相撲《すもう》、剣道のうちの一つをさせられる。内田たち柔道部員は各分隊に稽古をつけに出かけた。柔道、相撲、剣道の各部員には部屋が与えられ、入港すると毎日の上陸が許される。部員のこれも特権の一つで、上陸の機会の少ない乗組員たちにとって羨望《せんぼう》の的だった。「大和」での柔道部員は七人で、あとは準部員だった。柔道部員たちは、艦の最下甲板に部屋が与えられ、部屋で寝泊まりしても叱《しか》られなかった。内田が開戦を知ったのは、部屋から聞こえてくる艦内放送だった。

「やった!」

部員部屋にどよめきが湧《わ》いた。

「次は、わしらもアメちゃんとやるか」

唐木《からき》正秋が言った。

唐木は内田より半年遅い昭和十六年後期の徴募兵。背は内田より少し高く一八五センチはあり、「大和」では一、二番の大男だった。眉《まゆ》が太く、歌舞伎の弁慶役者のような男前で、

「おい、入道、こら入道」

と内田は彼に「入道」の綽名《あだな》をつけて、滅多に唐木とは呼ばなかった。

武骨な風貌《ふうぼう》のわりには気立てがよく、内田とは気が合った。柔道部員は他の艦に試合に

行ったりして出張手当てもあり、金に不自由をしたことはない。呉に入港するとだれよりも早く女を買いに走るのも、この唐木だった。

　柔道部員たちは他の乗組員と違って、入港すると毎日稽古のために上陸するので、三等水兵の時分から下宿を許されていた。開戦前、内田は唐木と連れ立って呉市内に下宿を探しに行った。港でロープを整理している中年の女性がいたので、

「おばさん、わしら海軍の柔道部員なんやが、どこか下宿ない？」

　唐木がきいた。

「部員やったら、どこでも喜んで下宿させてくれますよ」

　原岡というおばさんが答えた。

　部員はいろいろと品物が自由に手に入るので、下宿人としては大歓迎なのだ。内田たちは最初その意味がわからなかったが、あとになってなるほどと思った。上陸のとき、集会所で稽古するための食糧として、肉でも缶詰でも持って出ることができた。それに、巡検後に集合をかけられて殴られることもなかった。柔道部員を例のバッターで殴ると稽古が出来なくなるからだ。

　少しあとの話だが、甲板整列のとき、内田たち柔道部員にも一応は呼び出しがかかった。そのとき、実に名調子で声高にいう下士官がいた。

「あの星を見よ」

とまず下士官は満天の星を大袈裟《おおげさ》に指さした。

「おまえらのご両親も、あの満天の星を見て、一生懸命にお国のために働いていると思っているだろう。しかるに、おまえらは何だ。全くたるんどる。郷里《くに》のご両親に恥ずかしいとは思わんか。

わしは、おまえらをかわいい実の弟のように思っとる。そのおまえらを殴るのはしのびないが、今夜は涙をのんで殴らんならん。よいか、わしのこの切ない気持がわかるか。今宵《こよい》は、この一発一発をよくかみしめてみよ」

そういって、「海軍精神注入棒」で力の限り、兵隊がぶっ倒れるまで殴った。

内田はその下士官の抑揚をつけた名調子を感心したように、聞いていた。

「おい、部員でもやらんことはないぞ。たるんどるときは容赦《ようしゃ》せんからな」

下士官は恰好《かっこう》をつけて一応は大声をはりあげた。

翌日の夜、居住区では昨夜殴られた兵隊たちが、熱心に注入棒を削っていた。

「おまえら、えらい一生懸命やな。その棒で殴られるんか」

内田が冷やかすと、

「おれたちの身にもなってくれよ」

口々に言った。

「そうやな、悪かった。ラムネ飲みに部屋に来いや」

内田は艦のラムネ当番をやっていて、砂糖を沢山入れた甘いラムネをつくっていた。柔道部の部屋には、いつでも飲めるようにこのラムネが山積みになっている。

原岡のおばさんは、

「私の家の近くに二階家があるから、そこへ行ったらよいですよ」

と教えてくれた。

内田たちは和庄《わしょう》通りのその家へ行ったが、出てきた婆さんを一目見て、こら、あかんと一瞬、思った。唐木はすぐ、おれはよそを当たると内田に耳打ちした。内田はすぐ断われず、とにかくその家に下宿した。前払いで五円とられた。艦にもどるとき、

「今度、上陸のときは、缶詰や肉を持ってきてくださいよ」

とくどいほど言われた。

内田は二〇日ほどでその下宿をやめた。港で会った原岡さんの家へ行き、ここに下宿させてくれと言った。

「家は狭くって。あんたやったら部員だし、他でどこでも下宿させてくれるのに。それにあっちにも悪くてね」

原岡のおばさんは前に内田を紹介したその家のことを言ったが、狭くてもこの家のほうが気分がよかった。あとになって、前の下宿の婆さんが、

「家の下宿人をとった」

と文句を言ってきたそうだ。

「内田、おまえも意外に気が弱いんだな、おれはあの婆さんの顔を見るなり、こりゃ、駄目だと思ったよ」

唐木がニヤリと笑った。

ある日、内田は下半身がひどく痒《かゆ》くなった。

「内田、一三丁目に行ったんやろ」

唐木の目が笑っている。

一三丁目というのは、呉の本通り一三丁目にある遊廓《ゆうかく》のことである。

「ああ、昨夜《ゆうべ》な」

「そうか、おれ、薬屋についていってやるよ」

二人はその日、呉の薬屋で水銀軟膏《なんこう》を買った。唐木も買うので不審に思い、

「おまえ、なんで買うんや」

と聞くと、

「いや、おれも一昨日《おととい》、一三丁目でうつされたんや」

「なんや、入道もか。黙って知らん顔しよって悪い奴や」

薬屋を出ると、小春日和《こはるびより》の呉の街をぶらぶらと歩いた。敬礼のしどおしで、いつの間にか一三丁目の方へ来ていた。

「おれの呼んだ女はあの店だ」

唐木が指さした。「二河」という料理屋の看板が見えた。

「なんや、わしと同じやないか」

内田が驚いた声で言った。

「どんな女や」

「ああ、ちょっと面長《おもなが》の男好きする顔しとったな」

「そうか……」

突然、唐木が笑いだした。二人が呼んだのはどうやら同じ女性だった。

「すると、入道はわしの兄さんか」

「ほんまの義兄弟やな」

唐木が妙に感心したように、

「女の好みも似とるやないか」

と内田の肩を叩《たた》いた。

「内田、ひとりで行ったんか？　北と一緒やったんやろ」

「いや、ひとりや。北は行かんかった」

北栄二は、内田たちと同じ機銃だが、相撲部員だった。内田たちの仲間だったから北を誘っていこうと思っていたが、その数日前に、北から下宿に呼ばれた。肉をぶらさげて北の下宿の二階へあがると若い女性がいた。

「おれの幼なじみだ。一緒に棲《す》んどること、いわんといてくれ」

北が照れくさそうに言った。そうか、北はこの女性を紹介したくてわざわざ下宿へ自分を呼んだのかとようやく納得した。

女性は北と同じ淡路島の生まれで、鷹取とし子といった。口数が少なく、控え目な女性だった。兵隊の身ではまだ結婚も憚《はばか》られたので、北は言うなと念を押したのである。

「とし子のこと知っとるのは、内田と近藤だけや」

とも言った。

近藤金雄も機銃で、北と同じ相撲部員だった。北がとし子に、

「内田は、信用できる男やから」

と言っていたのを思い出し、親友の唐木にも内緒にすることにした。

淡路島の漁師の息子である北は、やはり体も大きく、

「俺が通るとな、浜の者は避けて通ったもんだ」

と自慢気に語ったことがある。こんなところが、北のかわいいところでもある。

「おまえでもか」

内田がからかうと、

「そうだ。内田にはかなわんけどな」

いつだったか、何かのことで二人はとっくみあいの喧嘩《けんか》になった。海辺育ちの喧嘩早い北だったが、内田はうむをいわせぬくらい叩きのめした。

「内田、負けたよ」

北が顔をしかめて立ち上がると、内田に手を差しだした。それ以来、艦でも暴れん坊で通っていた北栄二とは無性に気が合うようになった。唐木のほうは体のわりには気性がやさしく、内田とは喧嘩ひとつしたことがなかった。

艦内では碇泊《ていはく》中に乗組員たちの娯楽として柔剣道、相撲の艦隊同士の試合が開かれていた。露天甲板に天幕をはり、山本長官をはじめ司令部要員も出席して観戦する。各艦の名誉を賭《か》けた試合なので、乗組員たちの声援にも熱気がこもった。負けると艦のうしろから縄梯子《なわばしご》で隠れるように帰らねばならないほど悲惨だが、優勝すると艦長から、

「うまいもん、食わしてやれ」

の声がかかり、大盤《おおばん》ぶるまいに与《あず》かる。

「大和」が旗艦になって間もなく、寒稽古が行なわれた。「大和」の露天甲板には、「長門」「陸奥《むつ》」からも柔道部の猛者《もさ》が集まり、山本長官も楽しみに見にきた。

屈強な若者たちの中でもひときわ幅をきかせていたのは、兵学校から少尉候補生として「大和」に乗り組んで間のない五段だった。この少尉候補生には次々と相手が倒され、七人目が内田貢である。

「内田、思いきり投げとばせよ」

唐木が小声でささやいた。

「次は貴様か」

五段の少尉候補生はニヤッと笑った。身長一八〇センチ、体重八〇キロの内田よりはずっと小柄だったが、いかにも態度が傲岸《ごうがん》だった。

「掛けてこな、あかんぞ」

ギッチョの内田は何度もいわれ、思いきり左で掛けた。少尉候補生は右と思ったので不意打ちをくらった。しかし、そこは五段である。

「まだまだ、引きが足らん」

怒鳴った。ここで内田の上官に対する遠慮が消えた。そもそもが剛直な男である。時として、長身、巨漢の体全体に凄《すさ》まじい闘争心をみなぎらせることがあり、そんなときは上官といえども手を出すのをためらう。巻いたれッと前を取った。少尉候補生はふらっとした。内田は投げを打った。少尉候補生は倒れたが、じきに起きてきた。内田は呼吸を整えるスキを与えず、小柄な少尉候補生を高い腰にのせて、ふたたび投げた。内田得意のハネ腰であるが、投げたというより、投げとばしたといった感じだった。少尉候補生は倒れたきり起き上がらなかった。艦隊試合のような熱気の入った一戦である。観客も息を呑《の》む一瞬だった。

山本長官もこの一戦には満足したのか、

「あの男、強いね」

機嫌のよい声でいった。山本は柔道の強さもさることながら、士官候補生に手心を加えず投げとばした内田の思い切りのよさが気に入ったのかもしれない。これが縁になり、内田は「大和」がトラック環礁《かんしょう》に碇泊中、毎晩のように長官室から呼び出しを受けるが、これはもう少しあとの話になる。

くだんの少尉候補生はその晩、「大和」のガンルームで仲間たちから散々な目に遭《あ》った。

「貴様、大和にどんな者《もん》がおるかぐらい、聞いてこなんだのか。おれたちの恥だぞ」

よほどこの件がこたえたのか、少尉候補生はそれ以来稽古にもあらわれなかった。

内田は「大和」に高松宮宣仁親王殿下《たかまつのみやのぶひと》が訪ねられたときのことを覚えている。直宮《じきみや》の高松宮をはじめ皇族方は陸・海軍に属している。旗艦になって間もなく見学にも来られた。そのあとも、昭和十七年二月二十一日から数日間、艦上での連合艦隊の図上演習にも参加されている。連合艦隊ではシンガポール陥落で終わった第一段作戦のあと、今後の展開がテーマになっていた。少尉候補生のときに「長門」に乗っていた高松宮は、なじみの「長門」を宿にして、「大和」へ通われた。このとき、舷門《げんもん》近くで内田は高松宮と山本長官との出会いを偶然見ている。内田は一瞬だが、長官より先に高松宮が敬礼されたと思った。高松宮が先に敬礼されたのは、艦上に軍艦旗が上がっているからだ。軍艦旗が下りたときは、長官のほうから敬礼されるのだろう、内田はこう解釈している。

このころ、高松宮宣仁親王は、軍令部一部一課の部員で中佐であった。

瀬戸内海は新緑の季節に入った。おだやかな瀬戸内海の四方の島々は山の頂まで耕されていたが、緑がしみ入るように鮮やかだった。平和でのどかに見える島々だが、頂上あたりのところどころには防空砲台が設けられていた。

柱島泊地には「大和」の巨体が赤いブイにつながれていたが、そのまわりに「長門」「陸奥」も並んでいる。

開戦以来五か月というもの、柱島に腰を据えたままの艦艇《かんてい》群は、飛行将校たちの目に奇妙に映った。口さがない飛行将校たちは、

「連合艦隊じゃない、あれは柱島艦隊だ」

とかげ口を叩いた。

開戦以来航空部隊の活躍が華々しいだけに、彼らは半ば公然と戦艦無用論を唱えていた。

「もはや、艦隊決戦の時代は終わった」

という者もいる。

大艦巨砲主義の申し子である「大和」が、空の時代に誕生した皮肉をあからさまに口に出す者もいた。

「大和」以下の戦艦の外周には、舷側から約一〇メートルの距離に、深さ一〇メートルにおよぶ鉄線の魚雷防御網《ぼうぎょもう》が張りめぐらされている。

柱島でもそのあとのトラック島でも、この魚雷防御網が張りめぐらされると、「大和」の乗組員たちは碇泊が長びく気がし、気落ちした。新兵は新兵なりに、洋上決戦を待つ兵士としての訓練は受けていた。

「大和」も連合艦隊旗艦になって以来、訓練を怠っていたわけではない。主砲、副砲、高角砲、機銃の射撃訓練は、各部門ごとに実戦に即した激しさでつづけられた。主砲は三月に入って対空射撃を行なっていたし、三月の終わりには三田尻《みたじり》沖での砲熕《ほうこう》公試のとき以上に射程をのばしていた。下士官兵たちも選抜されて集まった者たちだけに、訓練の厳しさは当然と受けとめられていた。

そのうえ、「大和」の乗組員には旗艦としての仕事も加わる。

「大和」の繋留ブイには、呉軍港からの直接の海底電話線が敷かれ、東京の軍令部への連絡や、呉軍港各部へ修理の交渉等を指示していた。

「大和」の有線電話が慌《あわ》ただしい動きを見せ始めたのは、島々に点在する人家から鯉幟《こいのぼり》のひるがえる光景が見られたころからだった。

乗組員たちが艦上からこののどかな景色を眺めながら、めいめいの故郷を思いだしていたとき、連合艦隊の命運をかける決戦を最も早く察知していたのは、軍楽兵たちだった。

昭和十七年五月一日から四日間、柱島の「大和」ではミッドウェー作戦の図上演習が行なわれた。前甲板には各艦隊の長官および参謀長、また各科の士官たちが続々と「大和」に集まってきた。この図上演習の会場に、司令部付の従兵とともに出入りしていたのが、一三名の軍楽兵である。軍楽兵の仕事は電話、暗号電報の取り次ぎだった。

明治以来、軍楽兵たちの戦闘配置は応急員ということになっている。これが電話・電報取次員になったのは、真珠湾攻撃のときの旗艦「長門」が最初だった。軍楽隊の歴史の中で画期的な任務を与えられた第一号が、昭和十六年十月に「長門」配属の林進一等軍楽兵ら四名である。林は十八歳の誕生日に「長門」に乗った。林にとって生涯の名誉と思ったのは、山本長官のもとで開戦を迎えたことである。最初、軍機のかたまりのような「長門」の作戦室にいるのは、息が詰まるほどの緊張の連続であり、参謀の顔と名前を覚えるのも一苦労だった。

この図上演習に、実は軍楽兵が加わっていたことはあまり知られていない。

この演習の統裁兼審判長は宇垣纏がつとめた。青軍は日本、赤軍はアメリカとされたこの図上演習を、林軍楽兵は次のように語る。

「宇垣参謀長が突然、沈没した空母赤城《あかぎ》を生き返らせたときはびっくりした。見ていてさすが参謀長、日本海軍は強いと思った。まわりの参謀たちも、ミッドウェーがなんだという雰囲気だった」

林のこの感想を淵田美津雄・奥宮正武著『ミッドウェー』に即して見ると、実に面白い。沈没のはずの「赤城」が生き返ったというくだりは、この図上演習でアメリカの飛行機が日本の航空母艦群に爆撃を加えた場面のことである。

当時総監部員の奥宮少佐は、演習規則にしたがってサイコロを振り、空母「赤城」を、

「命中弾九発、沈没」

と判定した。戦記『ミッドウェー』では、このとき奥宮少佐を制し、審判長の宇垣が、

「いや、今のは三分の一じゃ。命中弾は三分の一とする」

と言ったとある。沈没の「赤城」が生きかえったと林軍楽兵が語るのは、このことである。まさに、審判長の鶴のひと声で敗勢を回復した。

「このような統裁ぶりには、さすが心臓の強い飛行将校たちも、あっけにとられるばかりだった。しかし、演習場のところどころで私語する者はあっても、公然とその矛盾に反対する者はいなかった」

これが戦後になって明らかになったミッドウェー作戦における図上演習の真相である。

これでは、林軍楽兵の感想はあまりに実状と違いすぎると言われるかもしれないが、果たしてそうだろうか。お手盛りの図上演習に一人として公然と反対する者のいなかった当時の雰囲気を素朴に、しかも確実に捉えていたのは、軍楽兵たちであったかもしれない。

図上演習に参加した参謀たちの心中では、たとえ演習が惨澹《さんたん》たる結果を呈しようと、実際

にそうしたことは起こらないと見る雰囲気が大勢を占めていた。

ミッドウェー出撃を二週間後に控えた五月十三日の昼すぎ、「大和」は修理と補給のため呉に入港した。六日間の呉在泊の間、「大和」乗組員たちにも代わる代わる半舷《はんげん》上陸が許された。林軍楽兵は、

「今度は主力艦隊同士の最後の決戦になる。生きてふたたび帰れんかもしれないから、呉にいる間は家族を呼びよせるよ」

古参の下士官たちがこんな話をしているのにびっくりした。士官はともかく下士官たちは知らないと思っていたのに、呉に入港してまた驚いた。呉市内は面会の家族でいつになく盛況だった。

入港前、軍楽兵たちは先に上陸した者が手分けして各人の家に電報を打つ算段をしていた。林は呉工廠に勤める同郷の人の家で、兵庫から駆けつけた父と会った。

極秘といわれたわりに、ミッドウェー行きは大っぴらだった。呉の床屋の親方がなじみの飛行将校に、

「旦那《だんな》、今度はだいぶ大がかりな作戦に出かけるそうじゃありませんか」

と言ったと、淵田美津雄はのちに書いている。

夏に向かうというのに、耐寒準備の防寒被服まで半ば公然と積み込む光景に、乾坤一擲《けんこんいってき》の大作戦が露顕しはすまいかと心配するむきもあった。

「大和」が呉に入港前の五月五日、ミッドウェー作戦に関する「大海令」が出た。海軍の作戦要領では、

「海軍航空部隊ハ上陸数日前ヨリ『ミッドウェー』島ヲ攻撃制圧ス／海軍ハ有力ナル部隊ヲ以テ攻略作戦ヲ支援掩護スルト共ニ　反撃ノ為出撃シ来ルコトアルベキ敵艦隊ヲ捕捉撃滅ス」

と示されている。

編成は、南雲《なぐも》機動部隊だけでも、「赤城《あかぎ》」「加賀《かが》」「飛龍《ひりゅう》」「蒼龍《そうりゅう》」の四空母を中心に、戦艦「榛名《はるな》」「霧島《きりしま》」、重巡「利根」「筑摩」、軽巡「長良《ながら》」と駆逐艦一二隻の警戒隊、五隻の油《ゆ》槽船《そうせん》からなる補給隊と、大がかりだった。

今度は山本長官も戦艦「大和」「長門」「陸奥」の三隻のほか駆逐艦、航空母艦を引きつれ、支援部隊としてのぞむことになった。

ミッドウェー、ダッチハーバーを目指して、艦艇三五〇隻、航空機一〇〇〇機以上、海軍将兵一〇万人を越える連合艦隊の大移動だった。

南雲忠一中将率《ひき》いる空母部隊が出発した二日後の五月二十九日、「大和」以下の主力部隊も柱島泊地を後にした。

岩田軍楽隊長指揮の「軍艦マーチ」の吹奏のなか、林軍楽兵のクラリネットもひときわ

高鳴った。林には、豊後《ぶんご》水道を抜けるときの艦の震動さえ心地よかった。何より作戦室の幕僚たちの自信に満ちた表情が、開戦の日の感激をよみがえらせ、勝ち戦《いく》さを疑わなかった。

配置につけの号令で司令部は第一艦橋に移った。暗号室と艦橋の間には空気伝送管を通し、圧搾《あっさく》空気で電文を送る装置がある。林たちは送られてきた電文を当直参謀に届ける。電報用紙は幾重にも折られてあるので、軍楽兵は折目を伸ばす。このとき電文をつい読むため、戦局はだいたい察知できた。

ミッドウェー北方海域で、はげしい海空戦が始まったのは六月五日の朝だった。「大和」以下の主力部隊は、南雲機動部隊の後方五〇〇浬《かいり》を走っていた。このとき、

「敵艦上機及ビ陸上機ノ攻撃ヲ受ケ、『加賀』『赤城』『蒼龍』大火災」

の電報が「大和」に入った。

作戦室は騒然となった。

それからあとの状況は、惨澹《さんたん》たるものだった。「加賀」と「蒼龍」は海底に姿を消し、動けなくなった「赤城」は、味方の駆逐艦の魚雷によって葬られた。南雲中将以下司令部要員は「赤城」を脱出、将旗を巡洋艦「長良」に移した。ただ一隻生き残っていた「飛龍」も敵艦載機の雷撃で撃沈された。

最後まで脱出を断わった第二航空戦隊司令官山口多聞《たもん》と艦長加来《かく》止男の最期を伝える電

文を林軍楽兵たちが届けたとき、

「そうか、山口もついに、死んだか」

山本長官の声はうめくようだったという。

山口多聞は、長官の最も信頼の厚い部下だった。兵学校八期下の山口に後添いを世話したのも山本だった。山本はミッドウェー作戦につき、

「もし、本作戦で敵艦隊が撃滅できれば、これを機縁に戦争終結の工作が推進できる」

と山口多聞に洩《も》らしていた。

支援のためにいったんは主力部隊も突入の姿勢を見せたが、山本長官の決断で、ミッドウェー作戦中止の電報を、全作戦部隊に発した。

林軍楽兵は、作戦中止命令が出たあとの重くるしい雰囲気より、悲壮な電文を届けるときのほうが切なかった。

主力部隊は、次々と駆逐艦からの負傷者、生存者を収容した。南雲忠一中将、草鹿《くさか》龍之介参謀長等を「大和」に迎えた。「大和」「長門」「陸奥」の三戦艦のうち、山本長官に血なまぐさい場面を見せて判断を鈍らせてはいけないとする幕僚たちの意向で、「大和」に負傷者は収容させなかった。

帰途、巡洋艦「三隈《みくま》」と「最上《もがみ》」の衝突という不祥事が起きた。「三隈」はそのあと、アメリカの飛行機に撃沈された。

六月十四日、初陣の「大和」は敵機にも敵の戦艦にもあいまみえることなく、ふたたび柱島泊地へ空《むな》しく帰還した。戦わずして敗れた。

「この戦闘において、山本大将の主力部隊は一砲も撃っていない。機動部隊の大敗を聞くや直ちに瀬戸内海に引上げてしまった。

伊藤正徳は記している。

一砲も撃たずというのは、正確ではない。このミッドウェー作戦で、初陣の「大和」は初めて撃った。柱島から豊後水道沖に差しかかったときである。

「敵の潜水艦がいるといわれ撃ったのは、左舷の二番副砲である。ちょうど、工廠の撮影班が乗っていて、この副砲発射の衝撃で持ち込んでいた撮影機はすべて破壊された」

副砲の三笠逸男は語っている。

この昭和十七年の夏は暑かった。瀬戸内海は三二日間炎天がつづいた。

八月に入り、ソロモン群島のガダルカナル島へ、突如、アメリカ軍が上陸を始めた。ガダルカナル島では、フィジー、サモア攻略に備え、航空隊の前進基地を建設、完成直後の不意打ちだった。

事態を重くみた山本長官は第二、第三艦隊を前進部隊とし、ラバウル進出を命じた。さらに「大和」以下もトラック島に向かい、次のソロモン作戦に備えることになった。

出発直前の昭和十七年八月、初代高柳儀八に代わって二代目艦長の松田千秋を迎えた。

八月十七日、「大和」は護衛の駆逐艦をしたがえて柱島をあとにし、豊後水道を通過、太平洋上にすべりでた。針路は南南東、二二〇〇浬《かいり》の彼方《かなた》のトラックであった。「大和」は順調に進みつづけた。

翌朝、「大和」の乗組員たちが眼をさましたときには、日本の島山はもう見えなかった。

八月の光は明るかった。

「大和」が旗艦になって六か月が過ぎていた。

「大和」の乗組員たちは柱島で初めて山本長官とまみえ、少なくとも一日に二回、朝夕の軍艦旗掲揚の折、真珠湾の英雄の姿に接した。むろん、彼らにとって長官は遠く仰ぎ見る存在でしかなかったが、日課の折など極めて身近に接する幸運な機会もまた、稀《まれ》にだが生じた。

この長官と兵員たちとの交流は、トラック島においてより深まる。幾人かの兵員たちの胸に、山本五十六は終生忘れえないエピソードと、その像を刻むことになる。

そして、柱島での旗艦としての六か月間は、山本と兵員たちの交流の序章にあたる時期といえた。

トラック島へ向かう乗組員たちは、時折、艦橋に立って、南太平洋の抜けるように碧《あお》い海原を眺める山本長官の姿を、遠くから眺めることができた。

「大和」がトラック環礁《かんしょう》へ到着したのは、昭和十七年八月二十八日である。翌十八年五月八日まで、トラック諸島の中の夏島の北西、あるいは南を錨地《びょうち》に碇泊《ていはく》したまま、ほとんど動かなかった。

3

南北約五〇キロ、東西およそ六五キロの広さをもつトラック環礁の中には、春島、夏島、秋島、冬島などの四季の名をつけた島や、月曜島から日曜島にいたる大小の島々が散在していた。

トラック諸島の日本統治は第一次大戦後に始まる。それ以後、日本は夏島を中心に甘蔗《かんしょ》栽培等の入植者を多く送り込み、夏島には、大正年代以来の南洋庁トラック支庁があった。

外海と異なって波もないトラック諸島の広大な環礁は、真珠湾奇襲以降の連合艦隊の重要な泊地になっていた。巡洋艦、駆逐艦の群に守られるようにして、山本長官の将旗をかかげた「大和」が、堂々たる威容を明るい内南洋の海に浮かべていた。

トラック泊地では、週に二、三度、また雨季には連日のように、南方特有のスコールが訪れる。内地の夕立に似たスコールの来襲は、乗組員たちの愉《たの》しみだった。

遠く水平線に黒雲が湧《わ》きはじめると、たとえ作業中でも、

「スコール浴び方用意！」

甲板士官の号令がかかる。

この号令が聞こえると、乗組員は歓声をあげ、石鹸《せっけん》と手拭《てぬぐ》いを手に真っ裸になって露天甲板へかけ登る。

甲板はどこも兵員たちで埋まった。雨水を貯えるためのオスタップ（洗濯桶《おけ》）やドラム缶を並べ、二〇〇〇人近い男たちの裸身がスコールを待った。

くちばしの鋭い海鷹《うみたか》が群をなして明るい方角へ飛び去る。すると、たちまち、甲板に大粒の雨がなだれこんでくる。

「それ、来たぞ」

甲板は水しぶきに覆《おお》われ白くけむった。乗組員たちは、大急ぎで石鹸を体にこすりつけ、洗濯にかかった。

「ほれ、だれか班長の背中を洗わんか。まったく最近の兵隊ときたら、どいつもこいつもてれてれしとって！」

兵長の声も、いっとき雨音にかき消される。

長坂来たち三等水兵は、班長や下士官の背中に石鹸をこすり、三助《さんすけ》に早変わりする。この背中洗いが終わると、新兵たちは、

「おい、急げよ」

互いに目くばせしながら、体を洗いあった。

南方のスコールは雨脚が早い。降りだすと空に穴があいたかと思うほど豪勢だが、それもわずかの時間でからっと上がってしまう。先日も長坂が体に石鹸をぬったとたん、スコールは通り過ぎてしまった。

甲板に突ったったまま体を洗っていると、スコールは叩きつけるように降ってきた。

「スコールはいいよな、どんなに水を使ったって文句いわれんしさ」

浮き立つような声が、長坂の背後で聞こえた。振り返ると、十六、七歳の少年兵たちがいた。

志願兵なのか、いかにも稚《おさな》い表情だった。青白くむくんだ顔や体は、機関科の兵隊たちのように見えた。機関室は艦の最下甲板なので、滅多に陽《ひ》を浴びることはなかった。穴ぐらを這《は》い登ってきたのか、息を弾ませている。水をかけ合ったり、ふざけて抱きついたりして燥《はしや》いでいた。

「入浴より、こたえられん」

一人が、うっとりした声で言っている。

長坂もうなずくように、スコールに身をまかせて目を閉じた。

艦内に兵員浴室はあったが、新兵たちは四日に一ぺん入れれば上等である。

浴室に入ると、各人碁石大のブリキ板のコインを三枚渡される。このコインは真水用の券である。

この券を失《な》くしたり、人に取られたりすると、あとは海水のバスばかりなので、石鹼はよくきかないし、風呂から上がっても体中ぬるぬるして気持が悪い。

まず最初に、石鹼箱をタオルにまきつけて頭の上にハチ巻きをし、順おくりに中腰になって端から入っていく。八畳ほどの浴室の前方には、古参の水兵が番台役になって待ちかまえていた。三枚のコインのうちの一枚を渡すと、洗面器一杯の真水の湯がもらえる。この一杯で体全体を石鹼でよく洗い、もう一枚の分で石鹼を洗い落とすのだが、これがよく落ちていないとオソロシイ一等水兵に叩かれる。

こうしてぶじに洗い終わると、また向こうの端まで行き、最後の湯をもらって湯舟の塩分をすすぎ落として完了となる。

浴室では全員裸なので階級はわかるはずはないのだが、これが不思議と察しがつく。バッターで叩かれたあとの尻《しり》の「艦隊マーク」が目印となる。煙突に一本、二本と入っている白い線を艦隊マークというが、これをもじってそう呼ぶのだ。

習慣とは恐ろしいもので、新兵は上陸して娑婆《しゃば》の風呂屋へ行っても、階級がわかってしまう。風呂屋の隅でチマチマと湯を使って体を洗っているのを見れば、たいてい新兵さんということになる。湯舟の真ん中にいるお年寄りが上官に見えたりして、とたんにソワソワしたりする。

入浴といえば、長坂にはとっておきの思い出がある。トラック島で、山本長官の浴室に一度だけだが入ったことがあった。

同年兵に、長官の従兵をしていた長田《おさだ》という男がいた。

真夜中、長坂はこの同年兵の手導《てび》きで長官専用の浴室に入れてもらった。長官の浴室は西洋バスで、タイル張りだった。湯はむろん真水をわかし、長官が入ったあとは掃除して流すのが長田従兵の仕事だったので、浴室にはだれも入ってこない。最初は落ち着かなかった長坂も、次第に大胆になった。真水の湯はさらさらとしてたっぷりある。入浴後は洗濯までした。むろん、山本長官は寝入っていて、この真夜中の侵入者のことは知らない。入隊までは姫路の機関手だったこの長田は、沖縄作戦のとき左舷の機銃長として、戦死した。

山本長官の専用従兵は、横須賀の兵隊だった小堀と藤井だったが、旗艦になると「大和」から配属の従兵が加わる。一等水兵の松山茂雄もその一人である。

松山は、昭和十七年に柱島から「大和」に乗組みになると、一二分隊運用科から司令部付従兵にまわされた。司令部付従兵は長官のほかに司令部要員の世話も兼ねる。幕僚の中には古い褌《ふんどし》を当然という顔で従兵に洗わせる者もいたが、長官のものは一度も洗ったことがない。長官専従の小堀に聞くと、

「下着は洗わせないよ」

と言っていた。

山本長官や宇垣参謀長のほうが幕僚たちより気さくで、私用を頼んだあとは、

「お、ありがとう」

とかならず礼を忘れなかった。

従兵は分隊ごとに二名ずつ選ばれ、眉目秀麗《びもくしゅうれい》の美少年タイプが多かった。

従兵になると夜の甲板整列もまぬがれることがあり、同年兵からはやっかみ半分に、「茶坊主」とか「シスターボーイ」といわれた。男だけの世界なので、ときには異常な雰囲気にもなってくる。松山も司令部要員の私室で靴を磨いていたとき、後ろから抱きつかれたり、キスされたことがあった。

内地から糧食艦の「間宮《まみや》」や「伊良湖《いらこ》」が入港すると、他艦より先に司令部用の食料を取りに行くのも、松山たち従兵の仕事である。

毒見といえば語弊《ごへい》があるが、珍しい品などは長官が食べる前に従兵が試食する。長官が食べた残りの虎屋のようかんなどをもらったときなど、夜、居住区に戻ると班長に届ける。その残りをもらって巡検後に、同年兵と一緒に食べるのが何よりの楽しみだった。

夜になると、副官の福崎昇が、

「おい、魚釣りをやるぞ」

という。松山は主計科の烹炊《ほうすい》所に行き、餌《えさ》用にマグロの切身をもらってくる。デッキで副官がのんびり釣糸を垂れていると、いつのまにか司令部の士官たちが集まってきて見物した。トラックでは色のきれいな魚がよく釣れたが、これが毒魚である場合が多かった。そこで、主計科から借りてきた毒魚図鑑と首っぴきで、

「副官、この魚は危険です」

と報告する。

山本長官が夜釣りを楽しむことはなかった。

司令部の幕僚たちの食事どきには、従兵はホテルのボーイの役割もした。

昼と夜の食事は、司令長官公室の大きなテーブルに、白いテーブルクロスをかけ、長官以下幕僚たちが並んだ。このとき、松山たち従兵は幕僚たちの後ろに控えている。朝食は和食で、昼は軍楽隊つきの洋食だった。スープに始まり、魚と肉の料理、サラダ、果物、コーヒーのフルコースが通常のメニューである。

「大和」には、上甲板の左舷に士官用、右舷に兵員用烹炊所がある。兵員食は官給だが、士官食は自費になっていた。士官用烹炊所はまた、士官および第一士官次室用、第二士官次室用、さらに長官と艦長用にわかれている。長官および艦長用には腕利きのベテランコックがついていた。

山本長官の食事の献立は、柱島からトラックに移っても変わらなかった。

トラックに入港して一か月も経たないころ、ガダルカナルの戦闘指導にあたっていた大本営派遣参謀辻政信《つじまさのぶ》中佐が、「大和」を訪れた。

辻政信の訪問は、ガダルカナル島の奪回に海軍の協力を要請しに来たのだった。そのころ、「ネズミ輸送」「アリ輸送」と呼んだ苦しい補給戦が、敵機の襲撃の間を縫ってつづけられていた。ガダルカナル島への糧食や弾薬の船団輸送には海軍の護衛が必要だと、山本に直訴するつもりだった。

すでにガダルカナルでは陸軍の精鋭、「一木支隊」が苦戦の末全滅していた。つづいて南東方面では「第二次ソロモン海戦」が起き、米国側は空母「エンタープライズ」を損傷したが、日本側も空母「龍驤《りゅうじょう》」が沈んだ。

辻政信は、海軍の都合が許さぬときには、陸軍の第一七軍司令官百武晴吉《ひゃくたけはるよし》中将が輸送船団の先頭に立ってガダルカナルに突入の決意だ、とまくしたてた。

このとき山本は、

「わかりました。必要とあらば、この大和をガダルカナル島へ横づけしてでも、船団輸送を果たしましょう」

と辻に答えたという。

辻政信の著書『ガダルカナル』には、米軍のガ島上陸以来の陸軍の悲惨な戦況を聞き、山本の両眼からは、「ハラハラと涙がこぼれた」と記されている。そうした山本に、「このような将軍が果たして陸軍に、幾人か在ったであろうか。海軍参謀になって、この元帥の下で死にたいとさえ考えた」

と大変な感激のしかたである。

山本長官との会見のあと、夕食を馳走《ちそう》された辻は、黒塗りの膳《ぜん》に、鯛《たい》の刺身、鯛の塩焼、そのうえ冷えたビールまで出され、

「海軍は贅沢《ぜいたく》な食事なんですね」

思わず皮肉な口調になると、福崎昇副官は、

「いいえ、今夜は特別です。山本長官のご指示でご馳走を用意させました」

と答え、辻を感激させている。

この昭和十七年九月二十四日の辻政信の訪問について、宇垣参謀長の日記『戦藻録』には、

「午後第一七軍参謀一名参謀部員二名来訪南下の途中なり」

実に素っ気なく記されているだけだ。

この日の会見も、乗艦のさいに軍艦旗に敬礼もしない横柄な態度の辻政信に対して、追い返せと怒る宇垣参謀長らを、山本がおさえたというのが実状だった。

辻が、『ガダルカナル』の中で、このとき山本が涙をこぼしたと記しているのはともか

く、宇垣参謀長の進言を押しとどめてまで会見に応じた山本の心境は興味深い。

海軍内でも陸軍嫌いとして知られている山本が、とかくスタンド・プレーをしがちな辻と会見しようとした心の裡《うち》には、ミッドウェー以降の陸軍の戦況をじかに聞きただしたいと思う気持があったのかもしれない。

山本は、日米開戦前の昭和十六年の九月十二日に、近衛首相に秘密裡に呼ばれ、陸軍の対米英戦の見通しについて聞かれている。

このとき、山本は、

「もし、万が一にも開戦となり、是非《ぜひ》にも私にやれといわれるなら、一年か一年半ぐらいは存分に暴れてごらんにいれます」

と答えたことは、高木惣吉の『聯合艦隊始末記』に記述されている。

開戦からすでに一〇か月が過ぎようとしている。山本がみずからの手によって立案し、作戦を決行したミッドウェーは無残な敗北を喫し、今また、ガダルカナルの制空権もほぼアメリカ側に奪われ、彼が開戦前から最も恐れていた米軍の物量作戦がものを言い出していた。辻との会見で、山本が敵の攻撃についての情報を具体的に知りたがったとしても不思議はない。

だが、輸送船団の護衛を直訴する辻の口調から、山本は戦況と、今後の見通しにいかなる感想を抱いたかは定かでない。よもや、「大和をガ島に横づけ」して、戦況を打開でき

ると は考えなかっただろう。いずれにしろ、山本が開戦前に下した日米の戦力分析は、近衛首相に言った、「一年か一年半ぐらいは存分に暴れてごらんにいれます」からも窺《うかが》えるように、長期戦になっては勝ち目はなかった。この発言はのちに、井上成美《しげよし》の批判を受けることになる。

井上成美は、米内光政《よないみつまさ》が海軍大臣の時代に軍務局長を務め、海軍次官だった山本を加えて、海軍省の左派トリオと称された。

「山本さんはなぜ、海軍は対米戦争などやれない、やればかならず負けますと、あのとき答えなかったのだろうか」

井上成美が対米開戦に徹底的に反対し、山本が短期決戦を条件に開戦に同意したといえるほど、事は簡単ではないが、結果的にはそうなってしまった。山本は先の言葉につづいて、近衛にこうも言っている。

「もし、いくさになったときは、旗艦の上で安閑として指揮をするようなことは微塵《みじん》も考えていません。飛行機にも潜水艦にも乗りましょう。太平洋を縦横にとびまわり、決死のいくさをするつもりです」

トラック島における山本が比較的のんびりしていたかのように戦記には記されているが、果たしてそうだったろうか。

旗艦「大和」は、戦局が悪化しているにもかかわらず、島に居坐《いすわ》りつづけた。「大和」

が動かなかったのは、かならずしも燃料不足のせいだけではない。大事な燃料を使って巨艦「大和」が動くからには、戦局を一気に打開する戦場が必要だった。ミッドウェー作戦に失敗した山本は、「大和」を動かす戦場を見出《みいだ》し得ないでいた。傍目《はため》にはどう見えようと、山本の心中が安穏《あんのん》としていたとは思えない。

ある夜、内田貢は、従兵から山本長官がお呼びだと告げられた。

長官室は上甲板にある。内田が恐る恐る長官私室に入っていくと、山本長官は寝巻姿の寛《くつろ》いだ恰好《かっこう》で、

「ちょっと、寝違えてしまってね。軍医長が柔道部員だったら簡単に治せるというんだ、すまんがやってみてくれないか」

長官の口調は、兵隊にものを言うにはていねいすぎたかもしれないが、内田にはそうしたことに頭をめぐらす余裕はなかった。

まず、初めて長官室に入って、部屋の豪華さに度肝を抜かれた。絨緞《じゅうたん》は足が埋まりそうなほど柔らかく、紫檀《したん》の机や洋服簞笥《だんす》など、室内の調度品の一つ一つにこれがフネの一室かと目をみはった。

長官室には、公室、私室兼寝室、浴室兼洗面所、調理室が付属していた。おそらく、今日でいえば一流ホテルの特別室ほどの豪華さといったらよいかもしれない。

講道館の四段である内田には、首の寝違えを治すといったことは容易だった。終わると、長官は、

「おっ、楽になった。ありがとう」

内田が思ってもみない気さくな口調だった。しかも、帰りしなに、

「内田くん、また頼むよ」

と言ったのである。たとえ、どんな事態になろうと、司令長官ともいわれる人が、兵隊を「くん」付けで呼ぶなどありえないことである。それも、相手に感じさせないようなさらっとした言い方だった。これは、山本の人心掌握《しょうあく》にたけた一面でもあろうが、内田は偉い人だとうなってしまった。長官のこの一言は、内田をまいらせてしまうに充分だった。

このときの感激は、辻政信のそれとは、少しく異なっていたにちがいない。

内田の山本長官に対する気持は、一言では表わせない複雑なものだった。通常、乗組員にとって長官の存在は、ほとんど神格化されたものである。むろん、内田の中にも神格化された長官像がなかったわけではないが、同時に、自分の祖父や父に対するに似た人間的な親しい肌合いを感じていた。

内田はその晩から、たびたび長官私室に呼び出されるようになった。柔道部員の中から、とくに内田が指名されたのは、柱島での例の少尉候補生との寒稽古、艦内柔道競技や相撲競技でも活躍する内田の存在を知っていたからだろう。

柱島のときに連合艦隊柔道大会がおこなわれたことがある。「長門」「陸奥」をはじめ各艦隊から選手が参加した。このとき「大和」からは、内田のほかに、角野《かどの》、唐木正秋の三名が選抜されたが、角野が優勝した。トラックに来てからは、内田と角野がそれぞれ一回ずつ優勝している。

「ぼくも昔はよく柔道をやってね。内田くんは寝ワザはあまりせんなあ」

長官が言ったことがある。

内田はこれにも感服してしまった。よく見ていると思った。

内田の得意ワザは長身をいかした「ハネ腰」にある。もともと足ワザを得意とし、寝ワザに持ち込むのは性分としても好まなかった。

例の柱島での少尉候補生との対戦のときも、ギッチョの内田は、右に足ワザを掛けると見せかけ、素早く体をひねって左へ足を出し、自分の腰に相手を乗せてハネあげるといった連続ワザで、相手を腰から叩きつけた。

彼は、相手の足の開き加減や微妙な力のバランスから、エリを引いた瞬間に、相手が自分より強いか弱いか、体で感じとることができた。あの少尉候補生にも、一瞬で勝てるなと思った。

もっとも、内田はこのとき長官に、そうしたことは語らなかったが、

「寝ワザは好きではありません」

とだけ答えた。

「そうか、好きでないか」

長官はそう言うと、いつもはむっつり一文字に結んだ口を開け、破顔一笑した。なにか思い当たったことでもあるように、内田が呆気《あっけ》にとられるほど笑いつづけた。

山本長官はこの一兵卒の気質に好もしいものを見つけたのか、恋人の河合千代子の話なども語っている。

内田には、長官が「千代子」とこの女性の名を呼ぶときのとろけるようなものの言い方も不思議でならなかった。ときどき、返事を求められても、相づちの打ち方さえわからず、「ハア」とだけ受け答えした。すると、長官は、

「内田くん、何もきみ、固くならなくっていいんだ」

おかしそうに言った。

この河合千代子については、従兵の松山茂雄も語っている。トラックには千代子からの手紙もたびたび来ていた。長官に郵便物を届けるときにはかならずその手紙を一番上に載せておくと、上機嫌だった。

山本はトラックに来て以来、死ぬまで日本に帰っていないが、幕僚たちの間で千代子をトラックに呼んではどうかという話も出たことがある。最もこれは傍目《はため》もあり、実現しなかった。

そのころ、山本は五十九歳になっていた。トラックに来てから書いた日本への手紙にも、足の腫《は》れや手先のしびれを訴えているが、山本の健康は思っていた以上に良くなかったのかもしれない。ガダルカナル島奪回作戦は予想以上に消耗戦をくり返していたし、艦隊のトラック滞在が長びけばながびくほど、士気の低下も案じられ、山本の心が晴れるということはなかった。

「ぼくはね、ものすごいこり症なんだ。ちょっと肩をやってもらえんか」

内田が部屋に入っていくと、長官は開口一番このセリフをいう。この言い方には一種独特なリズムというか雰囲気があって、長官と兵員という距離を縮めさせた。

「きくわな、きみのはきついなア」

長官はまた、煽《おだ》てかたもうまかった。三〇分、一時間と過ぎ、とろとろと居眠りをはじめても、内田をなかなか放免しなかった。

内田には、長官の首や肩、背中のこりが尋常とは思えなかった。肉体のこりであれば揉《も》むと解消されるが、もっと奥深い神経の疲労から生じているとしか思えない。

長官は内田に体を揉ませているうちに気分も軽くなるらしく、鼻唄まじりで小唄や郷里の越後の民謡の一節なども歌いだした。

内田が昼の艦内放送から聞こえてくる「村のかじ屋」の童謡の件を持ちだし、自分の家はかじ屋なので妙な気分になると言うと、

「ほう、そうかね。きみの家がそうだとは知らんかった」

大声で笑いだした。

「僕の郷里《くに》では、かじ屋に働く小僧を番子《ばんこ》といってね、番子唄があるんだ。越後は貧しいからね、口べらしに小さいときからかじ屋に奉公させられるんだ」

長官は郷里を思い出すのか、しんみりした口調になった。

このとき、山本の胸中には、長岡出身の新発田《しばた》歩兵一六連隊が、ガダルカナルで全滅しつつあるという報が、脳裡《のうり》をよぎっていたかもしれない。

十月二十八日付で届いた郷里の古い友人反町栄一宛《あ》ての書簡にも、

「郷党子弟の苦難を想見すれば一向に快心ならず」

と胸中の一端を滲《にじ》ませている。

だが、長官は内田に対してそうした深い焦燥《しょうそう》を口に出して言うことはなかった。

内田は毎晩のように呼び出されているうちに、長官の癖もわかるようになった。白毛のふえたゴマ塩頭をかき出すと、とたんに機嫌が悪くなる。このときは従兵を呼び、かならず司令部の幕僚を呼びつけた。

内田は一、二度、体中が慄《ふる》え上がるような場面を目撃している。このとき、長官は、

「宇垣を呼べ」

と言った。内田は参謀長の名を聞き、とっさに逃げかけた。すると、長官は、

「きみ、行かなくてもよろしい。ここにいなさい」

内田がそれでも行きかけようとすると、

「いなさい」

命令する口調になった。

内田は宇垣参謀長を叱《しか》りつける長官の姿を見て、緊張した。別人のような威圧感だった。

長官は私服を軍服に着がえ、姿勢をただして怒った。軍服を着た瞬間、長官の顔や声まで変わっていた。

宇垣参謀長は「黄金仮面」のあだ名がある。表情を変えず、笑顔は滅多に見せなかった。大柄でいかつい造作の宇垣が、直立不動の姿勢のまま、長官の一喝に耐えていた。

内田は信じられない場面を目撃したように呆然《ぼうぜん》となった。剃刀《かみそり》のように冷徹な参謀長と乗組員から見られていた宇垣が、まるで蛇に睨《にら》まれた蛙《かえる》のように小さくなっていた。

あるとき、長官はしみじみとした口調で、

「僕が一番信頼しているのは、米内《よない》さんなんだ」

ふと、言ったことがある。

一兵卒の内田も、この「米内さん」が、海軍大将で総理大臣をしていた米内光政であるぐらいの知識は持っていた。この米内と井上成美に山本を加えた三人が、三国同盟問題をはじめ、戦争回避に志を同じくして抗戦派の陸軍と激しく対峙《たいじ》したことが公になったのは戦後のことである。井上成美に対しては年下の友人という意識が強かったが、米内光政と山本は、盟友と呼んでもさしつかえない時期を過ごしている。

長官が内田に米内光政の名をもらしたのは、井上成美が作戦の打ち合わせのため、「大和」の山本を訪れた昭和十七年十月七日直後のころである。

その日、山本は井上とともに一夜を過ごし、戦況や海軍の今後の行く末について話し合った。

井上は「大和」から帰って十数日後に、江田島の海軍兵学校校長に赴任するが、米内は開戦以来、予備役となって半ば世捨人のような生活を送っていた。山本と米内は、陸軍の強硬な行動を阻止することができず、また海軍内部の弱腰もあってついに開戦に至ったが、このかつての盟友に対する山本の信頼感は失せることがなかった。

「人間にはね、きみ、ウマがあわないというか、どうしても好きになれんやつがいるもんだ」

突然、東条首相や嶋田繁太郎の話をしたのも、このころだった。

時の海軍大臣嶋田繁太郎は、山本と兵学校の同期だった。嶋田繁太郎からはトラックの山本に海軍人事などしきりに助言を求める書簡が届くが、当時の山本には、内閣に信頼に足る人材を持たなかった。

「きみ、博打《ばくち》はやるか」

長官はまた、内田に訊《き》いたことがある。

内田は、自分は賭《か》け事は好きでないと答えた。

「酒も、煙草《たばこ》もよう飲まんのです」

とつけ加えた。

長官は少し面食らったふうだったが、

「ふん。博打はしたほうがいいよ」

幾分、憮然《ぶぜん》とした表情で言った。

内田貢は飲む、打つはからきし駄目な性分で、及第なのは三番目のほうだけだった。


ある日、高橋弘は上官に当番兵として呼び出された。上官は大きな木箱を前に並べ、中身は見ずに至急、焼却炉で焼いておけと命令した。

木箱は五、六個あった。高橋は重い木箱を一人で焼却炉へ運んでいくと、箱を開けた。木箱の中には、大小の布袋がいっぱい積み重なっていた。布袋をあけると、中にはたくさんの手紙や小包が入っていた。

手紙はどれも開封されないままだった。宛名《あてな》はすべて、「連合艦隊司令長官、山本五十六閣下」と、なっている。

差出人は日本全国のいたるところからで、横須賀や呉へ送られてきたものが、トラックの「大和」へ転送されてきた。

高橋は、袋の中の手紙を焼却炉の炎の中へ次々と投げ込んだ。一個だけ、開封された包みが足元にころがった。高橋が手にとって見ると、小包の中には絢爛《けんらん》たる色彩で縫いとられたお守り袋と、紺紙《こんし》金泥《こんでい》の法華経に、手紙が添えられていた。

彼は、その手紙を読んだ。山本長官に宛てて愛国の情が連綿と綴《つづ》られていた。

高橋は、手当たりしだいに開封されていない手紙をひらいた。どれにも、長官の武運長久を祈る手紙と、お守りが同封されていた。

その日、高橋は、長い時間をかけて日本全国から寄せられた国民の熱い祈りの凝縮された、おびただしい手紙とお守り袋を燃やしつづけた。

トラック島では、碇泊《ていはく》の艦艇はすべて、夕暮れになるといっせいに灯火管制となる。あるとき、高橋は当番兵として、「大和」の光が外に洩《も》れないように、司令部の各部屋の舷窓《げんそう》を閉じて廻る仕事を仰せつかった。

十一月初めというのに、トラックはさすがに赤道に近い島で、気温は摂氏三〇度を越えていた。そのうえ、ふしぎに快晴が少なく、曇天がつづいていた。むし暑かった。

高橋が長官私室に入ると、長椅子《ながいす》に長官が下着一枚で横たわっていた。

高橋にとって山本長官は、いつもきちんと正装した姿で、朝夕の軍艦旗揚げ下ろしのときに見るほかは、ときおり、右舷の舷門当直のときや、通路で見かける程度だった。長官はどんな暑さでも防暑服は着ず、つねに純白の二種軍装姿だった。たまに通路で出会っても、兵の挙手にきちんと挙手の礼をかえした。そんなことが、兵員たちの間で話題になって、長官への畏敬《いけい》の念をたかめさせたが、身近に親しみを感じさせる存在ではなかった。

分隊付から司令部付になった従兵から、自由時間には甲板へ出て、デッキ・ゴルフをしている、司令部付の幕僚たちとビールを賭けているのだと耳にしたことがあるが、高橋には関心の埒外《らちがい》だった。

軍服姿ではない長官を見るのは、高橋には初めてだった。

長官は軽い寝息を立てていたが、顔の色艶《いろつや》は決してよいようには見えなかった。心なしかむくんでいた。

長椅子のそばのテーブルには、俳句の書かれた扇子《せんす》と、今しがたまで読んでいた様子の部厚い本が開かれたままに載っていた。高橋は、読みさしの本の書名を見た。

書名は、『大楠公《だいなんこう》』となっている。その本をそっと手にとってめくってみると、書き込みや朱線がおびただしかった。

彼は初めて「大和」に長官を迎えた日を思い起こした。あの登舷《とうげん》礼式でふと見かけた指の二本ない左手は鮮やかな記憶になっていた。

高橋には、柱島でタラップをのぼってきた血色のよい長官とは別人のような、ひどく疲れはてた寝顔に見えた。

舷窓から見ると、南十字星が耿々《こうこう》と瞬《またた》いている。星明りが長官の寝顔を白々と照らしていた。

高橋弘はしずかに舷窓を閉じると、長官私室を出ていった。

昭和十七年十二月八日の開戦一周年の日、海軍の推定戦死者は、一万四八〇二柱になった。新聞は堂々たる連合艦隊の勇姿として戦艦群の写真を載せたが、「大和」も八月に第一艦隊第一戦隊に編入された僚艦「武蔵」も、国民には秘匿されたままだった。

山本がこの十二月八日の開戦記念日につくったとされる一首がある。

ひととせをかへりみすれば亡き友の数へかたくもなりにけるかな

山本はいつも肌身はなさず一冊の小型の手帖《てちよう》を持っていた。飛行機や潜水艦で戦死したり、殉職した知人たちを府県別にして、遺族の姓名、現住所まで書きとめていた。戦局の中心はソロモンに移り、日々にかえらぬ人々の数は増えていた。この手帖は山本がいつも取りだして眺めているのか、手擦《てず》れしていた。

4

「大和」にも年の瀬が近づいた。年の暮といっても、トラック環礁《かんしょう》の空は突きぬける青さで、とにかく暑かった。

十二月二十九日には、後甲板に陽除けのテントがはられて、正月用の餅《もち》つきが行なわれた。

餅つきの中心となったのは、内田貢たち柔道部員や相撲部員、それと短艇《たんてい》部員だった。部員たちの威勢のよいかけ声と、リズミカルな手さばきに、山本長官、宇垣参謀長以下司令部の幕僚たちも見物に来た。

内田の手返しは早くしなやかで、しばし喝采《かっさい》を受けた。

鏡餅、のし餅もたくさんでき、つきたての柔らかい餅は、おろし餅、あんころ餅にして、山本長官も食べた。

ついた餅は乾燥してしまうので、すぐに冷蔵庫の保冷室で冷凍し、正月に切って雑煮をこしらえる。

ギンバイという海軍用語がある。銀蠅《ぎんばえ》が語源で、食料をくすねることである。

ついた餅を最上甲板から上甲板の烹炊所の冷蔵庫にもっていくまでに、ギンバイの名手が次々とあらわれる。曲がり角やラッタルのそばには主計科員の見張りがいるのだが、それでも不思議に消えてしまう。見張りの見張りが要るといわれた。

その晩、山本長官の部屋にいつものように呼ばれた内田は、

「きみんとこ、餅屋と違うか」

と言われた。

「違います。その反対のカチカチですわ」

「なに、カチカチ……」

「こないだ、いうたように、かじ屋ですがな」

「きみのあの手返しね、だれにならったのかね」

長官は感心した声になった。

「昔、子供のころによう餅の曲芸つき屋いうのが廻りよったんです。私はそれが楽しみで、じっと見とって覚えましたんですわ」

「ほう、餅の曲芸つき屋とは、面白いね」

長官はひどく関心を示した。

トラック在泊の長官の頭にも、白髪がめっきり目立つようになった。

長官私室・艦長室には正月らしいお供え餅が、艦の舷門には新春を迎える門松が飾られた。

しかし、十二月三十一日の午後、東京では、宮中に杉山元《はじめ》参謀総長、永野《ながの》修身《おさみ》軍令部

総長らが集まり、天皇の御前でガダルカナル島撤退を決定した。その十数日前には、天皇の伊勢神宮親拝がなされ、トラックの山本の耳にも報告が届いた。

「天皇陛下の伊勢神宮御親拝を拝聞しては真に恐懼《きようく》に不堪《たえず》頭髪一夜にして悉《ことごと》く白からざるの不忠を恥づるものに御座候」

山本が年末に書いた手紙の一節である。

大晦日《おおみそか》の晩、「酒保開け」のあと、「乗組員、酒許す」がでた。

「おれは一日も早く第一線へ出たい。第一線できれいに散りたい」

平素飲みなれない酒を飲んで、泣き上戸《じようご》になる者もいた。

床にケンパス（帆布）を敷き、その上にみんなあぐらをかいて坐りこんだ。一升瓶、ビール瓶が並び、次々とからになっていく。無礼講である。

〽いやじゃありませんか　海軍は
鉄《かね》の茶碗に　竹の箸《はし》
仏さまでも　あるまいし
一膳《いちぜん》めしとは　なさけなや

みんな大声で、口々にうたった。新兵たちも古参の兵も、顔を見合わせ、わけもなく笑った。笑いは目から手や足にまでひろがった。

内地からの演芸慰問団がトラックにやって来たのは、年が明けて昭和十八年一月に入ったころだった。

慰問団をのせた輸送船は、トラック島入港の直前にアメリカの潜水艦の魚雷攻撃をうけて沈没した。ボートで漂流中、「雪風《ゆきかぜ》」が見つけて救助した。

歌手の佐藤千夜子、舞踊家の花柳京輔のほか、浪曲家、漫才師などがいた。突然の沈没で衣裳《いしょう》も楽器も失い、全員防暑服姿だった。

女性たちは最初のうち恐怖がさめず青ざめていたが、山本長官みずからがねぎらいの言葉をかけ、工作科の兵隊に着物をつくらせたりしているうち、落ち着いてきた。慰問団の一行は新聞や雑誌の口絵でしか見たことのない長官を前にして、感激していた。

「大和」の前甲板に工作兵によって舞台がつくられた。さすがに腕利きぞろいの工作兵たちは応急用の角材をもち出してきて、周囲を天幕でかこい、曳《ひ》き幕までつけた。

その日は夕食がすむと、見張りと当直将兵をのぞき、乗組員二千数百名が舞台の前に集まった。士官以上は帆布製の折畳み椅子《いす》に、あとは甲板に坐った。まもなく、松田千秋二代目艦長に先導されて山本長官も司令部の幕僚たちとやってきた。

山本長官は艦長と並び、正面の椅子に坐った。

手品師は工作兵が急遽《きゅうきょ》用意したシルクハットや盆を使って、手品のタネがきれるまで演じたし、漫才師の男と女のかけ合いに、兵員たちは笑った。

なかでも拍手を浴びたのは日本舞踊と流行歌だった。工作兵のこしらえた着物と扇子でたくみに踊った。下士官も兵も、奇蹟《きせき》でも起きたように腰を浮かせてうっとり眺めた。

歌手の佐藤千夜子は、たいへんな人気だった。「蘇州《そしゅう》夜曲」をはじめ次々とうたった。こころもち首をかしげ、嫣然《えんぜん》とほほ笑んだ。下士官兵たちに喝采《かっさい》を浴びたのは、「誰《たれ》か故郷を想《おも》はざる」の唄だった。

〽幼馴染《おさななじみ》のあの友この友
ああ、誰か故郷を想はざる

林進たち軍楽隊がすすり泣くような音色をきかせる。佐藤千夜子の哀愁をにじませたあまい声は、乗組員たちをそれぞれの故郷へと誘うようであった。

島根県松江出身の糸川重明機関兵もその一人だった。糸川は慰問団の女性が「大和」にやって来たとき、

「女が乗ってきたけん、大和は沈むで……」

と言っていたものだが、故郷の出雲《いずも》の山々や落日の宍道湖《しんじこ》を思い浮かべてしんみりした。

古来、女をフネに乗せるのはタブーといわれていた。海神が女なので、嫉妬《しっと》して海が荒れると船乗りは嫌った。

従兵の松山茂雄も、

「女と猿を乗せるのは鬼門だと言われていたのに、大和は乗せてしまった」

と言っている。

だが、そうしたことも一切忘れ、前甲板は静まりかえっていた。身動きひとつせず聞き入った。目をうるませ、溜息《ためいき》をつく兵たちもいた。

慰問団はその晩、「大和」に泊まった。数日間トラックに滞在して在泊艦を慰問するのだが、駆逐艦や巡洋艦には収容スペースの広い「大和」が舞台を提供した。

その夜、艦内は華やいだ雰囲気に満ちた。乗組員たちは、久々に女たちを見て興奮していた。

艦にも慰安がなかったわけではない。月に一、二度、中部左舷甲板で映画会が開かれた。司令部がフィルムを持っていて、そのつど他艦にも貸し出す。中部左舷甲板の中央にスクリーンをはり、「愛染かつら」とか、「無法松の一生」や「伊那の勘太郎」など兵たちは甲板に腰を下ろして、スクリーンを見つめていた。

しかし、今夜は、はるばる内地からやって来た芸能人たちを目前で見ることができたのだ。

下士官兵たちの中には、先日、三か月ぶりに夏島に半舷《はんげん》上陸して遊んできた女のことを思い浮かべる者もいた。甲板役割や古参兵の顔にも甲板整列のときの表情は消えていた。

その晩は巡検後も、めずらしく甲板整列はなかった。


乗組員たちには三か月に一度、夏島への半舷上陸が許された。艦では、科や階級ごとに右舷、左舷にわけてある。右舷の者が上陸のときは左舷の者が在艦の仕組みになっているため半舷上陸と呼ぶ。

上陸前は甲板で軍医看護科の下士官の前に列を作り、身体検査を受けるのが慣わしだった。合格すると看護兵は検査済の印を押す。整列した兵隊たちの間を、ボール箱をもった看護兵が、チューブ入りのクリームと衛生サックを配給して歩いた。これは上陸用の通行証のようなもので、十六、七歳の若い兵にいたるまで配られる。

「いくらもてても抜き身はいかんぞ」

下士官は笑っていう。

夏島には士官用と下士官用の慰安所があった。下士官兵用は平家の建物が三、四軒かたまって並び、真ん中に入り口がある。遣《や》り手婆さん風の検番が順番に声をかけ、呼ばれると靴をもって上がり、出口は裏になっていた。

林軍楽兵の初めての体験はトラックの夏島である。上陸すると大勢が駆けだすのを見て、同年兵と釣られて走って行ったのが、この平家建ての家だった。

切符の代金は一円か二円であった。最初は漫才か浪花節でもやっているのだろうと入り、中の待合室で、ソファに坐っていた下士官から、

「おまえら、初めてか」

と言われた。二人とも、ここがどういう場所かようやくわかった。トラックは前線だ。いつ死ぬかわからないと思ったら、妙に落ち着いてきた。

数え年十九歳の林軍楽上等兵の初体験は、呆気《あっけ》なく終わった。

相撲、柔道、短艇《たんてい》部員には、部員上陸があり、稽古《けいこ》する建前になっていた。上陸時にはいつスコールが訪れるかわからないため、各自ネーム入りの雨具を持参することになっていた。内田貢や北栄二と親しい相撲部員の一人が、ある日、この雨具をうっかり慰安所に置き忘れてきてしまった。

艦にもどってしばらくすると、班長に呼ばれた。

「おまえ、今日はどこへ行った」

「ハイ。相撲の稽古をしとりました」

「馬鹿者、おまえがどこへ行って来たかはちゃんとわかっとる。これはどこへ忘れてきた」

よもや、半舷上陸で例の場所へ遊びに行った別の分隊の者が届けてきたとは思いもしな

かった。

「おまえは、この雨具がだれのものか知っとるのか」

この上等兵はさっと不動の姿勢をとり、

「はいッ、天皇陛下からお借りしたものであります」

「わかっとるなら始末書を書いてわしのところへ提出せいッ」

と散々しぼられた。


内田が柔道部員として目立つ存在だったように、相撲部員の近藤金雄も艦内では知られていた。近藤は、挙措《きよそ》動作がいかにも武道をやっている者の風体で、傍目には威張って見えた。ガニ股《また》で肩を振って歩く近藤に対し、

「あいつは態度が横柄で生意気だ」

と、常日ごろ上官からは目をつけられていた。

そのぶん内田にくらべ損をしたが、近藤は大柄でいかついわりには人のいいところがあって、仲間たちの人気があった。

これは少しあとの話だが、ある夜、近藤の班に巡検後甲板整列がかけられた。

分隊士は兵たちの前へ出ると、

「大変な不祥事が起きてしまった」

苦りきった表情で言った。

一瞬、整列をかけられた兵たちは静まりかえった。通風のモーターのうなりが大きく感じられた。

トラック泊地では、夜になると完全な灯火管制がしかれる。日が昏《く》れると分隊ごとに当番兵が灯を外へ洩らさぬように舷窓を閉める。ところがこの夜、舷窓の一つが閉め忘れられ、他艦から注意を受けたのである。

分隊士はひととおり説明を終えると、

「現場がわしらの分隊の受け持ち区画である以上、閉め忘れた者がかならずこの中にいるはずだ。身に覚えのある者は、いますぐ言って出よ。そうすれば、処罰のほうは考えんでもない」

兵たちは緊張した。いさぎよく申し出よといわれても、出ていけば大変な目に遭うことはわかっている。兵たちの一人一人を見ていく分隊士の表情を見ていると、自分が不始末したと名乗りでる勇気はなかった。

「早く出んか。やってしまったことはもう仕方がない。申し出たほうが身のためだぞ」

下士官もせきたてるが、兵たちはうつむいたままだ。分隊士は黙って睨《にら》みつけていた。

「よし、わかった。もう出んでもよい。そのかわり、罰直として今晩から分隊総員に酒保物品の支給をいっさい禁止する。煙草もだ」

これには、全員、顔が青ざめた。毎日毎日、明けても暮れても海の上から動けない兵たちにとって、食べることと眠ることが唯一の楽しみだった。酒保どめをされては、甘いものも食べられなくなる。そのうえ煙草も吸えなくなるとなれば、慌ててしまった。

そのとき、近藤金雄が自分が閉めわすれたと名乗り出た。

「おまえが、やったのか」

分隊士は意外な人物の登場に戸惑った表情になったが、

「そうだろう、おまえだと思っていた」

決めつける口調で言った。

全員が解散となり、近藤だけ残された。

だいぶ経ってから近藤が居住区に戻ってきた。さすがに、痛めつけられて口をきく元気もないのか、はうようにベッドに入ると気を失った。

「昨夜はえらい目にあったよ。おれひとり犠牲になればと出たら、そうだろう、だいたい貴様は歩き方が気にくわんと、三人がかりで殴られた」

近藤は翌日になって、同じ機銃の長坂来や川瀬寅雄たちにこぼした。その晩は五号棒の鉄で一〇発から一五発殴られたというから、相撲部員の近藤にもだいぶこたえたようだった。

しかし、このときの近藤はちょっとした英雄だった。

トラック基地では半舷上陸を散歩上陸ともいった。「大和」には冷房装置があるとはいえ、南方での訓練はエネルギーの消耗がはげしく、ビタミン不足になる。トラック在泊の艦船はどこも同じだが、そんな乗組員の健康を心配してか、上陸が許される。上陸といっても、脚気《かつけ》予防のため足の運動が目的だったので、散歩上陸といった。夏島の南側から上陸する。

渚《なぎさ》には潮まねきと呼ぶ蟹《かに》が群をなして這《は》い、上陸した兵たちの頭上を、無数の海燕《うみつばめ》が飛び交った。内地の燕より小柄で、海草を集めて巣づくりをしていた。

艦内生活が長いため、土の匂《にお》いはたまらなく懐かしい。土の匂いをかぎ、土の上を裸足《はだし》で存分に踏んでみたいと思うのが、乗組員たちの実感だった。

島にはトラック神社があり、日本人学校もある。曲がりくねった坂道を登った丘の中腹には、四、五軒店が並んで、泡盛《あわもり》やヤシの実や、鰹節《かつおぶし》を売っていた。ヤシの実を買って持ち帰り、自由時間にたんねんに彫刻する者もいる。

島にあるヤシの木、バナナ、パパイアは、それぞれ持ち主があり、一本一本が現地人の財産となっているので、勝手に採ってはならなかった。

佐向祥禎は、同僚と上陸からの帰り、うっかり鈴なりのモンキーバナナを取ろうとし、現地人の子供たちに取り囲まれた。

子供たちは奇妙な声をはりあげ、そのうちの一人は走っていった。しばらくすると、子供の父親らしい男が来て、佐向たちに身ぶり手ぶりで何ごとかいっている。言葉はわからなかったが、バナナが欲しいのなら煙草をよこせと言っているようだった。

あいにく二人は煙草を吸わなかったので持ち合わせていない。防暑服のポケットからハンカチを取りだし、これでどうかと身ぶり手ぶりで交渉した。現地人の男は不満そうだったがようやく物々交換は成立して、佐向たちは一房のバナナを抱えて艦に戻った。

バナナはまだ青々としていた。居住区のロッカーに入れて一週間、その間がなんとも待ち遠しかった。ようやく自然に蒸されて、食べごろとなったバナナは美味だった。

後日、島から持ち帰ったバナナから病原菌が発生、甲板士官から注意されて以降、艦内への持ち込みは禁止になった。兵たちの楽しみの一つが消えた。

戦後、南洋諸島における日本軍の搾取と残虐行為が問題となるが、トラック碇泊《ていはく》時代の「大和」はその点はかなり厳しい規律のもとにいたと証言する者が多い。

日本人たちの一家と顔なじみになったり、現地人の女と親しくなった者もいなかったわけではないが、トラブルの記録は見当たらない。

山本長官は島へはあまり上がらなかったようだ。内地へは頻繁《ひんぱん》に手紙を出しているが、昭和十八年一月末の知人宛ての手紙の、

「八月から傷病者見舞慰霊祭などで四回陸上へ行きました。外《ほか》は艦上に蟄居《ちっきょ》して居ります」

というくだりからも、それが窺《うかが》える。

島には、山本を魅《ひ》きつける場所が少なかったのだろう。山本のなじみだった横須賀の料亭「小松」の出店が夏島にあったが、行った様子は見えない。参謀たちが宴会を開いたときも、「長官欠席」と宇垣参謀長は『戦藻録』に記している。

工作科兵曹の板東定昌は長官から猟銃の散弾を頼まれたことがある。板東に、

「できたかい」

と催促までしたが、実際に猟に出かけることはなかった。従兵の松山の話でも、猟銃をもち島へ鳥撃ちに出かけていたのは、宇垣参謀長である。

山本は艦内に蟄居し、部下相手に将棋をさしたり、歌をつくったりして余暇を過ごした。

十七年十二月作の歌にも、

荒潮の高鳴る海に四年経つ都の風俗《てふり》忘らえにけり

これは望郷の歌である。このころの山本は艦内にひたすらこもり、一種の島流しに似た思いにふけったこともあったらしい。

山本の左手の指は二本欠けていたが、按摩《あんま》をさせられた内田は、背中の無数の傷跡も見ている。日露戦争以来の海軍生活で得た傷だが、こうした積年の肉体の酷使が、六十歳になろうとする山本の体に、ようやく衰えを刻みだしていた。

山本長官にくらべたら、内田貢のほうが上陸の機会は多かった。内田たち柔道部員は「部員上陸」と称し、トラック神社の境内で稽古する。

この部員上陸は散歩上陸より自由で、戦時加俸で懐の暖かった内田たちは神社付近の民間高級料亭に上がりこむこともあった。唐木と連れ立ってよく行った。内田は賭け事、酒は一切やらないかわり、適当に遊びのほうには抜け目なかった。

内田がドリアンを初めて食べたのも、この部員上陸の折である。

ドリアンは特有の異臭がしたが、そのねっとりと濃厚な果肉は食べ慣れると病みつきになった。催淫《さいいん》作用があって、食べすぎると鼻血を出すこともある。

「おまえら、士官や古い下士官にドリアンを食わせると危ないぜ。取って食われるぞ」

内田は若い従兵たちをからかった。

ドリアンをはじめ、バナナ、パパイア、パイナップルなどの果物を手に入れる方法は、島人との物々交換だった。石鹸や越中 褌《えっちゅうふんどし》、煙草と取り換えた。

「各分隊、作業員二名整列」

艦内放送で号令がかかると、分隊から選ばれた兵員たちは甲板に集合し、朝食後に弁当と水筒持参でカッターに乗り、島へ向かう。

「大和」では、三〇日に一度の散歩上陸のほかに、作業上陸があった。春島の飛行場建設や、夏島の農園作業が主だった。

春島の飛行場建設は敵空襲に備えてのもので、現地人たちも駆りだされ、トロッコ押しをした。

夏島には、「大和農園」があり、不足した生野菜を補うために、石ころの土地を開墾し、内地からもってきた種子や苗を植えて、甘藷《かんしよ》、西瓜《すいか》、大根、キャベツ、胡瓜《きゆうり》をつくった。暑さや土壌の関係で菜っ葉類は難しかった。葉が異常に茂りすぎ、芋は手の指ほどの大きさにしかならなかった。

夕方には作業を終えて帰艦したが、艦内の決まりきった日課から解放され、のびのびとした気分になった。

乗組員は作業上陸の際に、現地人とトラブルを起こさぬように申し渡されている。他艦では問題を起こす作業員もいたからだった。

例えば、山径《やまみち》の途中や道端に×印の木が立てかけてあるときがある。これは男と女のあいびきを示す場所のしるしで、この目印の先には入ってはならなかった。

「大和」の乗組員と日本人の入植者との接触もあった。

航海科見張員の上甲《うえこう》正好が親しくなったのは、群馬県出身の伊藤家だった。夫は海軍の根拠地隊のボイラー焚《た》き、妻はパイナップル栽培の、いわゆる出稼ぎだった。

夏島に来て十数年経つ伊藤夫妻は、八人もの子だくさんだった。

上甲正好は、小柄で痩身《そうしん》だった。十八歳のとき広島の山奥から志願兵で身体検査を受けたが、四三キロの体重のため不合格といわれた。しかし、最後まで検査場に残り、

「体重不足はすぐに肥えてみせます。合格にして下さい」

粘った末ようやく合格になった。

小柄で痩《や》せた上甲のあだ名は「線香」だったが、海兵団でしごかれて体重も増した。

彼は口調もやさしく、子供好きだったので伊藤家の子供たちもなついた。

上陸のときには木綿針や石鹼、また古い雑誌などを持参し、伊藤夫妻にも喜ばれた。食事や茶を接待されたこともある。島では飲料水が不足し、伊藤家でも雨水を大きな濾過槽《ろかそう》に溜《た》め、濾《こ》して使っていた。上甲は上陸時に持参する水筒の水まで差し出した。

二十一歳の上甲正好は、伊藤家の団欒《だんらん》の光景に、故郷の家を懐かしく思い起こしていた。

夏島に上陸して、日本人の家々から洩れる物焚《た》く煙に、望郷の思いをかりたてられる兵員たちも少なくなかった。甘蔗《かんしょ》やパイナップル栽培などにたずさわる日本人たちの暮らしは決して楽ではなかったが、遠く故郷を離れた兵員たちは、親子のなにげない会話にさえ、

のどかなやさしさを覚えた。自分たちが平凡な庶民の生活から隔絶されていることに、気づくのだった。

トラック諸島の夏島は日本統治になって二十数年経っていた。現地人の中には日本語のわかる者もおり、異郷という気を起こさせなかった。

島には、現地人がアトブウと呼ぶ樹木が花をつけていた。日本人の入植者たちは、この樹を南洋桜と呼んだ。幹や花のかたちが日本の桜に似ていたからだが、この南洋の桜は一年の大半花をつけ、散るということがなかった。

内南洋の陽の光はきらめき、内地が冬の季節であることさえ忘れさせた。

副砲分隊の三笠逸男は、トラック島へは二回ほどしか上陸していない。三笠たち副砲や主砲分隊の者たちは、トラックに碇泊の間も朝起きるなり訓練がつづいた。晩めしのあとにも夜間訓練があった。

「あれだけ訓練しとって、いざというときはうまくいかん」

というのが、三笠の述懐である。

三笠たちの主な訓練は、照準発射だった。訓練に明けくれた三笠も、のんびりと艦上からの魚釣りを見学する日もある。一か月に一ぺん、日曜日の夕食後に乗組員の魚釣り日があり、この日は、甲板に二、三〇〇人が並び、南海の紺碧《こんぺき》の海に釣竿をたらす光景は壮観だった。これだけの釣竿を調達できたのが不思議である。釣針は釘を曲げ、餌《えさ》はイワシだった。

三笠は子供のころから、父に魚を獲ったらいかん、鳥を撃ってはならんといわれていたので、見学するだけだった。一番よく釣れる魚は青い色をしていて、「シラアジ」と呼ばれていた。残飯を捨てるスカッパー（舷側《げんそく》に設けられたゴミ捨て口）の下には、餌をあさる魚の群が甲板からもよく見えた。また便所の排泄物《はいせつぶつ》を捨てるあたりにも、大きな魚が群れていた。図鑑をもった連中が、釣りあげた魚と首っぴきで、これは食えない、これは食えると選《よ》り分けた。

魚釣りのあった夜は、配給のビールをあけ、ぶつ切りの魚のサシミを食べるのが常だった。しかし、一番の苦労は、ビールを冷やす方法だった。ある夜などロープにくくってビールびんを海の底につけておいたが、さて飲もうとあげてみると、びんの頭しかあがってこなかった。どうしたわけか、海の底でビールびんは破裂してしまうのだ。

ある日、浦川久夫兵長が三笠のところに来て、

「おれ、転勤だ」

と嬉《うれ》しそうに言った。

「転勤いうて、どこへ行くんじゃ」

三笠が聞くと、ここだけの話だがと語った。

あるとき、宇垣参謀長がゆっくり海上を走っている特殊潜航艇を甲板から指さし、

「どうだ、あれに乗る勇気のある者はいるか」

とそばにいた数人に言った。

「ハイ、自分は一〇日ほど訓練をさせてもらえれば乗れます」

と浦川は答えた。

「そうか」

宇垣は、浦川を見て笑った。

「それで、おれはこれから行くことになった」

浦川は急いで、荷物を整理しはじめた。

「あんまり、無理をせんほうがええよ」

三笠は言った。

退艦後の浦川の消息はわからない。

三笠は、若い血気にはやる兵隊たちが、そんなかたちで「大和」を降りていくのを何人か見ていた。南の珊瑚礁《さんごしょう》でじりじりと戦さ待ちをしているのが耐えられなかったのだ。

原田上等兵も、その一人だった。彼もまた「大和」を退艦し、「飛行予科練習生」として去っていった。

この原田に、呉に帰ったとき、三笠はガード下でひょっこり会った。

「おまえ、どうしとったんじゃ」

三笠が声をかけると、

「三笠兵曹、まごまごしとっても仕方ありませんよ」

原田は笑いながら言った。

「実は岩国でゼロ戦に乗っとるのです」

「そうか。まあ、あんまり慌《あわ》てんようになあ」

三笠はそう言って、別れた。

その後の原田の消息も、どうなったかわからない。


トラック泊地に碇泊して五か月余、「大和」は臨戦態勢とはいえ、「総員起こし」から「巡検」後の就寝にいたるまで、生活は軍港碇泊と変わらなかった。「大和」はすでに、長い時間を待っている。乗組員たちは、のちにつづいた激しい戦闘と比較して、トラック碇泊時代を牧歌の時代とも、退屈な期間だったとも語っている。

ひたすら出撃を待って日課の訓練をくり返している乗組員たちの生活の中で、最大の楽しみは食事である。

この食事をつくる烹炊《ほうすい》所は、上甲板の左舷に准士官以上、右舷に兵員用がある。

烹炊所には、大きな六斗《と》炊き蒸気炊飯釜《がま》が六個、同じ大きさの副食釜が二個、また、病人用に二斗炊きのかゆ釜が一個、置かれていた。一釜は約五〇〇人分である。

このほか、冷凍野菜庫が二つ、冷凍鳥獣肉庫が二つ、それぞれマイナス一〇度の温度を保った約六畳ぐらいの大きさのものがあった。これよりもう少し大きい生野菜庫が二つ、冷凍魚庫が二つ、ある。

烹炊所は兵員二千数百名の食事がつくれる面積で、他艦から転勤の烹炊所員はその広さと設備の完璧《かんぺき》さに度肝をぬかれた。

冷凍庫に常備積載された食品の種類も多彩で、魚類では、サバ、アジ、イワシ、カレイ、ニシン、サンマ、マス、ブリ、タチウオ、マグロなどがある。焼き魚は時間がかかるため、煮魚が中心になった。

肉類は、豚、牛、鶏肉の他にウサギ、クジラが用意されていた。

一日の献立の栄養価は二八〇〇から三〇〇〇キロカロリー。主食は半つき米七分に麦三分で、一人六合。野菜は三〇〇グラム、肉は一八〇グラム、魚は一五〇グラムと決められた。

艦内の平常食事時間は、午前七時、十一時三十分、午後五時となる。食器はめし碗《わん》、汁碗、おかず皿、湯のみの四個ですべてアルミニウムである。

献立表は一〇日で一巡とし、例えば日曜日は次のようになっている。

朝

味噌汁《みそしる》（玉葱《たまねぎ》、白菜、味噌）
付合せ（昆布、佃煮《つくだに》）
漬物（大根の新漬）
飯（米、麦）

昼

照り煮（ブリ）
煮豆（うずら豆）
澄まし汁（ブリ、玉葱、白菜）
漬物（ナスビ）
飯（米、麦）

夕

ハムサラダ（ハム、馬鈴薯、人参《にんじん》、玉葱、グリンピース、ミカン缶詰）
ビーフシチュー（牛肉、馬鈴薯、人参、玉葱、白菜）
果物（リンゴ）
漬物（キャベツ）
飯（米、麦）

戦時中の内地の食生活からは考えられない豊かさだ。通常の夕食のメニューにも、天ぷら、カレー、八宝菜がつくられたりした。

「大和」の元乗組員が、一様に食事はよかったと言うのもうなずける。

「大和」で辻政信が供された夕食は、福崎昇副官が「特別」と言ったのも、辻への一種のいなしであって、司令部の日常の献立だったかもしれない。

艤装《ぎそう》中から「大和」に乗っている主計科の丸野正八は、和歌山県出身の昭和十五年後期の徴募兵である。呉の海兵団で新兵教育を受けたあと、最初に乗艦したのは戦艦「伊勢《いせ》」だった。そのころ、海兵団では、戦艦に行くのはトロいやつ、すばしこい者は駆逐艦か巡洋艦といわれた。

〽伊勢に乗ろうか、日向に行こか、いっそ海兵団で首つろうか

当時、こんな唄がうたわれたほど、「伊勢」のしごきは厳しく、配属されたときは貧乏くじを引いた心境だった。めし炊き新兵への精神注入棒は特大のめししゃもじであった。米麦の洗いから魚・肉の調理、残飯運び、甲板掃除、冷蔵庫・冷凍庫の積みかえと、一日中、あっちでドヤされ、こっちでドヤされ、息つく暇もなく汚れた前かけと長靴でかけずり廻る。

四日に一度、朝直といって四時起床が建て前だが、新兵は、旧三と呼ばれる古参の旧三等水兵の起床前に起き、朝の賄《まかな》いの準備をすませておかなければならない。

ところが、兵員のめしを炊こうと思っても、機関科から蒸気が送られてこないと、蒸気炊飯釜はお手上げになる。海水ポンプ、真水ポンプから水が出ないと、烹炊所作業ができない。そこで、烹炊所員の新兵は、機関科の古参兵や下士官につけ届けをしなければならなかった。このつけ届けを、「色気」と言った。

「機関科は最下甲板で、蒸気を送る一番もとの弁には当直の古い兵隊が寝てる。蒸気、すいません、お願いします、と当直を起こすんです。相手は眠いし、きげんが悪い、なんとかして蒸気を送ってもらうために、ズックの袋に缶詰やら砂糖を入れて、頼むんです。色気をつけんと、絶対に蒸気くれんからね」

丸野と同じ「大和」の烹炊所員だった水谷宗安の体験談である。

丸野は「伊勢」に半年在艦し、「大和」に昭和十六年四月艤装員付として転属したときは、二十二歳の三等主計兵だった。

丸野は戦後になって子供に、

「父ちゃんはめし炊き兵だったのか」

と言われたことがある。

しかし、丸野はめし炊き兵に誇りをもっている。

主計兵にはまた、役得もあった。牛肉ならロースやヒレ、同じ麦めしでもうまいところを食べる。麦めしは釜の周囲から一〇センチぐらい内側の下の部分がうまい。麦は上に浮くからである。時間にかまわず暇なときに食事をすることになっているので、古参兵ともなると、天ぷらを揚げたり好きな料理をつくる楽しみもあった。

ちなみに、兵員たちの好きな献立のナンバーワンは天ぷらで、カレー、すき焼きの順になっている。

この天ぷらは一〇日に一ぺんつくったが、烹炊所員にとってはもっともシンドイ献立である。天ぷらのときは昼食の用意が終わるなり仕度にかかる。揚げ物は万能電気釜を使用したが、火力が弱いため時間がかかる。コシがたつように揚げるコツは、葉っぱを入れることだった。なにしろ二千数百人の天ぷらである。メリケン粉にまみれ、とびちる油をぬぐう余裕もなく、揚げつづけた。体中、汗でびっしょりになった。

艦の食糧保持は主計科の仕事だ。食糧は艦内の倉庫に保存されていたが、これが時として過剰になることがある。

海軍では点検という言葉は絶対的で、人員はもとより、武器、衣服と数を揃《そろ》えることにやかましかった。余っても足りなくてもいけなかった。とくに、「兵隊泣かせ」といわれるのが被服点検である。六〇点ちかい被服から帽子缶、手箱、「大日本帝国海軍」とかかれた軍帽のペンネントにいたるまで落ち度なく点検を受け、たとえ戦闘中に雨具のフード一つを失くしても、すぐに届けなければ、始末書としごきが待っている。

ところが、一年に二回、会計検査があって検査前になると食糧品の帳尻《ちょうじり》合わせのため、倉庫に貯蔵してある麦を海に捨てさせられた。これを切り抜け、従来通りに割り当て量を確保するのも主計科の仕事である。

丸野たちは、会計検査の時期が近づくと、幾夜もかけて麦を捨てる作業に取り組む。すでに内地では極度に食糧事情が悪化していた。米一粒でも無駄にしたら目がつぶれるという教育を受けて育った丸野たちだ。抵抗がなかったわけではないが、これもまた上官の命令である。矛盾も感じたが、深夜、甲板当直将校や見張員に見とがめられずに作業を行なえるかどうかの不安感のほうが強かった。

丸野は、麻袋につまった麦をかつぎ、スカッパーに抜き足、差し足で近づく。あらかじめ、麻袋の口は開けてある。麻袋のほうは空袋として軍需部へ返さなければならないので、中身の麦だけ捨てる。行きも帰りも恐る恐るで、

「まるで、忍びの者みたいだ」

と思った。

スカッパーは、なんでも吸い込むところから、下士官兵たちは大食漢を、あいつは、スカッパーだとも言った。

残菜も、毎晩スカッパーから捨てた。敵艦に浮遊物によって艦隊の行動をさとられぬよう、航海中はこの捨て方についても厳重な注意を受けた。玉葱の皮や菜っ葉の残りなどは

海面に浮かばないようにいったん釜で煮てから捨てた。この作業で火傷《やけど》をすることもあった。

スカッパーはまた、トラック碇泊中、主計科員の魚釣り場になった。釣った魚を刺身にして食べるのも役得の一つだった。

烹炊員が当直のときに機関兵に蒸気を出してもらうため「色気」を出すのも、自ら手を下さないギンバイである。乗組員にとっては、烹炊員の目をごまかしギンバイすることは、なによりの楽しみであり、スリルだった。

トラックに糧食艦が内地からくると、糧食搭載が行なわれる。このときは主計科員だけでなく、他の分隊からも作業員に駆りだされた。ギンバイの絶好のチャンスで、砂糖、果物、缶詰、豆腐などが攻撃目標になった。

「腹はすいたが、食べ物には不自由しなかった」

工作員の福本一広は語っている。

福本のような若い兵隊は交代で主計科の倉庫にもぐり込み、じゃがいもや玉葱などをギンバイしてくる。玉葱はナイフでうすく刻んで、これもギンバイしてきた醬油《しょうゆ》をかければ乙な味になった。トラックの暑さでうだった胃袋には刺戟《しげき》的だった。夜間だから入口の防水扉はしまっているが、その真ん中にコーミングという抜け穴がついているから、出入りはできる。主計兵に見つからぬようにあたりをうかがい、すばやくもぐり込んでギンバイしてくる。そうすれば、班の下士官や兵長たちも機嫌がよかったし、残りは兵たちの口にも入った。

「ギンバイもようやらんと、一人前の兵隊とは見てくれない。牛肉をギンバイしてきたときなど、下士官たちのご機嫌なことといったらなかった」

と福本は言っている。

このときは、居住区の片隅で、洗面器に入れた牛肉をろうそく六本で、焼いて食べた。牛肉を失敬するなど、まさにギンバイの名手で、こういう者は「ギンバイ長」の尊称を奉られ、畏敬《いけい》の目で見られた。「ギンバイ長」は、下士官たちの受けもよく、甲板整列のバッター制裁にも手加減が加えられた。


昭和十八年二月に入った。

「大和」がトラック錨地《びょうち》に入港して以来、六か月余が経過した。

ガダルカナル島撤退は「ケ」号作戦と呼ばれ、二月一日、四日、つづいて七日と三度にわたって延べ五八隻の駆逐艦が島に接近した。米機の空襲を受け、駆逐艦一隻が沈没し二隻中破したが、将兵一万六六五人を撤収させた。こうして、島は放棄《ほうき》された。ガダルカナル島を守備していた日本軍は、戦死および戦病死者二万五千人余といわれる。大半は餓死とマラリヤによる病死である。同時に八九三機の飛行機、二三六二名の搭乗員《とうじょういん》、二四隻の艦艇《かんてい》を失った。

ミッドウェーの敗戦を転機に、太平洋における日米の勢力図は逆転し、ガダルカナル放棄がそれに拍車をかけることになった。

大本営は二月九日に、

「……ガダルカナル島に作戦中の部隊は……其の目的を達成せるに依り二月上旬同島を撤し他に転進せしめられたり」と発表した。「目的を達成」し、「他に転進」などという表現のからくりにより、犠牲となった多数の将兵ばかりか、銃後の人々を欺いたのである。

真珠湾奇襲から、ガダルカナル戦の緒戦のころまでは、米海軍は太平洋ではまだ戦闘の経験が浅く、日本海軍のほうが老練で、勝利をおさめることが多かった。日本軍は、「大和」を陣頭にたてて、早期に大攻撃に踏み切るべきだったとのアメリカ側の見方もある。

だが、山本はこの決断を下さなかった。ミッドウェーの失敗に懲《こ》りて、慎重になり過ぎたのかもしれない。「大和」の速力が二七ノットという問題もあった。

海軍はある程度の装甲を犠牲にしてでも、速力に重点をおくのが常であるが、「大和」は設計の段階で、それとは逆の方針がとられた。戦艦主体の構想である。

ところが、真珠湾奇襲のとき、日本の空母に太平洋艦隊を破壊されたのを契機に、アメリカ側の戦略が変わった。空母が海を制するという考えである。

ガダルカナル戦で、山本が足の速い駆逐艦を出したのは、「大和」がそれらより五ノット速力が劣っていたためでもあった。

山本の思惑とは逆に「大和」乗艦のあいだに、太平洋の勢力を回復するチャンスをつかむことができなかった。昭和十七年十一月三十日付の堀悌吉宛ての手紙に、

「もう到頭開戦一周年となったが、あれだけのハンデキャップをつけて貰《もら》ったのも、追々すりへらされる様で心細い」

と記している。

大艦巨砲が無用になるという自らの予言が的中し、しかも、日本の頼るべき武器が、その大艦巨砲しかないというのが実状であった。

山本が「大和」に蟄居《ちっきょ》しながら、戦局を見つめる目は決して明るいものではなかったろう。


昭和十八年二月十一日、連合艦隊司令部は、山本長官が「大和」に移ってちょうど一年目に、旗艦を「武蔵」に変更した。

旗艦変更の話は、数日前から乗組員たちの間で噂《うわさ》になっていた。

高角砲射撃盤員の藤村貞二は士官室の従兵をしていたが、長官の従兵が長官の軍服にアイロンをかけているとき、一生の思い出にと長官の軍服を頼み込んで着せてもらい、鏡を見て悦に入ったことがある。

長坂来も、真夜中、従兵の手導《てび》きで長官浴室に入った思い出があったし、高橋弘は読みさしの『大楠公』を傍に疲れた表情で寝入った長官を見たことがあった。

そんな記憶が、乗組員のそれぞれの胸の中に生きていた。司令長官と乗組員といっても、この一年、同じ艦に住み、敬礼すればかならずきちんと答礼を返してくれた。そうしたことの一つ一つが乗組員たちに長官への畏敬と親しみの念をいだかせた。

丸野正八は、もう昼食時の生演奏は聞かれないのかと思うと、淋しかった。長官室は兵員烹炊所と同じ右舷で、しかも一区画しか隔たっていなかったからよく聞こえた。

幕僚たちと林進たち軍楽隊は一足先に「武蔵」へ移っていった。

乗組員たちは一年前と同じように、最上甲板に整列した。長官と宇垣参謀長は乗組員の挙手に答礼しながら、舷門を下りていった。

内田貢には、舷側のタラップに姿を消す山本長官の背中の猫背が気になった。

数日前、いつものように長官私室に呼ばれた内田は、帰りしなに、

「きみには長いこと世話になったね」

と長官から茶掛と短剣をもらった。その短剣は鞘《さや》に「五十六」と銘が彫られていた。内田はこの短剣によって、その後思いがけぬドラマにまき込まれるが、そうと知るよしもなく、黙然《もくねん》と長官を見送っていた。

「大和」の舷側から白い長官艇がはなれ、湖面のような海上を「武蔵」に向かって走った。

やがて、「大和」の大将旗が下ろされた瞬間、「武蔵」の艦上に巻かれていた大将旗が開いた。

「武蔵」から軍楽隊の演奏する「海ゆかば」が、静かな波をわたって「大和」の乗組員たちにも聞こえてきた。

三章　海戦

1

内田貢が山本五十六《いそろく》連合艦隊司令長官の戦死を耳にしたのは、休暇で三重県四日市の自宅に帰っていたときであった。

昭和十八年五月二十一日、その日のラジオの臨時ニュースは、

「連合艦隊司令長官、海軍大将山本五十六は本年四月、前線に於《おい》て全般作戦指導中、敵と交戦、飛行機上にて壮烈なる戦死を遂げたり」

と大本営海軍部発表を告げた。

ラジオは引きつづいて後任に古賀《こが》峯一《みねいち》海軍大将が親補されたむねを報道したが、もはや内田の耳にはそのあとの声は聞こえなかった。

「長官が……あの山本長官が」

だいぶ経って、ようやく山本長官が死んだという実感が内田の胸に迫ってきた。疲労のはげしいときは一日おきに呼びだされて揉《も》んでいた長官の体が、もうこの世に存在しないのだと思うと、内田は悲しみを発散することもできぬまま、辛《かろ》うじて耐えた。

ようやく心が鎮まってくると、山本長官から短剣と茶掛をもらったトラックでの夜が、つい数日前の出来事のように甦《よみがえ》ってきた。

「内田くん、きみに渡すものがあるんだ」

その夜、内田が長官から渡された短剣は三〇センチくらいの大きさで、鞘《さや》には「五十六」の銘が彫られ、茶掛には水仙の絵が描かれていた。

長官は机上にその茶掛を広げると、水仙の下あたりに筆を走らせ、最後に五十六と署名した。

内田を見上げると、

「これ、俳句だよ。新潟弁で元気にやれよという挨拶《あいさつ》句なんだ」

屈託ない表情で言った。

山本長官は帰りかけた内田を呼びもどすと、ふたたび和紙を取り出し筆を走らせた。この短剣は内田貢に小生が与えたものであるといったことが書かれていた。連合艦隊司令長官山本五十六と署名し、角印まで押した。

「これをもって艦内を歩くと、盗んだかと思われるからね」

と言い、ニヤッと笑って見せた。

内田はそのときの山本長官の声を、しみじみと思い起こし、両眼《りょうめ》をとじた。あふれてくる涙を拭《ぬぐ》わなかった。両手で足を押えながら、腹をひくひくさせて声にならない嗚咽《おえつ》をつづけた。

「大和」が、対空兵装の増強のためにトラック環礁《かんしょう》内を出て呉《くれ》へ入港したのは、この長官戦死の報をラジオが伝える一週間前の五月十三日であった。九か月ぶりに母港呉に入港した「大和」の乗組員たちには、交代で、待望の数日の休暇が与えられていた。

だが、内田は、その休暇を一日早く切り上げ、呉へ帰った。

昭和十八年五月十七日、長官の遺骨を乗せた旗艦「武蔵《むさし》」は、トラックから東京湾へと向かっていた。内田が長官の死をラジオで知った同じ日、「武蔵」の乗組員たちにも、山本の訃報《ふほう》が伝えられた。その死から三三日がすぎていた。「武蔵」の乗組員たちの中にはすでに長官の異変を感じとっている者もいたが、大方はこの公表に驚愕《きょうがく》した。ただ、このときも、「大和」から移乗した林進たち軍楽兵は、電話・暗号電報取次員という仕事柄、公表前に、長官戦死の悲報を聞いている。

山本長官が宇垣纏《うがきまとめ》参謀長以下幕僚《ばくりょう》をつれ、ラバウルの航空隊基地へ「い」号作戦の陣頭指揮のためトラックを出発したのは、十八年四月三日の早朝だった。その翌日は、山本の六十歳の誕生日だった。山本はスコールの激しく叩《たた》きつけるラバウルの地で、旧知の将官たちに囲まれて誕生日を迎えた。

四月七日の朝から、ソロモン、ニューギニア方面の敵航空基地撃滅の「い」号作戦は始まった。ラバウル基地には、戦闘機、攻撃機、爆撃機が続々と集結していた。七日につづき、十一日、十二日、十四日と、戦爆連合の大攻勢作戦が行なわれた。

山本は航空部隊が出撃のつど、純白の第二種軍装に「帽振れ」の姿勢で見送った。長官の見送りは前線将兵の士気を鼓舞した。

この「い」号作戦は、巡洋艦一隻、駆逐艦二隻、輸送船二五隻を撃沈、敵機一三四機を撃墜し約二〇機を地上撃破したと報じられた。また一六か所の飛行場を炎上させた。日本側も四九機の被害を受けはしたが相当の成果と見なされた。

四月十六日をもって「い」号作戦が終了すると、二日後の四月十八日朝、将兵を鼓舞するため山本はブーゲンビル島のブイン、ショートランド方面前線基地への視察・激励に出発した。この日は東京初空襲から、ちょうど一年目に当たっていた。

十八日朝八時、山本長官一行を乗せた一式陸上攻撃機二機がブーゲンビル島上空にさしかかったとき、突如待ち伏せした米戦闘機P38の一群が襲いかかった。

ジョン・ミッチェル少佐指揮の一六機である。六機の護衛戦闘機が阻止する間も与えず、P38の四機は、長官を乗せた一番機をねらった。長官搭乗のこの陸攻三二三号機は、ジャングルの樹海の中へ墜落炎上、宇垣参謀長を乗せた二番機もP38の機銃弾をうちこまれ、モイラ岬《みさき》沖合へ不時着した。

二番機では宇垣纏参謀長、北村元治連合艦隊主計長、主操縦士の林浩二飛行兵曹の三名が奇蹟《きせき》的に生還したが、山本長官、福崎昇連合艦隊司令部副官をはじめ一番機には、一人の生存者もなかった。

その日の午後、山本長官一行の遭難は、ラバウルに残っていた黒島参謀や南東方面艦隊司令長官草鹿《くさか》任一中将等にブインからの電報で知らされた。長官の生死は不明だった。翌十九日には襲撃の状況は判明したが、その安否は確認されなかった。山本長官の戦死が確認されたのは、四月二十日夕刻だった。

山本長官の戦死は軍機扱いだったし、アメリカ側からも、何の発表もなかった。当初、海軍側では、四月十三日の夕刻に各航空戦隊・守備隊宛《あ》てに打たれた長官巡視予定の暗号電報が解読されたのではないかと問題になった。しかし、電報が洩《も》れたのか、不幸な偶然だったのか、わからずじまいだった。

この件については、戦後になって、アメリカ側からの公表で、すでに四月十三日の時点で長官一行の巡視通達の電報の暗号解読がなされていたことが明らかにされている。

ワシントンの米海軍長官フランク・ノックスを通し、大統領にも報告されていたという。しかも、長官機を撃ち落とした場合、山本の後継者に彼より優秀な司令長官が登場するか否かまで検討され、調査の結果は「ノー」であった。

山本は海軍全体へ大きな影響力をもっていたし、さらには真珠湾だましうちの元凶と見なされてもいたから、ノックス海軍長官の命令は早かった。二月に日本軍から奪取したばかりのガダルカナル島ヘンダーソン基地を飛びたったミッチェル少佐指揮のP38機一六機は、バラレ島手前三五マイルの地点で待ち伏せし、時間に正確な山本長官一行を襲撃した。

一説によると、ハワイにいたチェスター・ニミッツ太平洋艦隊司令長官は、暗号解読というアンフェアな手段で敵の主将を殺すのをいさぎよしとせず、ワシントンのノックス海軍長官に判断を委《ゆだ》ねたという。

　また、アメリカ側が発表を控えた理由は、日本軍の暗号をほとんど解読できていたことを日本側に悟られぬためであったが、それと同時に、長官搭乗の陸攻三二三号機を撃墜した第三三七戦闘飛行機のトーマス・ランファイヤー大尉の弟が当時日本軍の捕虜になっており、報復をおそれたとする説もある。


「大和」から「武蔵」に移った三二名の軍楽兵の一人、林進には、山本長官戦死について、次のような記憶がある。

　林たちは、前日だったかに山本長官一行がトラックの「武蔵」に一五日ぶりに帰艦することを聞かされていた。

　そこで十九日には、長官帰艦時刻の前から、軍楽兵たちは全員上甲板に第二種軍装を着用して整列、「将官礼式」で迎えるため舷門《げんもん》正面に待機していた。帰艦後、ただちに晩餐《ばんさん》会が開かれるため、その折の演奏曲目の練習もおこたりなかった。

　だが、予定時刻をとうに過ぎても、長官一行は帰艦しなかった。林軍楽兵たちは、トラックの灼《や》けつく直射日光をまともに受け、全身から汗を流して待っていた。

「な、ちょっとおかしいんやないか。長官は時間にうるさい人やろ」

林は、かたわらの同年兵の西川に小声で言った。

そのとき、ふいに整列解散の命令が伝えられた。理由は説明されず、

「軍楽隊は別命があるまで待機」

と言われただけである。

林たちは怪訝《けげん》な顔つきで解散した。

林が、山本長官は戦死されたらしいと聞いたのは、その二日後。林と親しい司令部付の従兵が小声で伝えに来た。

「長官が？　嘘《うそ》やろ」

林はとっさに声を返した。

連合艦隊司令長官ともいわれる人が戦死するなど、それまで海軍には例のないことである。しかも、あの山本長官が戦死されるなど、あってたまるかという気持だった。

「いえ……本当なんです」

司令部付従兵の顔は青ざめ、ひきつっていた。

ところが、数日経《た》って、林は同年兵の西川から、思いがけない話を聞いた。

「林、参謀休憩室を覗《のぞ》いたか？」

西川の表情は、思いつめていた。

「参謀休憩室になあ、遺骨みたいな白い箱が五、六個、置いてあるんだ。やっぱり、長官

は戦死と違うか」

すでに、山本長官が戦死して一週間近く経っていたころである。

西川にそう言われ、やはり、司令部付の従兵の話は本当だったのかと思った。

山本長官以下一一人の遺骨がブインからラバウルへ送られ、飛行艇《てい》で「武蔵」へと帰ってきたのは四月二十三日である。しかし、電話・暗号取次で参謀たちのところに出入りしている軍楽兵のだれ一人、白布におおわれた遺骨が秘かに参謀休憩室に運ばれたのを見た者はいない。この日、乗組員たちは総員整列させられて訓練を行なっていたので、飛行艇から「武蔵」へ遺骨が運ばれたことに気づかなかった。

林は参謀休憩室に行ってみたが、部屋の前には当直参謀が立っていて、じろりと一瞥《いちべつ》された。さすがに覗き見る勇気はなかったが、当直参謀が席をはずしたすきに、戸を少し開けてみた。祭壇ふうのものが見え、その上にたしかに遺骨らしい白い箱が並んでいた。西川の言っていたことに間違いないと林は確信した。

このとき、林と西川が参謀休憩室で見た白い箱の数は明確ではないが、たぶん、参謀たちの遺骨で、その中には山本長官のものはなかったであろう。山本の遺骨はそのまま長官公室に安置されていたと考えられる。山本長官の遺骨が秘かに運ばれていた二日後の二十五日に、後任の古賀峯一大将が人目を避けるようにトラックの「武蔵」に着任している。

参謀休憩室は林たちが出入りする作戦室内の電話室のすぐ奥にあった。夜間の当直のときなど、林は隣の部屋に遺骨が安置されているかと思うと、さすがに背筋が寒くなった。

林は数えの二十歳だった。

まもなく、司令部室・長官室付近の通路は一切通行禁止となり、朝となく夜となく衛兵が立つようになった。従兵や電話・暗号取次員が稀《まれ》に出入りするだけだった。古賀大将の長官就任は海軍部内においても、「横須賀鎮守府司令長官の南方占領地出張」とされていたし、「武蔵」での朝夕の軍艦旗掲揚にも姿を見せなかった。

しかし、乗組員たちの間には、よもや長官が戦死したとは思わないまでも、何か異常事態が起きたらしいという情報が少しずつ広がりはじめた。

すでに長官戦死を知っていた林たち軍楽兵は、司令部の藤井茂渉外政務参謀より綿引哲二郎軍楽部長を通じ、固く口止めされた。だが、軍楽兵同士が集まると、話は自然と長官戦死にふれた。

「口惜しいよな、よりによって長官がやられちまうなんて。敵に大事なカブトをいきなり取られたようなもんだぜ」

「そうやなア、長官が戦死しちまって、日本はもうあかんのと違うか」

林も妙にしみじみした声で応じた。

山本長官の遺骨を乗せた旗艦「武蔵」が、「大和」に遅れて九日後にトラック環礁内を出港したのは、五月十七日だった。

長官戦死が発表されたラジオの臨時ニュースから二日後の五月二十三日、「武蔵」は木更津《きさらづ》沖に投錨《とうびょう》した。

この日の朝、「武蔵」の艦内では告別式が行なわれた。

旗艦「武蔵」の乗組員たちは、山本長官の遺骨が、迎えにきた駆逐艦「夕雲《ゆうぐも》」に移されるのを、総員登舷《とうげん》礼式で見送った。

林たち軍楽隊は、長官の遺骨を葬送曲で送った。

林進にとって、昭和十六年十月から十八年五月まで、長官と共に「長門《ながと》」「大和」、そして「武蔵」へと移乗した思い出はひとしお懐かしかった。舷門に整列し、軍楽隊二列目に並んだ林は、長官への別れのクラリネットを吹奏していた。

やがて、駆逐艦「夕雲」は軍艦旗を半旗にし、随伴の「秋雲《あきぐも》」とともに、横須賀軍港へと向かった。

「大和」が対空火器の増強のための改装工事を終え、再びトラックに向かったのは、それから三か月後の昭和十八年八月十六日だった。

戦局は三か月前に呉へ向かったときにくらべて、さらに悪化していた。日本軍はアッツ島玉砕につづき、キスカ島からも撤退を余儀なくされていた。

九月に入ると、ヨーロッパ戦域では三国同盟のかなえの一脚であるイタリアが、ムッソリーニの失脚によって離脱した。日本でもはげしい米軍の反攻による戦況悪化から、艦と飛行機、とくに飛行機操縦員の不足が深刻だった。

しかし、トラック環礁内の、「大和」「武蔵」「長門」以下、多数の空母、巡洋艦、駆逐艦はいぜん、動く気配を見せなかった。

乗組員たちには、毎日の日課や手入れ、碇泊《ていはく》訓練以外にしなければならないことはあまりなかった。南へ出て行くのは足の速い駆逐艦や潜水艦で、「大和」は洋上のホテルだという陰口《かげくち》も聞かれた。

春島の飛行場への作業上陸は相変わらずつづけられた。手にしたショベルやもっこに、

「まるで、土方をやってるみたいだ」

とぼやく者もいた。

十月中旬になって、古賀長官は、「武蔵」をはじめ連合艦隊主力に、マーシャル群島海域出撃を命じた。敵機動部隊がブラウン島に向かう公算ありとの情報を得たからである。

十月十七日、旗艦「武蔵」以下「大和」「長門」などの諸艦艇は、決戦の覚悟でトラックをあとにした。

しかし、この北東六七〇浬《かいり》のブラウン行きは、「連合艦隊の大散歩」で終わった。ブラウン環礁内に四日間警泊待機したが、来るべき敵は来なかった。十月二十六日、再びトラックへ空しく帰投した。

秋の定期人事異動で「大和」は、松田千秋艦長を送り、三代目の大野竹二艦長を迎えた。下士官兵たちの定期進級も十一月一日付で行なわれた。

内田貢も水兵長になった。水兵長は兵員の階級では最上位である。

「内田水兵長、おめでとうさんです」

班員たちは「兵長」という言葉に親しみと畏怖《いふ》とがないまぜになった独得のニュアンスをこめて祝ってくれた。だが、内田は格別嬉《うれ》しそうな表情も見せなかった。

兵隊にとって進級ほど嬉しいものはないといわれる。甲板掃除のとき汚ない雑巾《ソーフ》をもって走りまわることもなくなるし、兵員浴室にも今までより早く入ることができる。外出も一等水兵は日帰りだが、水兵長になれば外泊できるようになる。下士官に任官すると、入港中は隔日の入湯《にゆうとう》上陸という楽しみもあった。

だが、内田にしてみると、そうした楽しみは今までも充分味わってきた。なにも水兵長になったから特別に待遇がよくなるという思いはなかった。柔道部員としてそれまでも優遇されていたからだ。しかし彼が兵長昇進に格別の感懐をもたなかったのは、おれは徴兵だ、志願して来たのではないという意識が強かったからであろう。

海軍の徴兵は三年で除隊だが、太平洋戦争が始まるとともに兵役法で兵役延長になった。このとき、徴兵志願と称し、徴兵の者も志願にきりかえる者が多かった。どうせ兵役延長になるなら志願で再役して各種学校（砲術、航海、水雷、通信、工作など）へ行ければ、出世の道も早かった。

内田は志願で再役するかと言われたが、断わった。進級したから階級章をはずかしめない働きをしなければならぬという考えも、彼にはなかった。

その内田が、先任下士官の吉田文夫に呼ばれ、思いがけぬ大役を申し渡された。

「内田、わしがこれからいうことを聞いてくれるか」

吉田先任下士官は部下たちの間では面倒見のよい温厚な人柄で通っていた。

内田は先任下士官がいつにない真剣な表情なので、何を言い出すのかと緊張した。

「実はきみに重要な頼みがある。甲板と役割の両方をやってもらいたい」

これには内田もびっくりした。

甲板は甲板下士官と通称され、従来下士官から選ばれるのが普通であった。兵の勤怠、素行に精通し、武技体技の訓練などに留意して士気の高揚につとめ、兵たちの日課および作業のいわば見張役のような仕事だった。役割はその助手で、常日ごろ甲板整列のときは、兵への制裁の中心となっていたため、ことに新兵たちには一番恐ろしい存在だった。吉田先任下士官は、内田にこの両方を兼任させようというのだ。

「とんでもありません。自分のように学のない者には、そんなことようでけません」

内田は即座に断わった。ところが、普段は決して押しつけるような物言いなどしたことのない先任下士官が、

「おれの命令が聞けんというのか」

内田を見据《す》えて言った。

「わかりました。二、三日考えさせてください」

内田はその場は神妙に引きさがったが、引き受ける気持はなかった。二、三日してやはり自分の任ではないと断わればいいと思っていた。ただ、同年兵にだけは言っておこうと思った。

「あのなア、先任下士官がわしにこないなこと言うんや。断わるつもりやが一応いうとくわ」

同年兵たちは、内田の話を聞くと、

「内田、それはおまえの身勝手な言い分だ」

「なんでや。おれが甲板やら役割やらができる器《うつわ》でないことは、おまえらが、よう知っとるやないか」

「だから、身勝手というんだ。柔道部のおまえは普段から痛い目におうとらんから、おれらの気持がわからんのだ。可愛い部員を毎晩殴られて平気か?」

「頼む、内田、引き受けてくれ」

同年兵は口々に言った。

内田は黙ってしまった。同年兵におまえは痛い目にあっていない、身勝手だと言われ、

図星をさされた思いだった。内田とて甲板整列の制裁を受けたことがなかったわけではないが、事前に役割からは、

「内田、叩《たた》く真似《まね》をするから、やられたいう顔をしておけ」

と耳打ちされる。それを当たり前と思っていたのが面目ない気持だった。

内田は元来、一匹狼《おおかみ》的存在だった。徒党を組む性分ではなかった。命令されるのは好きではないが、命令するのも面倒くさいと思っていた。

吉田先任下士官が、内田を呼んだ。

「おまえが三日待ってくれといったから、待った。どうだ、引き受けるな」

「ハイ。ただし、お願いがあります」

「なんだ、面倒なことは引き受けられんぞ」

内田は、自分は字が下手なので、書記をつけてほしいと言った。

「わかった。そんなことか」

先任下士官はほっとしたように承知した。

「もう一つ、あります」

「なんだ、まだ、あるんか。早う、言うてくれ」

内田はしかし、もう一つの件に関しては、新旧交代の場で言わしてほしいと言うのみで明かさなかった。

数日後、露天甲板に分隊整列のとき、甲板と役割の退任挨拶のあと、吉田先任下士官は、

「今度は新甲板・役割を一人で受け持つ。新任者、全員に挨拶しろ」

甲板に整列した兵員たちは、だれが新甲板と役割に任命されたのかと注目した。兵員たちにとっては、最も注目される人事である。ところが、前に出て来たのは、内田貢水兵長だ。

「今日より、私が柘植《つげ》兵曹に代わって甲板および役割を引き継ぐことになりました。異存はありませんか」

下士官も兵も、意外な人物の登場に驚いたふうだった。

「何もないところをみると異存はないと見ます。ただし、一つ、申し上げておきたいことがある。今晩以後、総員甲板整列を絶対に禁じます。一人が事を起こしたからといって同年兵を制裁することも禁じる。たとえ悪いことをした者がおっても、そいつを殴るのは甲板に言うてからにしてほしい」

兵員たちは喜んだが、苦りきった表情をしたのは、古参の下士官たちだった。

兵隊が甲板および役割に任命されるのは、いわば前代未聞ともいえた。吉田先任下士官が水兵長でしかない内田にその重要な任を受け負わせたのは、七分隊が下士官兵を数多く抱え、常に面倒な作業を押しつけられていたこともある。部下思いの吉田には、他分隊との面倒な駆け引きにも、押し出しのよい柔道部員の内田を甲板にすれば重宝《ちょうほう》だとする思惑

があったからだろう。しかし、よもや今後一切、甲板整列はしないと宣言するとは思っていなかった。

これはトラックから呉へ戻ったときの話だが、七分隊に佐藤という柔道部の準部員がいた。母親が面会に来たというので内田が班長に頼んで仮上陸させたが、帰艦時刻になっても艦に帰って来なかった。七分隊の上陸札が一枚残っているといわれ、内田は飛んで行った。

この日の当直将校は久邇宮《くにのみや》殿下だった。

「兵が一人、帰って来てないがどこにいる」

内田は困ってしまった。実は佐藤が母親に会いに行くというのは口実で、本当は呉の一三丁目の朝日町の遊廓《ゆうかく》に上がり込み、帰って来るのが遅れていることを、帰艦時刻の寸前になって佐藤の仲間から知らされていた。

宮様は沈黙した内田に色をなし、

「脱走ではないのか」

と訊ねた。

内田とともに呼びつけられた先任下士官の吉田文夫は横を向いて、おれは知らんぞという顔をしている。内田はどうせわかってしまうことだと観念した。少し声を落とし、

「佐藤は脱走ではございません。ちょっと一三丁目に参りまして、帰りが遅くなっている

のであります」

　一三丁目といえば、大方の察しはつくと思い、居直った。

「一三丁目とはどこだ、いかなる場所だ」

　いかなる場所かと問われて、さすがの内田も平然と答えにくかった。しかし、どうにも言いようがなく、「遊廓」だと答えた。ところが育ちのよい宮様は、

「そこはどのような場所だ」

　と重ねての質問になった。内田は面倒くさくなって、

「遊廓とは、男と女が床を並べ、子孫繁栄に励む場所であります」

　宮様は顔を赤くされ、すっと行ってしまわれた。

　間もなく、佐藤が帰艦した。走って戻るならまだ可愛げがあるが、ゆっくり歩いて居住区に入ってきた。さすがに内田もカッとなった。すでに当直士官の宮様に知られているし、黙って見逃すわけにはいかない。佐藤をつかまえると、

「今晩は、みんなの前でおれはド突かんならん。おれがド突いたら絶対に起きてくるな。水をぶっかけられても気絶しとれ」

　佐藤はさすがに神妙な表情でうんうんとうなずいた。

　その晩、内田は甲板整列で初めて殴った。精神注入棒ではなく自分の鉄拳《てっけん》だった。佐藤は体をくねらせて、倒れた。内田は海水を入れたオスタップ（桶）をもってこさせてかけ

た。佐藤はウウとも声を出さず起き上がりもしなかった。「佐藤の奴、上手《うま》く気絶しやがって」と感心した内田が、

「おまえ、上手く気絶しよったな」

とあとで言うと、佐藤はぼやいた。

「ほんとに気絶したんですよ、ひどいなア、加減なしに殴るんだから」

内田が「大和」での変わり者なら、めし炊き兵を誇りにする丸野正八もなかなか稀有《けう》な存在といえた。

丸野は内田より一年古い徴兵である。会計検査前にはスカッパーに、当直将校や見張員の目を盗み、敵陣への夜襲のごとく近づいて、余ってしまった小麦を捨てに行った丸野も、このころには恐いめし炊き下士官に昇進していた。

主計科員のなかでもめし炊きは戦闘を重視する戦艦では軽く見られがちな存在だが、主食をはじめあらゆる食料品をにぎっていたため、ある種の威光をもっていた。呉に上陸の折などは、将校しか出入りのできない高級料亭「吉川」に士官の顔つきで上がり込んだ。丸野は滅多に甘い物を口にできない女中たちに隠し持ってきたキャラメル・ようかんを与えたりしてもてていた。

この丸野は、トラックでもそのあとのスマトラ東岸のリンガ泊地でも、巡検後は夜な夜

な下甲板の兵員室で下士官たちと花札をやっていた。

このとき、当直将校に見つからぬようにデッキでの見張番をさせられていたのは、中島銀三二等水兵だった。

中島銀三は、和歌山県加太《かだ》出身の昭和十八年の志願兵である。祖父は巡洋艦「磐手《いわて》」の機関兵、父親は初代「大和」の水兵だった。

彼が志願したとき、祖父も父親も水兵は満期になって帰ってきたときに使い道がないので機関科に行けといったが、

「機関科は縁の下の力もちじゃさかい嫌や」

と言い、戦場で活躍できる機銃員になりたがった。

中島の配置は八分隊機銃で、班長の岸脇《きしわき》文治上等兵曹と丸野正八とは親しいバクチ仲間だった。

丸野は十九歳の中島二等水兵が自分と同じ郷里と知って、可愛がった。

「中島、わしの帽子をもって烹炊《ほうすい》所へ行ってこい」

と声をかけた。

兵員帽には、兵籍番号と氏名が書かれてある。中島が丸野の帽子をもって烹炊所へ行くと、兵員たちは心得たように偉いさん用の刺身や酒、甘味品など持たせた。中島が竹の籠《かご》に入れて兵員室に戻ると、

「中島よ、おまえも食え」

と丸野はかならず彼に分け与えた。

花札は夜の巡検後から夜明けまでつづいたが、そうした翌朝は岸脇班長が手加減し、

「中島、眠いだろ。火薬庫の中にもぐって休んでおれ」

と言ってくれた。

中島も三等水兵時代は二日おきに甲板整列で叩かれたが、岸脇班長が目をかけてくれ、整列前にあらかじめ用を言いつけ行かなくてもよいようにと配慮してくれた。

中島は度重なると同年兵の手前、申しわけなくなって甲板整列に行き、普段の分も一緒にまとめて手ひどく叩かれた。こんなとき甲板役割を呼びつけ叱《しか》りつけたのも岸脇班長である。

大阪出身の岸脇文治班長は、のちの沖縄水上特攻では中島とともに弾火薬庫からの脱出の途中に戦死している。

中島がこの岸脇班長にかわいがられたのも、同郷の丸野正八の援護《えんご》があったからだった。

昭和十八年も押しつまった十二月十二日、トラック環礁内の「大和」に、出港が命じられた。陸軍部隊輸送の任務につくため、横須賀へ向けて抜錨《ばつびょう》した。

大本営および政府では、九月三十日の御前会議で、千島、小笠原、内南洋（中西部）、

西部ニューギニア、スンダ、ビルマを結ぶ地域内を絶対に確保すべき要域と定めた。これを「絶対国防圏」と呼んだ。しかし、中央でこの国防圏が決定されたとはいえ、第一線の陸海軍が即刻に防衛線を後退させたわけではない。

海軍はトラックを決戦兵力の基地とし、ソロモン方面に力を入れた。十月二十八日には「ろ」号作戦が発動され、母艦機の第一航空艦隊がハルゼーの反攻を叩くためラバウルに結集したが、逆に空襲されて艦艇に損害を受けた。つづいて、ブーゲンビル島西岸で、「ブーゲンビル島沖海戦」と呼ばれる水上艦隊同士の激闘が起こったが、そこで巡洋艦一隻、駆逐艦一隻の損失を受けてしまった。十一月五日から十二月三日の間、六次にわたり海軍航空部隊は敵を攻撃し、空母八隻、戦艦四隻ほかを撃沈したと大本営は発表したが、実際にはわずか駆逐艦一隻撃沈という戦果であった。

米軍の中部太平洋攻撃は、ギルバート諸島の中心地タラワに向けられた。タラワ環礁は柴崎恵次少将指揮下の海軍部隊が守っていたが、十一月二十一日、米軍が来攻した。この中部太平洋の戦いに、期待されていたトラック碇泊の連合艦隊と航空部隊の救援はなかった。数日を経ずして、ギルバート方面の海軍部隊は全滅した。

タラワ戦の敗北で、米軍の中部太平洋反攻が決定的になると、あらためて「絶対国防圏」が確認され、中部太平洋各島への陸軍部隊の増援が急がれたのである。

「大和」は、ニューアイルランド島カビエンの防備に向かう陸軍の将兵を乗せるため、横須賀へ向かったのだった。

2

昭和十八年十二月、「大和」に乗り込んできたのは、宇都宮で編成された独立混成第一連隊の陸兵たちであった。

さすがに広大な「大和」の上甲板も、一〇〇〇名ほどの陸兵たち、十数台のトラックや同じく十数隻の大発《だいはつ》（大型発動艇）、野砲等を満載し、ぎっしりとつまった。

六分隊の高角砲の小野和夫は、陸軍部隊の兵隊たちが、「大和」の冷暖房装置や対空火器の近代的な装備に目をみはっているのを見て、誇らしかった。

姫路出身の小野和夫は、「大和」がトラックを出発する数日前に乗艦したばかりだった。彼自身、横須賀の砲術学校を卒業して間がなく、まだ艦内にうとかった。

小野の胸の名札には赤い線が引いてある。彼は「特別年少兵」、略して「特年兵」と呼ばれる志願兵で、十六歳になったばかりだ。

海軍の志願兵は十六歳以上だが、戦局が苛烈《かれつ》になった昭和十七年秋に、数え年十四歳以上の特年兵募集を行なった。海軍当局の当初の方針では三年間の訓練の後に優秀な者は江田島の兵学校に入学させる仕組みだった。

この特年兵募集には全国から少年たちが応募し、一〇〇人に一人という競争率だった。

少年たちは憧《あこが》れの海軍兵学校入学を目指して集まってきた。しかし、戦雲急を告げる十八年秋には、三年間の訓練が一年半に短縮され、慌ただしく戦場へ送られた。

小野は初めてトラック環礁内で見た戦艦群の姿を強烈な印象で覚えている。まさに日本海軍の雄姿だとたのもしく思った。その中に、他艦とは比較にならぬ壮大な艦が碇泊していた。「大和」と「武蔵」だった。二隻の巨艦はどちらが「大和」なのか見当がつかなかった。

「右前方がぼくらのフネだよ」

と同年兵の高橋実が、どこで聞いてきたのか言った。

このとき、大竹海兵団、横須賀砲術学校と一緒だった小野たち特年兵が十数名「大和」に初乗艦したが、二十年四月まで生き残ったのは、高橋実と小野ともう一人だけである。

小野と高橋は、これからの「大和」での艦隊勤務を思い、心細さを覚えながらも、その巨大な姿に見ほれた。

陸兵を乗せ、諸物資を搭載《とうさい》した「大和」が横須賀からトラックに向けて出港したのは、十二月二十日朝六時である。徹夜での食糧弾薬運びが予定時刻より早く完了したのは、陸兵にきびきびしたところを見せようという乗組員たちの気持のあらわれでもあった。

小野和夫には、航行中の日課訓練がこれまでより厳しく感じられた。上官の命令口調も日ごろに比べて、戦闘的だった。

陸兵たちは各兵員室に分かれ、支給された海軍毛布を敷いて横になっていたが、一様に口数が少なかった。

特年兵の小野がそばに近づくと、立ちあがって直立不動の挙手の敬礼をする。小野は彼らの中に自分の父親に近い年齢の者さえまじっているのに胸を突かれた。おそらく応召の人たちにちがいない。

海が初めての兵隊も少なくなく、出港間もなく船酔いで吐き気を催す者が続出した。甲板の随所に桶《おけ》が置かれていたが、一人が吐くと連鎖的にあちこちでうずくまる。苦い胆汁ばかりになって目を落ちくぼませた中年兵もいた。

「大丈夫ですか」

思わず声をかける小野に、

「申しわけありません、もう平気であります」

その陸兵は答えた。疲れた暗い表情をしていた。

乗艦のとき、陸兵たちが腰に綱をつけ、青竹を山のように積み込むので、「大和」の乗組員がその竹は何に使うのかと訊ねると、

「いざというとき、この竹を綱でしばり筏《いかだ》にせよとの命令です」

と真面目《まじめ》な表情で答えたという話がある。

「冗談じゃないよ、大和は不沈戦艦だぜ」

と言う者もいれば、古い下士官の中には、

「帝国海軍の象徴がよう、陸軍の兵隊さんやら物資の輸送船代わりとは、情けないじゃありませんか」

陸兵たちに聞こえよがしにぼやく者もいた。

陸兵の存在は、間もなく艦内に漂う異常な臭気となってあらわれた。

「大和」には甲板ごとに、前部、中部、後部と三か所の厠《かわや》がある。厠掃除は各部隊の兵員の作業で、その長は厠番長《かわやばんちょう》と呼ばれていた。

洋式便所が初めての陸兵たちは、使用法がわからず便器に糞を山のように盛り上げた。

「大和」の厠番長からの報告で、恐縮した陸兵たちは、厠当番と一緒になって掃除に大わらわだった。

この厠当番が、意地の悪い下士官への、兵員たちの鬱憤《うっぷん》晴《ば》らしになっていたという話もある。

昭和十八年徴兵の高角砲員細川秋司が厠番長のときである。兵隊いじめで有名な某古参下士官には日ごろからたくさんの者が泣かされていた。

ある夜、巡検後の掃除中にこの下士官が飛び込んできたので、細川は目配せした。

下士官は綱が張られ、「使用止」の札がついているのをちらりと見ると、

「おい、すまんが……」

「すいません、掃除中ですから」

細川厠番長はすまして答えた。

掃除中と言われれば規則違反になるので、いくら古い下士官とて、

「こら、開けんかい」

と強引にはできない。仕方がない、中部に行くかと駆け出す。前部から中部といっても全長二六三メートルの巨艦である。六〇メートルは走らねばならない。下士官が駆けている間に、細川厠番長は電話で、

「おい、いまそっちへ行ったで、使用止めにせえよ」

下士官がようやくたどり着いたときは、またもや「使用止」の札が出迎えたそうだ。

「大和」で陸兵たちに最初の食事が出されたとき、

「きょうは、どんな祭日があるのですか」

と陸兵たちは目を見張った。何のことかと思ったら、「大和」の食事の豪勢さにたまげたのだ。

「毎日、肉や魚がでるのですか」

翌日になって、再び感嘆の声をあげた。

トラック入港を目前にした十二月二十四日、突如「大和」は右舷《みぎげん》に鈍い衝撃を受けた。

艦内の伝声管からは、

「配置につけ」

のブザーがけたたましく響き、総員戦闘配置についた。

間もなく伝声管が、

「右舷中央魚雷命中」

と知らせた。その後は何事もなく解散になった。

「大丈夫ですか?」

小野和夫特年兵に、中年の陸兵の一人がいかにも心細そうな声で尋ねた。

「心配ないですよ。大和は世界一のフネですから、魚雷の一発や二発、ビクともしませんん」

小野も初めての経験だったが、きばって答えた。陸兵は小野の言葉に安心したのか、

「そうですよね」

と言い、

「あなたは、まだお若いのにしっかりしている」

とつけ加えた。中年の陸兵は、故郷にのこしてきた自分の息子のことでも思い出している表情だった。

小野はふいに気負いを見すかされたような羞恥《しゅうち》を感じた。この陸兵の声には、まだ童顔の少年のような小野を労《いたわ》る響きさえこめられていた。

このとき、「大和」を潜望鏡でとらえ雷撃を加えたのは、米潜水艦の「スケート」号である。トラック環礁の周囲には何隻《せき》かの米潜水艦が哨戒網《しょうかいもう》をはっていた。「スケート」号の艦長は、米海軍で初めて「大和」を目撃した一人だが、細目についてまではわからなかったようだ。しかし、「大和」にとっては、敵から受けた最初の攻撃であり、被雷第一号であった。

「大和」は主砲第三砲塔下の右舷に魚雷一本を受け、最下甲板の後部機械室および第三砲塔火薬庫付近に浸水したが、一八ノットに速力を増して一路トラック島に向かった。

乗組員の中には魚雷を受けたことに気づかなかった者もいた。後になってその事実を知り、

「魚雷を食っても速力を増すとは、さすが大和だ」

かえって「不沈戦艦」のおもいをあらたにし、いよいよ信頼感をふかめた。

トラックに入港すると、陸兵たちは迎えの大発《だいはつ》に移乗し、島へ上げられた。

「大和」はトラックで二度目の正月を迎えた。年末には昨年と同じく内田たち柔道部員や相撲部員を中心に、後甲板で恒例の餅《もち》つき大会が行なわれた。正月の三日間はこの餅の雑煮、銀メシが食卓を賑《にぎ》わした。

小野和夫たちも新兵と一緒になって、食べるどころか料理運びに汗をかいた。

昭和十九年元旦は、各分隊ごとに艦内の「大和神社」に参拝後、艦内競技会が催され、一〇〇メートル競走、相撲、柔道、剣道で優勝した分隊に、ビールがダースで与えられた。

内田は柔道部員だが、相撲競技にも参加して活躍した。だが、昨年の正月と違って、後甲板の正面に艦長と並んで観戦していた山本長官の姿はなかった。

昭和十九年一月十日、「大和」は修理のため、呉へ向けて出航した。被雷したままだったが、航行には支障なかった。六日目には無事に、呉へ入港した。

入港はしたもののドックが空かず、一〇日ほど待たされた。

ようやくドックに入ったのは一月二十八日からで、満水にして錨《いかり》を下ろした。毎日、呉工廠《こうしょう》の工員たちは潜水夫になって水中にもぐり込み、排水しても艦が傾かないように支える作業をした。

「大和」の乗組員たちも、交代で作業員として働いた。兵器の手入れや外舷に付着した牡《か》蠣《き》や海草類のかき落とし、艦底の整備を手伝った。

昭和十八年の志願兵で、機銃員の森下久もその一人である。

森下は、排水された「大和」が艦底まであらわに姿を現わしたときは驚いた。「大和」の艦底は二重になって横につっぱり出ているので、とてつもなく奇妙な恰好《かっこう》に見えた。胴腹《ふく》の膨れたところは、まるで青大将が蛙《かえる》を呑《の》んだようだった。
魚雷を受けた被害個所を調査すると、バルジが破壊され、その付近の防禦材《ぼうぎょ》についていたブランケットは、内側にまがっていた。吃水《きっすい》以下の赤い塗料も剝落《はくらく》し、美しい艦《ふね》とはいえなかった。

森下一等水兵にとって入渠《にゅうきょ》中の思い出は、工廠の工員たちのもってくる外部の物品と、艦の酒保の物品とを交換して楽しんだことである。前年六月には柱島《はしらじま》で「陸奥《むつ》」が爆沈、つづいて呉対岸の秋月《あきつき》の火薬庫の原因不明の爆発事故があり、工廠の工員の出入りには厳重な身体検査が行なわれていたが、工員たちはいつの間にか、外部の物品を艦内に持ちこんできた。

高角砲分隊の師範徴兵である坪井平次水兵長は、作業休憩のときに電線や各種パイプの張りめぐらされている後甲板へ行ってみた。ドック内は熔接《ようせつ》の火花が青白く飛び、リベットを打ち込む音が腸《はらわた》にひびくような喧騒《けんそう》である。

「おい、坪井君じゃないか」

うしろの方で声がした。振り返ると、坪井と同じ三重県の五郷《いさと》村出身の大崎光泰が、工員服姿で立っていた。

坪井は同郷人との思いがけない再会を喜んだ。大崎はどうせ兵隊にとられるのなら、好きな機械のいじれる工廠の工員にと昭和十六年から入っていた。

「きみ、大和にはいつから」

「十八年七月からだ。高角砲員でね」

「そうか、飛行機落としか。おれはこの大和の建造工事に関係したんだぜ。主砲の斉射ではいろいろ苦労があってね」

　大崎の話では、主砲の三連装を一斉に発射すると、空気波と圧力が隣弾に影響を与え、中央の砲だけ弾丸が沈んでしまう。そこで、まず中央の砲身から始め、つづいて、〇・三秒の差をおき右、左の砲が発射する仕組みになったのだという。

「そうか、大和の主砲にそんな話があったのか」

　同郷の友との奇遇をよろこび、主砲にまつわる話をして、二人はつかのま旧交を温めた。

「大和」がドックで修理中、米軍はマーシャル群島のケゼリンに上陸、二月五日にはこのケゼリンの日本軍守備隊も全滅した。

　古賀峯一連合艦隊司令長官には、もはやマーシャルの防衛線を守り抜くことが難しく思われた。ケゼリン陥落後には、早くもトラック上空をこれみよがしに偵察機型B24が高々度で飛んで来ては旋回ののち去っていき、トラックにも近々空襲の危険が迫っていることを思わせた。

　古賀司令長官は、小笠原、マリアナ、カロリン諸島を結ぶ線を新たな死守決戦の場と定め、パラオに連合艦隊を移すことを決めた。環礁内の各艦艇はただちに回航、旗艦「武蔵」は横須賀へ、「長門」以下はパラオへと退避した。

間もなく、トラック基地は大空襲をうけた。旗艦「武蔵」が環礁外へ出た七日後の二月十七日、米機動部隊から発進した延べ四五〇機がトラック上空にむらがった。

この大空襲で夏島、春島を中心に配備されていた飛行機の大方は撃墜、破壊され、また南方に送るため保管中の飛行機も壊滅した。十七、十八両日の戦闘で、軽巡洋艦「那珂《なか》」以下艦艇一一隻、輸送船三〇隻が撃沈され、「日本の真珠湾」と呼ばれたトラック環礁は、全滅した。

「大和」「武蔵」の連合艦隊主力は危うく難を逃れたが、この空襲でトラック島守備の五万人の陸海将兵は、ラバウル同様取り残された。

米機動部隊が立ち去ったあと、珊瑚礁《さんごしょう》の砂浜やヤシの林は焼け野原に化した。燃料タンクから燃えあがる炎と黒煙があたりをおおった。

トラックが敵機の大空襲をうけたという報は、呉で改造工事中の「大和」の乗組員にも伝わった。

「大和」がトラック泊地に碇泊した期間は、通算すると一三か月にのぼる。「大和」の三年余の生涯の三分の一は、トラック島と共にあった。島での「大和」は艦首をブイにつながれたまま、稀《まれ》に防雷網をはずして環礁内を訓練で走るぐらいだった。戦場を間近にしながら、退屈なほど牧歌的な生活であった。

内田にとっては山本長官との思いがけない交流を生んだ。佐向祥禎《さこうよしさだ》は、「大和農園」からの帰りに、現地人とハンカチとバナナを交換したことを思い出した。航海科見張員の上甲正好は、群馬県出身の入植者「伊藤家」の夫妻や子供たちの安否を気遣った。

あの美しい緑の島は、どう変わっただろう。日本人学校や島民や、慰安所の女たちはどうしただろうか。

特年兵の小野和夫や高橋実にとっては、トラック島滞在はわずか数十日間だが、初めての艦隊生活であった。あの宇都宮で編成された陸軍の兵隊さんたちは、カビエンの防備につくという話だったが、トラックに置き去りになったのではないだろうか。

「大和」の乗組員たちは、トラック島を懐かしがり、各自が自らの故郷を想《おも》うように、大空襲の報に胸を痛めた。


「大和」がドックを離れ、桟橋に繋留《けいりゅう》されて修理をつづけていたころ、古賀峯一連合艦隊司令長官戦死の噂《うわさ》が伝わった。昭和十九年三月末、パラオが大空襲を受け、その直前、連合艦隊司令部は艦艇を北の洋上へ逃がし、長官および幕僚たちは二機の飛行艇に分乗してパラオを脱出した。パラオからダバオに向かう途中で長官搭乗《とうじょう》の一番機が低気圧に遭遇して墜落した。

戦争が始まって二年四か月の間、相つぐ連合艦隊司令長官の不慮の死だった。古賀峯一大将の死後、連合艦隊司令長官が戦艦上で陣頭指揮をとることはついになかった。開戦時に呉鎮守府長官だった豊田《とよだ》副武《そえむ》が、開戦以来の三代目の長官に親補された。豊田副武大将は「大和」にも「武蔵」にも乗艦せず、長官旗を東京湾木更津《きさらづ》沖の巡洋艦「大淀《おおよど》」に上げた。

また、明治三十六年に東郷平八郎を長官にして生まれた第一艦隊は廃された。「大和」「武蔵」は第二艦隊第一戦隊へと編入されたのである。

「大和」も、また艦長が交代した。ドックに入渠《にゅうきょ》中の一月二十五日付で大野竹二艦長は転任、四代目艦長に森下信衛《のぶえ》大佐を迎えた。

3

昭和十九年十月十七日午前六時五十分、レイテ湾入口のスルアン島の海軍見張所から、

「戦艦一、駆逐艦六、近接ス」

つづいて、

「戦艦一、航空母艦二、近接ス」

暗号に組むひまもなく、平文の緊急電を発信してきた。そして、午前八時、

「敵ハ上陸ヲ開始セリ。天皇陛下万歳」

の電報を最後に、スルアンの見張所は連絡を絶った。

「大和」は、連合艦隊司令部からの「第一遊撃部隊ハ速カニ出撃、ブルネイニ進出スベシ」という、いわゆる「捷《しょう》」一号作戦発令にかかわる電令を受け取った。

連合艦隊司令部は九月二十九日に木更津沖の巡洋艦「大淀」から神奈川県日吉《ひよし》の慶応義塾大学構内の地下壕《ごう》に移っていた。

十九年十月十八日午前一時ごろより、第二艦隊は司令長官栗田健男中将の乗艦する旗艦「愛宕《あたご》」を先頭に一〇〇日間ひたすら訓練を行なってきたリンガ泊地を出港し、北ボルネオ西海岸中央のブルネイに向かった。

「大和」「武蔵」「長門」など戦艦七隻、重巡一一隻、軽巡二隻、駆逐艦一九隻、計三九隻からなる大艦隊だった。しかし、敵潜水艦の探知をさけるため無線封鎖し、出港ラッパも鳴らさず、灯火管制も厳重をきわめた。

夜が明けると、対潜警戒の之《の》字運動を開始した。三九隻の艦隊が右に左に転舵《てんだ》、ジグザグ・コースを描いた。南海の強烈な陽光と風波にさらされてくすんだ艦隊の中で、「武蔵」だけが、あざやかな銀ねず色だった。

艦隊がまだリンガ泊地に碇泊中のころ、「大和」に「武蔵」の猪口敏平《としひら》艦長が訪れた。

猪口艦長は舷梯《げんてい》近くの甲板にいた「大和」の砲術長兼副長の能村次郎《のむらじろう》をつかまえ、

「能村君、いよいよ乾坤一擲《けんこんいってき》のいくさが始まるときが来たようだ。出撃の前に外舷を塗りかえておこうじゃないか」

猪口艦長は能村が横須賀海軍砲術学校教官当時、教頭を務めていた。能村は十九年二月より「大和」に、猪口艦長はこの八月に「武蔵」に赴任したばかりである。

「いや、戦闘でどうせハゲだらけになってしまいますから、大和は内地へ帰ってからゆっくり塗りかえますよ」

と答えた。出撃前に労力と時間をかけるより休息したほうがよいと言ったのは、「大和」の森下艦長の方針だった。

「そうか」

猪口艦長は、ことさら無理押しもせず、「武蔵」へ帰って行った。

翌日、「武蔵」では朝から外舷塗装作業が始まり、夕刻には綺麗《きれい》な銀ねず色に仕上がった。

この「武蔵」の化粧直しを覚えているのは、十九年二月に「大和」が入渠中に乗った機銃分隊の大野徳夫である。

十七歳の大野は、「大和」乗艦の一か月前、軽巡洋艦「球磨《くま》」で南方作戦に参加した。ペナン島付近で英潜水艦の雷撃を受けて沈没・漂流したが、泳ぎが達者だったので筏を組んで助かったという男である。

「レイテに行く前、大和は休養したのに、武蔵はいくさに行くんだからと綺麗にしましてね、そのとき能村副長が言ったですね。大和と武蔵が戦争した場合、絶対に大和が勝つと。なぜかというと、たまたまリンガ泊地でシンガポールに上陸させたとき、大和の兵隊は一人も門限を切ったものはおらんかったのに、武蔵では何人か遅れた。規律の面でも大和のほうが上だと言われたですね」

十月十八日の十時三十分、「大和」では「露天甲板塗り方はじめ」の号令がかかった。外舷の化粧直しではない。露天甲板を予想される空襲にそなえて、黒の不燃性塗料で塗った。

栗田艦隊のレイテ湾突入は、十月二十五日黎明《れいめい》と予定されている。サンベルナルディノ海峡に入るのが二十四日の日没時、サマール島東方海面に出て敵水上部隊を夜戦で撃滅したあと、日の出前にレイテ湾突入の作戦だ。サマール島沖からレイテ湾にいたる夜の海で敵機の目をくらますためでもあった。

その夜、「大和」の艦内放送では「捷」一号作戦発動が知らされた。

機銃員の大野は、その前のマリアナ沖海戦のときは目的も行動も何一つ知らされなかったのに、今度は違うな、と緊張した。おそらく兵隊たちを奮起させるためのように思えた。

その直後、前檣楼《ぜんしょうろう》頂部の主砲射撃指揮所から歓声があがった。見張りの望遠鏡を見ていた中村（現・三島姓）正助が一羽の鷹《たか》を手でつかまえたのだ。まだ小さな鷹だった。能村次郎が艦橋にいる宇垣中将のところへ見せに行くと、

「ほう、これは瑞兆《ずいちょう》だな」

と喜んだ。

宇垣纏《まとめ》中将は前連合艦隊参謀長である。山本五十六長官が戦死したさいに二番機に搭乗、奇蹟的に助かり、今度は第一戦隊司令官として「大和」に乗っていた。

瑞兆と言ったのは神武天皇東征のときに弓の先に金の鵄《とび》がとまった故事による。日露《にちろ》戦争中樺太《からふと》攻略に向かった「浅間《あさま》」でも大檣頂《だいしょうちょう》にとまったことがあるという。

宇垣司令官はさっそく即吟の一句をしたためた。

檣頭に鷹のとまれり勝ちいくさ

「おい、三笠《みかさ》、三笠兵曹じゃないのか」

一番副砲の三笠逸男が露天甲板外側の洗い場で兵器整備の汚れた手を洗っていると、声がした。

見ると、「大和」に横づけして給油中の駆逐艦「島風《しまかぜ》」の甲板から、日焼けした顔が笑っている。

「なんだ、隅田《すみた》兵曹じゃないか」

四年前、横須賀砲術学校の高等科練習生で同じ班の隅田陽《よう》兵曹であった。

「懐かしいな、島風に乗っとったんか」

「ああ、一か月前にな、航空隊の教員からだ」

「配置はどこ」

「おまえさんの目の前さ」

「ああ、トップ」

三笠の立っている甲板と「島風」の射撃指揮所は、同じくらいの高さだった。「島風」は速力四一ノットを出す日本海軍きっての高速艦である。

隅田陽とは同じ釜《かま》の飯を食べた仲というだけでなく、気の合う友人でもあった。教員の目を盗んでは、よく横須賀の街を飲んで彷徨《ほうこう》した。

彼は一風変わっていて、常に急がず慌てず騒がずの男だった。のんびり構えて進級も同年兵から一年遅れたが平然としていた。

日曜日、校内では軍歌演習があった。みんなが軍歌を歌っている間、隅田は、

「モシモシカメヨカメサンヨ」

と真面目な顔で歌い出す。まわりの者は笑いを殺すのに困った。隅田が軍歌を歌ったことは一ぺんもなかった。

「せっかく会えたのに。これから昼めしなんだ」

「また、会えるさ、どこかでな」

隅田は明るい表情で答えた。

「元気でな」

三笠は手を振ると居住区のハッチを降りた。昼食時五分前の「総員手を洗え」の号令がかかり、みんな食事を待っていた。

この昭和十九年十月二十日、北ボルネオのブルネイ湾に艦隊は投錨《とうびょう》した。「大和」は出撃にそなえて待機しながら、決戦のための燃料を補給し、兵器の点検など最後の身仕度を整えていた。

艦内では延焼をふせぐために塗料のそぎ落とし作業の音が聞こえる。三笠兵曹の居住区でも、四つの厚い木のテーブルは、鉄の足を折り畳み、椅子《いす》もろとも天井にあげられた。ハンモックもベッドも可燃物は撤去された。室内はがらんとし、大きく感じられる。艦内は居住区も通路もむきだしの荒々しい鋼鉄の肌を見せ、不気味だった。

二十一日の夜には出撃を前に「酒保開け」の号令がかかる。各分隊、各班ごとに無礼講の酒宴である。

決戦を前に訣別《けつべつ》の盃《さかずき》をかわすといった悲愴《ひそう》感はなかった。ビールが喉《のど》を通るときの爽快《そうかい》さは格別だ。ほろ酔い気分になった三笠は、隅田陽に再会したことを思いだしていた。

「隅田よ、島風に乗艦一か月で射撃指揮所は大変だろう。頑張ってくれよ」

隅田のことを考えると、横須賀砲術学校の高等科練習生時代がたまらなく懐かしかった。

しかし、三笠は、これが隅田陽との最後の別れになるとは思ってもみなかった。レイテ沖海戦の半月後に隅田の乗った駆逐艦「島風」は、オルモック湾に船団護送に向かう途中、空襲を受けて沈没、隅田は戦死してしまった。

「いよいよ明日は、出撃だな」

徳田朝芳砲台長が声をかけてきた。先日、男の子が誕生したと内地の妻から便りがあったことを、三笠に嬉しそうに話していた。

徳田砲台長は山田実一等水兵をそばに呼ぶと、男子誕生を記念して床の間に掛ける掛け軸が欲しいがどんなものを選べばよいかと聞いた。

山田一等水兵は大阪出身の骨董《こっとう》商だった。大阪商人らしい丁寧《ていねい》さで専門用語をまじえて説明するが、傍で聞いていた三笠にはわからなかった。徳田砲台長もさっぱりわからないのか、

「掛け軸一つでも、なかなか難しいものだな」

「ハイ、私が砲台長のご説明をよう飲みこめんのと同じだと思います。ハイ」

そばにいた砲員たちは、思わず笑った。砲台長も、

「山田一水、言うじゃないか」

一緒になって笑った。

山田一等水兵の戦闘配置は六番砲手、応急弾室で三笠の部下だった。「大和」が呉のドックに入っていた昭和十九年二月に乗艦している。

「海軍一等水兵山田実、本日乗艦して参りました。よろしくお願い致します」

三笠より十五歳年長の山田は、四十歳の、妻子持ちの補充兵だ。

甲板洗いも人より遅れて汗をかきながら走っている。軍服より着物に前かけ姿の似合う男だ。

「おまえは、まだ覚えられんのか」

よく働き勉強もするが、大砲のことは容易に身につかず、砲台長からよく叱《しか》られていたが、丸顔でどことなく抜けぬけとして愛敬がある。

この山田一等水兵に、三笠は骨董の真贋《しんがん》を見分け方について聞いたことがある。

「ハイ、私は小僧あがりで学問的なことはようわかりまへん。主人や先輩には本物を見ろ、見ろとだけ教わりました。それで神社や寺や骨董の収集家を訪ね、本物を仰山《ぎょうさん》見ました。それだけやと思います。ハイ」

山田一等水兵は返事の頭と終わりに、口癖のように「ハイ」をつけた。

「立派な本物をたくさん見ておけば、偽物が見抜けるというのか」

三笠はほろ苦い気持になった。

農家に生まれた三笠が、十六歳で海軍を志願したのは、いかに親に迷惑をかけず食っていけるかを考えたからだった。あれから九年が経っている。感受性のもっとも柔らかな時代を海軍生活だけで暮らしたことを悔いる気持はない。しかし、海軍の生活しか知らず、そのモノサシだけで人を見たり、物事をみつめてしまっているのではないだろうか。三笠には娑婆《しゃば》の世界がひどく遠いもののように思えてならなかった。

十月二十二日早朝、一晩じゅうかかった艦隊の燃料補給も終わり、午前八時には旗艦「愛宕」のマストに出撃を告げる信号旗があがった。

「出港用意」

「錨を上げぇ」

森下艦長の号令が艦橋に響き、伝令がつたえる。艦長の声はいつ聞いても力強い。形式ばったことは嫌いなのか、あまり訓示を与えたことがない。

だが、艦長就任のときの訓示には、三笠もびっくりした。

「本艦は殿さまではない。戦局は今や重大な時期にさしかかっている。不沈戦艦と呼ばれ、内陣に鎮座するときは過ぎた。城を枕《まくら》に討死《うちじに》の覚悟で、本艦の戦力を十二分に発揮することがわれわれ乗組員の使命でもある」

森下信衛は兵学校四五期卒で、「武蔵」艦長を務めた古村啓蔵《こむらけいぞう》、「長門」の現艦長兄部《こうべ》勇《ゆう》次《じ》、「大和」の最後の艦長となった有賀幸作と同期の水雷屋である。明治二十八年二月二日、愛知県知多郡刈谷の機屋《はたや》の次男に生まれた。昭和十六年の開戦時は巡洋艦「大井《おおい》」の艦長、その後は「川内《せんだい》」「榛名《はるな》」の艦長をつとめ、

「オレの乗ったフネは一度も沈まん」

と高言する。

昭和十七年から「大和」に乗艦した一五メートル測距儀《そっきょぎ》配置の石田直義兵曹は、レイテ沖海戦のとき、森下艦長が艦橋で空から襲来してくる飛行機に、ヘルメットもかぶらずくわえ煙草《たばこ》で、

「取舵《とりかじ》ッ」

と号令する姿に感嘆した一人である。

野武士的な豪放磊落《らいらく》さを備え、下士官兵たちの信頼を得ていた。ただし、乗艦したときの最初の印象はあまり良いとはいえなかった。

大野艦長が背の高い男前で弁舌爽《さわ》やかだったのに比べ、ずんぐりした風采《ふうさい》で訓練も急に厳しくなった。

「レイテ沖海戦でその成果が現われたわけやけど、最初は訓練のやかましい人やとわれわれ言うてましたんや。レイテ沖海戦が終わってからは、もうこの艦長のためやったら死んでもええと、一兵卒に至るまで思いました」

と一五メートル測距儀旋回手の細谷太郎も言っている。

うるさ型の家田政六中尉も、森下艦長には全幅の信頼を寄せた一人であった。出撃前夜の「酒保開け」のとき、森下艦長は第二士官次室に一升びんをさげて入ってきた。

おまえたち、叩き上げの士官がしっかりしなければいかんじゃないか。大和を動かすのは、「おまえたち、おまえたちの力だぞ」

入浴後の越中褌《えっちゅうふんどし》姿だった。家田政六中尉は、

「艦長はそう言われますが、兵学校出の上の人らは訓練もせんと威張って、下士官いじめをしとるじゃないですか」

と日頃の不満をぶちまけた。

「うむ」

森下艦長は、家田の顔をじろりと見た。

「艦長、今夜は言わしてください。なぜ、士官だからといって、訓練もようしとらんのに、下士官よりよく見える眼鏡をもたんならんのですか」

家田政六は、少々頑固と思われるほど曲がったことの嫌いな男である。このとき、家田が主張したかったのは、主砲射撃指揮装置の照準器の一二センチ単眼望遠鏡の件であった。たとえば敵艦のマストが発見されたとき、艦長の号令で測距儀は敵艦をとらえ、距離を射撃盤に伝えてくる。射手は眼鏡を上下に作動し、旋回手は左右の動きを修正、修正手は艦の動揺に合わせてハンドルを操作する。

主砲射撃指揮所は、村田射手、家田旋回手、竹重忠治修正手の絶妙の呼吸で組まれていた。

家田は自分たちの一二センチ単眼望遠鏡で見えた駆逐艦が、もっとよく見えるはずの一五センチ双眼望遠鏡をつけた指揮官には見えぬことに腹を立てていた。訓練不足だから見えないのは当たり前だが、士官だからといって准士官や下士官をどことなく軽視する姿勢が我慢ならなかった。

「うむ、わかった」

しばらくして、森下艦長は言った。

「おまえの言いたいことは、わかった。だが、いま言ったところでどうしようもない。呉に帰るまで、一二センチで我慢しろ。な、家田」

艦長はわかってくれている、家田政六はそう思い、それ以上は言わなかった。

やがて、曇天の空を第二艦隊の主力である第一遊撃部隊の第一、第二部隊の三二隻が、ブルネイ湾を出撃していった。

三笠兵曹は鋼鉄の山がいっせいに動きだすさまを、「堂々の出撃」と思った。

九年間の海軍生活の中でも、この朝のように中将旗が四本も立ったことはなかった。

だが、「古来征戦幾人か還る……」ふと、そんな詩句が脳裡《のうり》をかすめたのは、翼のない海戦の前途が思われてならなかった。

三笠は第一遊撃部隊に航空母艦が一隻も含まれていない事実を、すでに聞き知っていた。あのマリアナ沖海戦でかろうじて生き残った航空母艦四隻は、「瑞鶴《ずいかく》」を旗艦に小沢治三郎中将の指揮下にある。航空戦艦「伊勢《いせ》」「日向《ひゅうが》」を従えて瀬戸内海より南下してくるが、もはや往年の機動部隊の華々しさはなかった。虎の子の航空母艦が敵機動部隊を北方に誘いだし、栗田艦隊のレイテ湾突入を有利に展開させるための囮《おとり》の役を負わされていた。

また、南まわりでスリガオ海峡を抜ける支隊には、西村祥治中将指揮の戦艦「山城《やましろ》」「扶桑《ふそう》」を中心とした第二戦隊がいる。さらに、台湾方面から急行する志摩中将指揮の第二一戦隊と木村昌福少将指揮の第一水雷戦隊のそれぞれが、この一戦に日本の存亡を賭《か》ける決意でなだれ込む作戦だった。この「捷」一号作戦は、日本海軍の命運をにない、六三隻のほぼ全艦隊が集結していた。

「大和」はまだ一度も苛烈な戦場にさらされていない。ミッドウェー海戦でも、柱島やトラック島においても、戦いの圏外にあった。

「あ」号作戦のマリアナ沖海戦では、戦闘はほとんど瞬時に終わってしまった。「大和」は巨砲を撃つ機会を与えられず、わずかに高角砲と機銃が敵数機に弾丸を浴びせただけである。機銃員が空の星を敵機と見まちがえて、猛然と射撃をつづける一幕もあり、しかも味方撃ちまで引き起こし、ついに一機は黒煙を吐いて海上に不時着、数機が被弾した。

艦隊同士の決戦なら、秘蔵の「大和」の巨砲が威力を発揮できたが、この戦いは常に飛行機が相手である。しかも敵の反攻は圧倒的な航空兵力でサイパンまで突き進み、太平洋を支配しようとしていた。

「捷」一号作戦にのぞむ「大和」は、新たに対空兵装を増強した。先に両舷中央部の副砲二基は撤去され、一二・七センチ連装高角砲六基一二門を増設、計二四門となり、この時点では二五ミリ三連装機銃二九基八七挺、二五ミリ単装機銃二六挺、連装一三ミリ二基四挺を配置。合計一一七挺の対空機銃を甲板上に備え、針の山と化した。またレーダーも二一号、二二号に加えて一三号電探を追加装備した。

スマトラの東岸にあるリンガ泊地での一〇〇日訓練はパレンバン油田からの油輪送船によって、実戦に即して連日連夜行なわれた。この戦闘にこそ、「大和」が出撃してかならず勝って見せるという思いは、程度の差はあれ乗組員一様のものであった。

乗組員たちは総員、戦闘服に身を固めている。各艦艇は艦尾に波を立たせ出撃した。外洋に出ると敵潜水艦を警戒し、二〇ノット近くに速力を上げた。艦隊は第一部隊と第二部隊にわかれた。

「大和」は第一部隊である。二つの縦陣隊形をとり、一方は、重巡「愛宕《あたご》」「高雄《たかお》」「鳥《ちよう》海《かい》」の後ろに「長門」がつづいた。もう一方は、重巡「妙高《みようこう》」「羽《は》黒《ぐろ》」「摩《ま》耶《や》」の後方に、戦艦「大和」と「武蔵」がつづく、その左右、中間に軽巡・駆逐艦が配置される。

第二部隊も同様の陣形で、重巡「熊野」「利根」を頭にすえて航行している。

午後、軽巡「能代《のしろ》」、重巡「高雄」、また重巡「愛宕」から次々と、

「敵潜望鏡見ユ」

の信号があがった。いずれも流木を見まちがえたものだったが、そのつど各艦は回避運動を行なった。

「大和」でも敵の魚雷音らしきものを探知したが、誤認だった。

水鳥の羽音に驚く軍勢のようだが、注意してしすぎるということはない。敵が、これだけの艦隊の動静を見逃すはずはなかった。

日中でも航行しながらの訓練はくり返された。

「実戦に入ったら容赦はないぞ。敵潜による襲撃の危険があるから、いつでも気をゆるめるな」

分隊ごとに班長の声が飛ぶ。

緊張した初日は、ようやく夕暮れを迎えた。

艦隊は速力を一六ノットに落とし、フィリピン諸島北部のパラワン水道にさしかかった。

作戦計画では二十二日深夜にパラワン水道の南側入口に到着、二十四日朝にミンドロ島南端を通過の予定である。

パラワン水道入口は幅が狭く、敵潜水艦が待機するには最適と思われ警戒を強めたが、

その気配はなかった。

海上は嵐《あらし》の前の静けさをはらみ、不気味なほど平穏だった。速力は来るべき戦闘に備えて燃料節減のため一六ノットに落とされていた。

黒くしずまりかえった水面に、夜光虫の群れが青白く光った。

三笠逸男は配置近くで決戦を前に仮眠をとっていたが、眠りはうすかった。

すさまじい爆裂音が起きたのは、早朝の対潜訓練が終わって間もなくだった。

「対潜戦闘配置につけ！」

甲高い声が、伝声管から流れる。

三笠は薄暗い海面に、水煙りが盛り上がるのを見た。

砲塔へと走る三笠の背中に、

「やられたぞ」

「愛宕《あたご》がやられた」

叫び声が聞こえた。

その時、「愛宕」の後方を走っていた艦のあたりから水柱が噴き上がり、爆発音が響いた。

「またやられた！　今度は高雄《たかお》だ」

砲塔内には怯《おび》えた声が起きた。

ブルネイ出撃から一昼夜たった十月二十三日早朝六時三十分すぎ、パラワン水道において、第一遊撃部隊旗艦「愛宕」が右舷に四本の魚雷を受け、二〇分で沈没した。ほとんど同時に「高雄」もまた、艦尾から黒煙をふきながら、ゆっくり旋回し始めた。

「愛宕」沈没と同時に、「大和」前方の重巡「摩耶」が魚雷四本をうけて轟沈《ごうちん》した。

前方見張りをしていた三笠は、照準鏡に雷跡が四本、左前方より右へ走るのを見た。照準孔から首を出した三笠の眼に大きな水柱が数条立ち昇った。噴き上げられた水柱が滝壺《たきつぼ》に落下するように消えたとき、海面に「摩耶」の姿はなかった。

「摩耶が……消えた」

三笠は血の気が引いていくのを覚えた。


当直見張員として対空警戒に当たっていた機銃の森下久一等水兵もまた、「大和」の左五〇度五キロ前方に位置していた旗艦「愛宕」と「高雄」が、突如、白煙と水柱に包まれるのを見た。

森下には、この間がわずか一、二分くらいに思えた。

対空戦闘の戦闘ラッパが鳴りひびく。機銃も高角砲も始動した。だが、敵機のかげすら見えない。森下は冷静にとみずからに言い聞かせて敵機を探したが、見えなかった。

そのとき、

「魚雷ッ、魚雷ッ」

叫び声がする。

「取舵いっぱい、最大戦速」

その瞬間、はらわたがちぎれるほどの轟音《ごうおん》がし、火の玉が噴き上がった。炎の中からマストの二倍もある水柱が立った。「大和」の斜め前を走っていた「摩耶」が轟沈したのだ。白煙と水柱が消えたとき、艦影は海中に没していた。

「畜生！」

八分隊後部の機銃員畑中正孝は、眼に見えぬ敵に憎悪を燃やした。

「大和」は激しいジグザグ航行できしみ音をたてながら魚雷攻撃を警戒した。

これが、「捷」一号作戦の最初にうけた打撃である。

森下一等水兵は出撃早々に受けた大きな被害に今後の戦闘の凄《すさ》まじさが思いやられ、恐怖と緊張で胸が痛くなった。「愛宕」から脱出した栗田長官以下の乗組員が救出されている光景が肉眼でもはっきり見えた。

海面に目をこらしていた五番高角砲信管手の坪井平次水兵長は、うっと声をあげそうになった。「摩耶」のものか「愛宕」のものかはわからないが円形の銃座が数名の兵たちを乗せたまま逆方向に流されていく。爆沈の衝撃で艦から吹き飛ばされ、運よく水面に落下したのか、さかんに両手を振っていた。

「がんばれよ、生きるんだぞ」

坪井は心の中で祈るように叫んだ。

銃座に乗って漂流、ひとまず生きのびられた彼らが果たして幸運であったかどうかはわからない。敵潜が狙《ねら》っている海域では救助もできず、円形の銃座は次第に遠ざかって、見えなくなった。

旗艦「愛宕」を失った第二艦隊は、「大和」坐乗《ざじょう》の第一戦隊司令官宇垣中将が一時指揮を継承した。「岸波《きしなみ》」収容の栗田中将から「大和」に、艦隊旗艦の通信代行が命ぜられた。「愛宕」の乗組員は、駆逐艦「岸波」と「朝霜《あさしも》」が救助している。沈没を免れたものの戦闘不可能になった「高雄」は隊列を離れて、駆逐艦「岸波」と「朝霜」に護衛されてブルネイに向かった。

この「朝霜」には「愛宕」の通信要員が多数乗っていた。彼らが戦場を離れたことは、この海戦で、旗艦を「大和」に移したのちの通信機能に、やや円滑を欠く結果を招いた。

もともと、第二艦隊司令部は通信設備のすぐれた「大和」を旗艦に、と豊田副武連合艦隊司令長官に上申していた。しかし、連合艦隊司令部では第二艦隊は夜戦部隊であり、戦況に応じて水雷戦隊とともに適切な判断を下す必要上、重巡を旗艦にするのが希《のぞ》ましいとして却下されたのだ。

栗田司令長官が「岸波」から「大和」に移乗して艦隊指揮をとったのは、艦隊乗組員たちもようやく落ち着きをとりもどしはじめた午後になってからである。流木や波がしらさえ敵の潜望鏡に見え、そのたびに回避を余儀なくされた。乗組員たちは恐怖にかられて、持って行き場のない憤りを覚えていた。

午後三時四十分、「大和」の左舷に横づけした「岸波」から、栗田長官以下の司令部要員が乗ってきた。艦橋にいた航海科信号幹部付の高地俊次はそれを見ていた。

高地は昭和十八年七月に「大和」に乗った志願兵で、

「大和に乗ってから沈没まで一ぺんも顔が洗えなかった」

と語った上等水兵である。

駆逐艦「岸波」が横波を受けて大きく左右に揺れ、作業が困難なのに、「大和」が微動だにしないのはさすがだと思った。

高地は、このとき栗田長官が足どりをふらつかせて移乗するのを、不思議なものを見るような目で眺めた。水と重油に濡《ぬ》れた栗田長官は軍服を兵員防暑服に着替えていた。

「長官ともあろう人が、なんで兵隊の服を着とんのやろ」

せめて士官の服でも着ればよいのに、なかったのだろうかと、高地は思った。

海軍予備学生出身の暗号士小島清文少尉は、前檣楼横の右舷最上甲板で移乗してくる士官たちの中に見覚えのある顔を見つけた。

「佐々木じゃないか?」

舷側《げんそく》のラッタルから最上甲板に上がってきた佐々木洋次少尉は、「岸波」で配給を受けたのか、白の半袖《そで》・半ズボン姿である。

「よう、貴様は大和乗組みか」

佐々木少尉は、懐かしそうに寄ってきた。

「大丈夫か、重油をだいぶ飲んだんじゃないか」

「いや、平気だ」

佐々木少尉は答えると、

「司令部のやつには、まいったよ」

押さえていた鬱憤《うっぷん》を吐きだすように口を開いた。

「敵はわれわれがブルネイを出た時からずっと触接してたんだ。暗号でなく英語でお互いに話し合っていたから、おれには全部わかった。何度も参謀にそのことを報告したのに、まるっきりとりあげん。だいたいあいつら、予備学生出身のわれわれを馬鹿にしてやがる」

佐々木も小島も慶応義塾大学を繰り上げ卒業後、昭和十八年十月一日に海軍第三期兵科予備学生に入隊した仲間だった。

佐々木は「愛宕」の艦隊司令部の特信班にいた。米国育ちの佐々木は特信班に属し、英語は堪能だった。十九年十月二十二日、艦隊がブルネイ湾口を出ると同時に、彼は米潜水艦の緊急通信を傍受した。

「〇八〇〇敵戦艦『ヤマト』以下約三〇隻ブルネイ出港。針路北。速力一八ノット……」

横須賀通信学校を卒業して、十九年七月に「大和」の暗号士になった小島は、乗艦数日後にケップガン（第一士官次室の最先任士官）から海軍についての感想を書けといわれたことがある。

小島は武山《たけやま》海兵団入隊以来感じていたことを率直に述べ、かなり海軍への批判めいた一文を記した。

その夜、従兵から森下艦長がお呼びだという伝言が届いた。

「しまった！　叱られるな」

小島がおそるおそる艦長室にまかり出ると、

「小島小尉の海軍批判を読ませてもらったよ」

森下艦長はニヤッと笑った。

「貴様たちは、われわれ兵学校出のように狭い視野の中で育ってきたものと違い、大学で教育を受けただけに客観的にものを見る力がある。これからも気がついたことがあれば、遠慮なく意見を述べてくれ」

やはり艦長ともなるとできが違うものだと、感心しながら暗号室へもどった。

レイテ沖海戦は小島にとって、生まれて初めての戦闘だった。

「大和」の通信室は二つに分かれている。右側は送受信機が並ぶ電信室、左側は電文翻訳の暗号室である。小島は普段、田中電信長や通信士の都築少尉らとこの暗号室にいる。暗号室後部の壁には人間がひとり通れるくらいの丸いハッチがあり、くぐり抜けると電話室になっていた。

戦闘が始まると、この電話室が忙しくなる。各艦の連絡は電話と旗旒《きりゅう》で行なわれ、暗号士の役目は軍機、軍極秘などの機密に属する親展電報の翻訳だった。

この日二十三日の夜明け、攻撃をかけてきたのは米潜水艦「ダーター」と「デース」である。重巡「愛宕」に向かってわずか九八〇ヤードの距離から六本の魚雷を発射、そのうちの四本を命中させたのは「ダーター」であった。つづいて三分後に四本を発射、二本が「高雄」に命中した。「摩耶」への四本の魚雷を発射したのは「デース」である。

『モリソン戦史』によると、「ダーター」は栗田艦隊発見の報を午前六時二十分に、ハルゼー提督に伝達している。「愛宕」への魚雷発射はその一二分後で、「愛宕」は六時五十三分に沈没した。およそ三〇分後だった。米潜水艦にとって不可解でもあり好都合だったのは、艦隊の先頭に哨戒《しょうかい》用の駆逐艦がいなかったことである。

小島は暗号室で、このとき「愛宕」からの、

「ワレ航行不能」

を聞いている。

「ワレ最大速力八ノット……六ノット……ワレ航行不能」

「高雄」の悲報も耳にした。

しばらくして、すさまじい爆音がまたひびいた。電信長の田中大尉がハッチを開け、外から怒鳴った。

「摩耶だ。摩耶が、轟沈だ」

「摩耶が……」

小島は、衝撃を受けた。

この七月、第二艦隊に配属の小島たち通信学校卒業生の二三名を横須賀からリンガ泊地に運んでくれたのがこの「摩耶」であり、それは彼が生まれて初めて乗った軍艦だった。

「おれも、海軍士官になったか」

ホヤホヤの少尉は、惧《おそ》れとも喜びともつかぬ感慨を味わったものだった。「摩耶」には同期の仲宗太郎少尉が暗号士として乗り組んでいた。便乗の小島に航海中もたえず気をつかってくれた仲少尉は、ブルネイ出撃前日に「大和」を見学に訪れ、

「すごいね、まさに王者の風格だよ」

高くそびえる艦橋に息を呑んで見ほれていた。

小島は司令部の参謀たちへの怒りをぶちまける佐々木洋次少尉に、

「出撃早々ひどい目にあったな。だが、助かってよかった」

しんみりした声で言った。

「岸波」に移乗した「愛宕」の艦隊司令部の特信班に配属されていた佐々木少尉が米潜水艦の緊急通信を傍受したのは、先に記したように二十二日の午前八時である。

「米潜水艦の、私たち第二艦隊に対する触接はブルネイ出撃と同時にもうはじまっていた。しかし佐々木少尉がキャッチしたこの情報は『大和』にまでは届かなかった。そして予備学生出身のこの少尉が提供する情報を軽視しつづけた艦隊司令部は、翌朝早々に思わぬ悲劇を招来することとなったのである」

小島清文はその著『栗田艦隊』の中で記している。

艦隊司令部が予備学生出身少尉の情報を軽視したかどうかは措《お》き、栗田艦隊はパラワン水道に入る直前、大和田通信隊敵信情報として、二十二日午後五時十八分にパラワン島西方からの敵潜水艦発信の緊急信の通報を受けている。二十三日の午前二時五十分には、同じく「愛宕」の敵信班の鶴田中尉が敵潜電波を聴取し、ただちに「愛宕」から各艦に、

「○二五○作緊発信中ノ敵潜電波八四七○ＫＣ、感五、極メテ大」

と警告が伝えられている。

問題は、こうした確実な情報を事前に得ていながら、速力一六ノットで進んでいたことだろう。しかも、常と変わらぬ早朝訓練としての対潜訓練がおこなわれ、それが終了した時点で襲撃されたのだ。

後に小柳富次参謀長は著書『栗田艦隊』の中で、次のように弁明した。

「おそらく前夜から電探を使ってわが艦隊に触接北上し、漸次速力を増してわが前程に出で、払暁《ふつぎょう》を期して好射点から襲撃を決行したのだろう。（略）パラワン水道の敵潜水艦はかねてから予期していたことで、特に見張警戒を厳重にしていたのだが、保有燃料の関係から、より以上の高速力を出し得なかったことが心残りである」

たとえ保有燃料の節約のためとはいえ、最も大事なときに速力一六ノットで走り、払暁の対潜警戒時でさえ一八ノットで敵潜水艦に先を越され待ち伏せられたのは、重大なミスであった。このとき、敵潜水艦は速力一九ノットで追跡していた。

しかも、潜水艦に弱い巡洋艦を旗艦にし、艦隊先頭に対潜警戒のための前衛駆逐艦を配置する用意もなかった。レイテ沖海戦の緒戦はその後も大きく響いただけに、艦隊司令部の敵潜水艦への状況判断の甘さはいかんともしがたい。

「大和」は第二艦隊の旗艦となり、栗田長官と宇垣第一戦隊司令官の二つの将旗がマストに揚がった。

「予期せる処なるも本日凶日と為《な》さずして何ぞや」

宇垣第一戦隊司令官は、日記に思わず嘆声を洩《も》らした。

艦隊は夜半、針路を南東に向けてミンドロ海峡に入り、さらにミンドロ島南方のシブヤン海へと進んだ。

4

翌十月二十四日午前八時十分、「大和」の見張員は一〇度方向に敵機三機を発見した。敵機は、はるか遠くの空から黒い米粒のような姿をあらわすと、艦隊の外側を動静をうかがうように大きく旋回した。触接する敵機の電波探知あるいは発見報告はそれ以来、一時間以上にわたってつづいた。

その朝、夜明け前から機銃員の森下久たちは戦闘服に着がえた。腰には防毒面、上衣の両ポケットには負傷の際の応急処置のための脱脂綿、ガーゼ、包帯、三角巾を入れていた。

森下久は母親から送られてきた成田山のお守りをはじめ伊勢神宮の守り札など七つも紫の麻袋に入れて肌につけた。配置の右舷一三ミリ連装機銃につくと、まず最初に銃身を撫《な》でながら、

「おい、今日は頼むぞ」

と言った。

射手の大石水兵長は銃身にとっておきのウィスキーを飲ませている。大石は酒豪で知ら

れていた。

弾庫の木下二等兵曹は、

「弾はいくらでもある。遠慮せずに撃て」

古参下士官らしい落着いた口調だった。

森下は「大和」に乗ったとき、最初は弾薬庫員であった。木下二等兵曹は普段、田舎のおじさん風の穏和な下士官だったが、訓練での懲罰は厳しかった。

リンガ泊地での一〇〇日訓練はとくに苛烈《かれつ》をきわめた。レーダーによる射撃、観測機による射撃等は実戦そのものである。観測機の曳行《えいこう》する吹き流しに実弾を撃ったこともある。一度、森下の一三ミリ機銃が吹き流しのつけ根の糸を切った。このときは木下二等兵曹に、

「貴様、見直したぞ」

と誉められ、男を上げた。

そうした厳しい訓練の報われる日が来たのだと、思わず緊張した。

木下二等兵曹は勢いをつけるように、大石水兵長のウィスキーのグラスをあおった。

シブヤン海を東進中の艦隊は、戦艦・巡洋艦を内陣に、外側を駆逐艦が囲む輪型陣だった。「大和」の右舷後方には「武蔵」がいた。

濃紺の海は油を流したように静まりかえり、空は晴れわたっている。

そのころ、ハルゼー大将指揮の米機動部隊には、

「全軍に命令、攻撃せよ、ただ攻撃せよ。武運を祈る」

との命令が発せられていた。

十時十三分、「大和」は敵編隊を探知した。「大和」から敵機来襲の報が全艦に放たれた。

「対空戦闘用意」

ブザーの音と同時に、高角砲・機銃の砲身が上空に向けられる。

「二番一三ミリ機銃対空戦闘用意よし」

指揮所に伝えると、

「敵編隊接近」

緊迫した声がひびく。

森下久たち機銃員はくい入るように空をみつめた。微《かす》かにあらわれる敵機の一点を捕えようと目を注ぐ。敵機が次々に急降下してくるのは恐ろしいが、来襲を息を詰めて待つほうがたまらない気持になる。

第一波来襲は、十時二十六分。艦隊がタブラス島の北の水道に向かっていたとき、戦闘機、急降下爆撃機、雷撃機の計四五機が、襲いかかってきた。「大和」「武蔵」「長門」「妙高」と狙い定めた攻撃だった。

機銃、高角砲が一斉に火を噴いた。

艦内を激しい連続音がかけめぐる。砲弾は空中に炸裂《さくれつ》し、シブヤン海の天空に黒い硝煙《しょうえん》と破片をまき散らした。弾幕でおおわれた艦隊に敵機は攻撃をくり返した。

海中には白い雷跡が一直線に進んでいく。

「急降下！　突っ込んでくる」

渡辺志郎見張長の声に、防空指揮所の森下信衛艦長はくわえ煙草で、サビのある独得の声をひびかせ、

「取舵いっぱい！　急げ」

魚雷の位置をはかるようにして号令している。

艦体は魚雷や爆撃を回避するために傾斜が激しかった。能村次郎砲術長は、

「まるで神業《かみわざ》だ」

と舌をまいたように、森下艦長は巧みに「面舵《おもかじ》」「取舵」でかわした。

このとき、「大和」に「武蔵」から緊急通信が入った。

「ワレ被雷スルモ航行ニ支障ナシ」

「武蔵」の右舷後部に魚雷一本が命中したのだ。

「右舷艦尾ニ被雷。ワレ最大速力一五ノット」

つづいて重巡「妙高」が魚雷にやられた。

米軍の第一波攻撃に対する戦闘は二〇分ほどで終わった。

最初の攻撃で第五戦隊の旗艦「妙高」がやられ、早々と戦場を離脱した。単独でブルネ

イへの帰投が命ぜられた。右舷後部に魚雷一本を受けた「武蔵」は、艦体には大した損傷はなかったが、雷撃の震動で主砲前部方位盤の旋回が不能になり、爾後《じご》の主砲による三式対空弾射撃に支障をきたした。

副砲の三笠逸男は、爆音も砲撃も途絶えた奇妙な静けさの中で煙草に火をつけた。風が強いのと気持が急《せ》くのか、煙草はみるまに短くなる。戦闘服は汗で濡れていた。砲員も一度に緊張が解け、人間にかえった顔になった。

砲塔後部の出入口を開き、風を入れた。交代で砲塔下の仮設の厠《かわや》に行く。この仮設の厠は空缶に海水を入れ、動かないように縛りつけてある。吸殻捨てにも使った。

第一波の攻撃では、副砲は射撃の時期を失い、弾薬を装塡《そうてん》したまま敵に去られてしまった。徹甲弾ならこのまま次の射撃に使えるが、対空弾は時限信管の調定が毎回違うため、弾数が一門三〇発しかない。一発も無駄にできないので、砲口から抜弾杖《ばつだんじょう》を突っ込んで抜く作業のため、二番主砲塔の屋根から副砲の砲身によじ登り馬乗りになって作業を始めていた。

十二時六分の第二波の攻撃が始まる前、山田実一等水兵が砲身にまたがったままとり残された。

「山田、急げ！」

砲室と外の連絡をしていた三笠が叫んだ。

山田は砲身から移動の途中に、主砲が旋回を始めたので身動きができなくなったのだ。主砲塔の屋根から砲身まではかなり距離があった。

流田数利兵曹が手を差しだしたが、山田に届かない。

「山田、前方を見て少しずつ前、そう、もう少し前に」

流田兵曹の手が山田の襟首に届いた。砲塔の上に引き下ろした。

山田は白粉《おしろい》を吹いたような顔で照準孔の外から、

「班長、すいません」

小さな声で言った。

「早く入れ、射撃が始まるぞ」

徳田砲台長は砲室に入った山田の肩を叩《たた》くと、

「もう、外には出るな」

とだけ言った。

山田実の戦闘配置は砲手応急弾室だった。

本来なら殴りとばされるところだが、この四十歳の補充兵はどこか憎めなかった。

旋回手席のうしろが応急弾室の昇降口になっている。

三笠がときどき下を見ると、山田は垂直梯子《はしご》に手をかけ、不安な眼で砲室を見上げていた。

山田一人の配置である。戦闘中は油圧計を見ているだけなので心細さもつのるようだ。

第一波の攻撃が終わったあと、

「凄いですね。大丈夫でしょうか?」

いまだ恐怖の色がさめない表情だった。

「大丈夫だ」

三笠は短かく答えた。

「死ぬときはみんな一緒だ。自分だけが死ぬわけじゃない」

三笠の声に、山田は小さくうなずいた。

三笠は艤装《ぎそう》中の「大和」から沖縄水上特攻まで乗り組みながら、人が死ぬのも血を流すのも、直接目にしたことがないという幸運な男だった。

三笠がもし、戦いの信条を聞かれたら、こう答えたであろう。

「静かに、早く、ゆるく、激しく、そして常に無心に基針を追い、砲塔を旋回すること」

三笠は避弾運動での大転舵のときも、

「なめらかに、無心に」

みずから言い聞かせるように動輪をあやつる。

副砲の射撃目標は編隊飛行中か魚雷発射直前の雷撃機である。

副砲は「大和」の弱点ともいわれ、呉での改装のとき揚弾薬筒の中部に二〇〇ミリの防禦鋼板が取りつけられた。またこのとき、空からの攻撃に備えるための対空兵装の大強化で副砲塔二基六門を取りはずし、代わりに高角砲六基一二門と二五ミリ機銃を加えた。

「対空戦闘配置につけ！」

急を告げるスピーカーに、艦内は緊迫した空気につつまれた。

今度は、三笠の副砲も火箭《かせん》を噴きあげた。

敵機は「大和」と「武蔵」に目標を定めて攻撃してくる。艦が大きく幅が広いため、上空からきわだって見えるのだろう。敵機は獰猛《どうもう》な生き物になって飛び交い、したたかな機銃掃射を浴びせかけてきた。

三番主砲左舷の畑中正孝は、敵機の攻撃の凄《すさ》まじさをあきれたように見ていた。

「あいつらも、やるなァ」

米兵もたいしたものだと感心した。

畑中の配置からも、操縦桿《かん》をにぎっているパイロットの顔がわかるところまで突っ込んでくる。

敵の掃射してくる弾丸と、「大和」の撃ち上げる弾丸が交叉《こうさ》し、弾雨が降る。

森下久の二番一三ミリ連装機銃の戦闘配置は、艦橋中央の戦闘指揮所の右側にある。

指揮官を務めている高橋二等兵曹が至近弾の破片を浴びて倒れた。

「指揮官！」

森下が叫んだ。

喉《のど》から血をふき、即死だった。

一瞬の猶予も許されない。射手の大石水兵長は指揮官に、森下が代わって射手になった。その途端、戦闘機が艦橋を目がけて突っ込んできた。森下は撃った。命中したかどうかはわからなかったが撃ちまくった。

右舷中央部より艦尾寄りの五番高角砲塔にも直撃弾が一発、覆《おお》いを撃ち破って飛び込んだ。一二名の砲員の一人である伝令の伊藤一等水兵が倒れた。飛び込んだ銃弾が床に当たって跳ね返り、伊藤の手の甲をぶち抜く。床に血がしたたった。

伊藤のそばにいた信管手の坪井平次は、ついに五番高角砲塔内にも、負傷者が一名でてしまったかと唇をかんだ。

駆けよって傷の手当をしてやりたいが、戦闘中である。

「伊藤一水、すまん。しばらく辛抱してくれ」

「大丈夫です」

十七歳のこの伝令は、健気《けなげ》に答えた。

坪井平次の配置は背後に砲塔の壁があり、前面は計器や砲台があるため、戦闘の状況はわからない。わからないということがかえって恐怖を募《つの》らせた。塔内はたえまない爆音と焼けた硝煙の匂《にお》いで、気がおかしくなりそうになる。

攻撃はわずか一〇分足らずだが、長く思われた。

砲声がやみ、爆音が途絶えた。

「ああ、おれはまだ生きていたか」

坪井はつぶやいた。鼓膜は間断なくつづく音響で麻痺《まひ》し、戦闘が終わっても鳴りひびいている。

「おい、伊藤一水をすぐ応急医務室へ連れていけ」

班長の上出定光が、砲員の一人に命じた。

「一人で行けます。あとをお願いします」

伝令の伊藤は、傷ついた左手首をかかえ、走っていった。

高地俊次は第一艦橋にいた。「愛宕」が沈没し、第二艦隊司令部と第一戦隊司令部が一緒になり、艦橋は参謀たちであふれている。戦闘記録をつけていた高地は、偉いさんに囲まれ窮屈でならなかった。

艦橋の右端には栗田長官が、左端には宇垣第一戦隊司令官が坐っていた。

森下艦長も宇垣司令官も純白の軍装で、防弾チョッキもつけていなかった。栗田長官以下艦隊司令部の参謀たちが防弾チョッキに身を固めているのと対照的に映った。高地の眼にも、栗田長官は疲れて気力がなく見えた。

栗田長官は出撃前にデング熱にかかり、一応治ったとはいえ、完全な体調とはいえなかった。その上、沈没して海を泳いだことも影響していたかもしれない。

高地の耳に、

「武蔵がいかんな」

と、うめき声が聞こえた。

敵機の執拗《しつよう》をきわめた攻撃は、「大和」と「武蔵」に集中していた。

「大和」は魚雷を回避しているのか、大きく揺れながら全速力で激しいジクザグをくりかえしている。そのたび、高地は、「大和」の艦長は凄いと感嘆した。森下艦長の落ち着いた操艦ぶりが頼もしく、心強かった。ただ、高地上等水兵にも、艦隊がこれだけの攻撃を受けているのに友軍機がただの一機さえ姿を見せないのが不安だった。

マリアナ海戦の惨敗で連合艦隊が、航空戦力のほとんどを失なっていたとは、兵員である高地にわかるはずなどなかった。

そのころ、「大和」の艦隊司令部ではたまりかねて、小沢機動艦隊および南西方面艦隊に、

「敵艦上機ワレニ雷爆撃ヲ反覆シツツアリ　貴隊触接並ニ攻撃状況速報ヲ得タシ」

という電報を打っていた。

第二波の攻撃で「大和」は魚雷、爆弾を回避したが、「武蔵」は直撃弾二発と左舷に魚雷三本を受けた。

「大和」に爆弾が一発あたったのは、第三波攻撃のときだった。一番主砲右舷前方に命中した。

三笠は艦の前部で爆発音がとどろくのを聞いた。キナ臭い照準孔を開けて前方を見た。四分隊の三笠の居住区に降りるハッチ付近に穴があき、煙が出ていた。居住区の可燃物は全て水線下に降ろしておいたことにほっとした。

前甲板最前部のハッチから防煙マスクをかぶった応急員がはうようにのぼってくる。応急員は甲板にたどり着くと、倒れた。防煙マスクから煙が出ていた。

「こんなひどい戦闘ははじめてだ」

三笠は溜息《ためいき》をついた。

「大和」は直撃弾を一発受けたが、速力への影響はなかった。しかし、二五ミリ機銃の一基が兵員もろとも吹きとばされていた。

第四波、五波と空襲は間断なくつづいた。艦隊は輪型陣を崩したが、互いの衝突を避けながら旋回した。

三笠たちの副砲も、砲員たちが汗を飛ばして弾丸を込め、発砲をつづけた。機銃も高角砲も一体となって撃った。

乗組員たちはほとんど、敵機を見ることはない。ただ、己れの戦闘配置を守ることに全神経を集中した。

第五波は一〇〇機をこえるほどの敵機が艦隊を襲った。

突然、戦場が静かになった。あたりは硝煙に黄色く霞《かす》んでいる。

三笠は砲塔を降りた。深呼吸しながらなにげなくあたりを見まわすと、甲板には至近弾の破片が、シブヤン海の灼《や》けつく陽にあぶられ、鈍くキラリと光っている。ひん曲がった銃身は焼けただれ、赤茶けていた。

三笠は、思わず眼をみはった。

真正面に「武蔵」の姿がある。変わり果てた姿だった。艦首から第一砲塔にかけ海水に洗われながら浮かんでいる。

「爆弾や魚雷をあんなに喰《くら》って……」

うしろで部下の一人が、つぶやく声がする。ふりむくと兵の顔に汗とも涙ともつかぬものが光っていた。

三笠が海軍に入って九年と四か月、初めて戦場の只中に身をさらしていた。やがて、自分たちにも武蔵と同様な運命が来る、かならず来るだろう。それが数十分後か、明日か、一か月後か、時間の差でしかない。

瞬間、三笠は呆然《ぼうぜん》とした。

「武蔵が、なんで正面に……」

艦隊は東に向かっているはずなのに、正面に武蔵が見える。

「どうしたんだ」

艦隊の針路が西へ変わっているのに気づき、仰天した。

午後三時四十八分、栗田艦隊司令部は各艦に対し、次のように下令している。

「敵ノ空襲状況ニ鑑《かんが》ミ暫ク友隊ノ攻撃成果ヲ待ツ為、一時西方ニ避退機宜行動ス」

しばらくして、また、再反転した。

当時参謀長だった小柳富次の『栗田艦隊』には、こう書かれてある。

「一七一五長官より突然『もう引き返えそう』といわれ、再転して東進しサンベルナルジノ海峡に向った。一時間遅れて連合艦隊長官より『天佑《てんゆう》を確信し全軍突撃せよ』の返電あり、(略) 連合艦隊司令部の決心もはっきりわかった」

栗田艦隊の反転は戦後も「謎《なぞ》の反転」として問題を残した。その間、虚報や偽電が乱れ飛んだりした。

「大和」の乗組員たちがレイテ沖海戦を語るときに、かならず口にのぼらせるのは、のちに問題となった栗田艦隊の「謎の反転」よりも、「武蔵沈没」と、「大和」が初めて発揮した主砲の威力である。

　第一艦橋にいた高地俊次は、こう語っている。

「昼からは敵機はこれでもかと思うほど突っ込んできた。武蔵のそばを通り抜けたとき、もう動かんようになっとって、それを置いてけぼりにして……大和もいずれこういう運命がくるんやなと思った」

　二二号電探にいた泉本《いずもと》留夫は、

「日が暮れて、武蔵が前部から沈んでいくのを見とりました。武蔵は沈んだけど、それでも私ら大和が沈むとは毛頭、頭になかったです。大和は絶対沈まん――、それだけの訓練をされてましたですから」

　高角砲信管手の八田豊作は、

「武蔵がやられて、えらいことやと思いました。でも、大和は危ないとは思わなんだね。あんまりなこといわれんやろけど、たしか分隊長が武蔵はまだ戦闘が未熟やというてました。大砲や機銃も少なかったんやろな」

　左舷中部二五ミリ機銃の大野徳夫は、

「アメリカの飛行機は、武蔵ばっかり行くんですわ。動物も一緒で、ライオンなんか隊から離れたのをねらう、あれと同じだなと思ったんですよ。レイテへ行く前、大和が休養しとるとき、武蔵は化粧直しをやりましたね、あれで武蔵が目立ったのと違いますか」

一五メートル測距儀が配置で、レイテ沖海戦のときは艦長伝令だった細谷太郎は、

「森下艦長の操艦やったら、私らフネが沈む心配はない思いましたね。大和の舵《かじ》はなかなか回らへんのに、うまいこと魚雷と魚雷の間を通りぬけたときなんかすごいもんでしたよ。武蔵が沈むかもわからんというところは見ましたが、沈んだいうのはあとで知った。みんな配置に就いとるから喋《しゃべ》らんけれども、ああ、不沈戦艦でも沈むんやな、いうて初めて不安感ちゅうものが出たわけや。なんや、神がかりみたいなもんが取れたというかね」

後甲板二五ミリ機銃の中谷健祐は、

「不沈艦いう信念があったもんね、そりゃショックでした。ああ、武蔵沈むのオ、って、みんなびっくりしておったですな」

主砲射撃指揮所照尺手の岩本正夫は、

「ほんとの話が、私はレイテへ行くまでは大和なんて沈むフネじゃないと思ってました。ところが現実の問題として、大和は沈まなかったとしても、直撃弾や魚雷を受けましたからね。フネというのは、いくら不沈戦艦と言われても、沈むんだな、という気持が初めてしてきたですね」

これが、戦後四十年近く経った乗組員たちの回想である。

僚艦「武蔵」は、沈んだ。北緯一三度七分、東経一二二度三二分の地点、シブヤン海北

方海面の水深八〇〇メートルに没した。艦長猪口敏平少将以下一一七九名の乗組員が、艦と運命を共にした。その中には「摩耶」から移乗した一一七名も含まれている。

山本五十六長官とともに「大和」「武蔵」に乗った宇垣第一戦隊司令官は『戦藻録』に次のように記した。

「嗚呼《ああ》、我半身を失へり！　誠に申訳無き次第とす。さり乍《なが》ら其《そ》の斃《たお》れたるや大和の身代りとなれるものなり。今日は武蔵の悲運あるも明日は大和の番なり。遅かれ早かれ此《こ》の両艦は敵の集中攻撃を喰《くら》ふ身なり。思へば限り無き事なるも無理な戦《いくさ》なれば致方《いたしかた》なし。明日大和にして同一の運命とならば麾《き》下尚《なお》長門の存するあらんも、もはや隊を為《な》さず、司令官として存在の意義なし。宜《よろ》しく予《かね》て大和を死所と思ひ定めたる如く、潔く艦と運命を共にすべしと堅く決心せり」

「大和」の乗組員の中には、この宇垣に親しみを覚えた人々も少なくない。

宇垣はレイテ沖海戦後、第五航空艦隊司令長官の職に在ったが、昭和二十年四月に「大和」を旗艦とする第二艦隊の沖縄特攻出撃の際には、五航艦には迷惑をかけぬという連合艦隊司令部の意見を無視し、「無関心たり得ざるなり」と自己の責任において一五機の掩《えん》護《ご》機を発進させた。飛行士の中に、海軍最後の艦隊出撃の司令長官となった伊藤整一を護《まも》らせようと子息を加えたという。宇垣はまた、終戦の詔勅《しょうちょく》が下った昭和二十年八月十五日の夕刻、大分基地から艦上爆撃機「彗星《すいせい》」一一機を率い、沖縄への最後の特攻をかけ、還《かえ》らぬ人となった。このとき、宇垣は山本長官にもらった脇差《わきざし》一振《ひとふり》を手にしていた。

栗田艦隊は、ルソン島の最南端にあるサンベルナルディノ海峡を、駆逐艦を先頭に縦陣列で通過した。灯を消し、全員戦闘配置について、息を殺しての海峡通過だった。各艦は敵の潜水艦を警戒し、極度に緊張したが、なぜか敵影は見えなかった。

三笠は水線下区画から引きあげたケンパスを敷き、砲塔内で休んだ。寄りかかる鉄は固い。

時計を見ると午前零時をまわっている。シブヤン海で栗田艦隊が反転、再反転したため遅れていたレイテ湾突入は、午前十一時の予定と聞いている。いよいよレイテ突入の十月二十五日になったのだ。やはり胸が騒いだ。

栗田長官や宇垣司令官、また森下艦長等の「偉いさん」方は狭い艦橋で、どのように過ごしているだろうか。自分たちは、「撃て」といわれれば間髪を入れず発砲すればよい。それまで無駄話もできる。

先刻、出入り口に浸水したために、前部重油移動ポンプ室に機関兵が一名、閉じ込められていると聞いたが、どうなっただろう。電話連絡では飲み水も乾パンもあるというが、航海中は排水不能らしい。たった一人で閉じ込められている機関兵の心細さが思われた。

「大和」は二十四日の対空戦闘で、二発の命中弾を受けていた。第三波の攻撃で右舷前部に、つづいて前甲板から左舷の水線を貫く直撃弾を受けた。三〇〇〇トンの海水が浸入したが、注排水措置で艦首がおよそ八〇センチ沈下しただけの状態を保っているという。

三笠は戦闘が終わったあと、一番主砲右舷の破孔を見に行った。右舷の居住区への昇降口は使用不能になっていた。左舷の昇降口のそばにある病室の後方あたりにも、海水が白い泡になって躍っている。下の居住区に破孔が生じたらしい。その付近は、副砲が四砲塔あった時分は二番副砲員の居住区だった。

「夕飯の味噌汁《みそしる》がうまかったな」

左舷に波音が砕けている。

激しい対空戦闘のあとにもかかわらず、夕飯が遅れずに仕度できたことにおどろいていた。

三笠は知らなかったが、これには石田恒夫主計長と通称めし炊き兵たちのエピソードがある。

石田主計長はあまりの空襲の凄さに、夕食時間を遅らせようとしたが、丸野正八主計兵曹や烹炊《ほうすい》所員たちが、猛烈に反対したのである。

「兵隊たちの楽しみはめしにあります。もし夕飯が大幅に遅れたら、めしも炊けなかったのかと、いっそう動揺するはずです」

これには、石田主計長もまいったと思った。それからの兵員烹炊所は、まさに戦場のごときありさまで、いつもビンタをとばす古参兵も新兵と一緒になって汗みずくで走りまわった。

レイテ沖海戦といっても、丸野正八にとって、今までに経験した戦闘とは少し様子が違うという程度の印象だった。戦況が刻一刻わかる配置ではなかったし、「大和」が沈むはずはないと思っていた。昼の戦闘食は竹の皮に包んだ一人二個ずつの握りめしだった。にぎっている最中に腹にひびくような機銃や高角砲の発射音が聞こえたが、自分の持ち場で立ち働いていると、ふしぎに恐ろしさを感じなかった。昼食の握りめしは、適宜食事を受け取れの号令で、作業帽をかぶり顔を黒く煤《すす》けさせた兵たちが攻撃の合間を縫って受け取りに来た。

機銃六番照準機射手の宮武正一（政加津に改名）は、再反転のとき、夕闇《ゆうやみ》せまるシブヤン海で火も煙も出ていないが、艦首を下げ前のめりになった「武蔵」を見た。なんとも頼りなげだったが、まさか「武蔵」が沈むとは思いもしなかった。「武蔵」のかたわらの駆逐艦が小さく見えた。

リンガ泊地では「大和」がやられたという想定で、「武蔵」に曳航《えいこう》される訓練もやったし、逆に、「大和」が「武蔵」を曳航する訓練もした。

宮武はまた、分隊を代表して「武蔵」に戦闘訓練に行ったこともある。このときは「武蔵」の一番砲塔に行き、なるほど僚艦だけあってよう似とると思ったものだ。「大和」は兄で、「武蔵」は弟という気持もあった。

「故郷《くに》のおふくろ、今ごろどうしているやろ」

「武蔵」が沈没したせいではないだろうが、ふと気になった。

宮武は、姫路出身の徴募兵だった。姫路の公会堂で徴兵検査を受け、甲種合格といわれた。姫路には第一〇師団があり、徴兵検査には二〇〇〇人近く集まったが、そのころは甲種合格が少なかった。筆記試験も、小学校を出たあと夜学の中学に通っていた宮武にはやさしかった。

「おまえ、どこに行きたい」

徴募官が、聞いた。

姫路には歩兵、騎兵、輜重《しちょう》、砲兵の各隊があった。

宮武は一瞬考えた。歩兵いうたら歩かんならん、騎兵いうたら馬に乗らんならんが、馬なんぞはようせん。そこで、とっさに、

「軍に召されたんやったら、何でもよろしいです」

きばって、言った。

「そうか、おまえは身体強健学術優秀である。その上、意志堅固である。甲種合格ッ」

その途端、真っ白なエプロン姿の国防婦人会のおばさん連が手を叩《たた》いた。

まもなく、頭から足にいたるまで寸法をとられた。あとで、近衛《このえ》兵《へい》の候補になっていたが、ある事情で海軍になったと聞いた。

ある事情というのは、宮武の二つ年上の姉のことらしかった。この姉は二歳のときに近所で蔓延《まんえん》した日本脳炎にかかった。七人が患い、生き残ったのは宮武の姉だけである。後遺症のため二年遅れて、宮武が六年生のときは一緒の教室だった。学校側の好意でようやく卒業した。

宮武が甲種合格になったとき、一番喜んだのは母親だった。横を向いて泣いていた。

「大和」へは戦艦「日向《ひゅうが》」から昭和十七年に移乗した。「大和」を初めて見たのは、「日向」の艦上からだった。あの昭和十六年十二月八日、徳山沖での公試運転を終えた「大和」と、太平洋を南下していく山本長官率いる連合艦隊とが、すれちがったときである。

「日向」では、

「右舷に一番艦あり、総員見学の位置につけ」

と艦内放送され、宮武も甲板から見た。

艦内の噂では、

「一番艦は凄いんや。前進三〇ノット、後進二ノット、横一ノットいくんや」

といわれた。

「あのでかいフネ、だれが行くんやろ」

いた。


「日向」の乗組員たちは、その噂でもちきりだった。

「おれ、あのフネ、乗りたいよ」

乗組員たちはそう言いあっていた。

宮武はまさか自分がそのフネに乗れるとは思わなかったので、一緒になってうなずいていた。

実際に「大和」を見たのはこのときが初めてだったが、そういうフネがあるということは、海兵団のときの同年兵の唐木正秋から聞いていた。

宮武が「日向」から「大和」に移ったとき、仲間たちは一様に羨望《せんぼう》した。彼自身憧《あこが》れのフネだったので嬉《うれ》しかった。

「大和」には同年兵の唐木もいたし、半年早い同じ徴募兵の内田とも親しかった。「大和」では昭和十八年に艦隊準戦技で赤い漆塗《うるしぬ》りの木盃《もくはい》をもらったことがある。大・中・小の三つが与えられ、大は分隊の機銃の指揮官、中は班長、そのとき水兵長だった宮武は、受賞した当人だったがもらったのは小だった。木盃には桜と錨《いかり》のマークがついていて、「軍艦大和」と書かれている。

「日向」にいたときも「大和」に移ったあとも、姫路の母親からはよく手紙が届いた。トラックでも内地から「間宮《まみや》」や「伊良湖《いらこ》」が食糧とか郵便物を何か月かに一ぺんずつ運んでくる。日数はかかるが、手紙や小包はきちんと届けられていた。

宮武の母親からの手紙は、明治二十三年生まれの女性らしく巻紙だった。かならず手紙の書き出しは、

「そなたはいかがなされしや」

で始まっていた。厳しいしつけをうけた旧家育ちの女の文面である。

仲間たちからは、

「おい、宮武、また巻紙きたよ」

巻紙だから、いつも部厚かった。手紙の中にはまた、かならずどこかの神社のお守りが入っていた。

「おまえ、お守りの山やなア」

同年兵にからかわれたこともある。

成田山もあれば、お伊勢さんもあった。母親がお百度参りをしてくれていると知ると、普段はものにこだわらない宮武も涙ぐんだ。

パラワン水道、ミンドロ海峡、シブヤン海、そしてサンベルナルディノ海峡と、レイテへの道がいかにきびしいかは、宮武のように徴兵で海軍に入った者にも、四年の海軍生活でわかっていた。

「レイテを確保せんと、比島全体が危なくなる。フィリピンを奪いかえされたら、南方からの資源は途絶え、日本には自滅の道しかないんじゃ」

分隊士から幾度も聞かされていたので、たいへんな戦いなんやなという気持になっていた。それがレイテにたどり着く前に、「愛宕」「高雄」「摩耶」がつづけざまに脱落し、二日目は「妙高」と「武蔵」がやられた。しかも「武蔵」は沈没だった。

「今度は大和の番かいな」

一瞬、覚悟のようなものがよぎったが、それはことさら切実な思いではなかった。乗組員のだれもが程度の差はあれ感じたものと変わらなかった。

「昨日の昼食は何時ごろに喰《く》ったかな」

慌ただしかった一日を思っているうちに疲れがでたのか、宮武は、寝入ってしまった。


内田貢も、その夜はがらになく目が冴《さ》えて仕方なかった。

リンガ泊地での一〇〇日訓練は厳しかったなと思った。

毎晩、どこの分隊でも甲板整列がかかり、くだんの海軍精神注入棒がうなった。甲板と役割をかねていた内田でさえ、古参下士官から気合いがはいっておらんと叩かれたことがある。

ある晩、上等兵曹が先に金具のついた消防ホースを持ち、

「内田、気イ悪うするな」

と言って尻を叩いた。

おとなしく殴ったつもりだろうが、内田の腰にあたった。これで叩かれると、二発で気絶するシロモノだった。

カッとしたときの内田は恐ろしいほど人間が変わる。このときの内田は全身の血が逆流するようだった。彼は消防ホースの金具を相手からもぎ取ると、こっちへ来いと大声をあげた。

「一分先に死ぬか、五分先に死ぬかもわからんのに、たるんどる言うて殴るんは何事か」

内田はこの上等兵曹を追い回した。

「兵隊を殴って戦闘に勝てるいうんか。戦闘とは何の関係もないやないか」

内田は相手を殴った。殴って血だらけにした。

その夜は、内田は自分の戦闘配置で眠った。朝になっても食事に来ない彼を、班長が呼びに来た。内田は班長に言った。

「あんなに叩かれて、動《いの》けるか。めし食わせたいなら、ここへ持って来てくれ」

上官も何もなかった。

しばらくして、坂井分隊士と飯田分隊長が来た。

「昨夜、なにがあったかようわかるが、気分を直せ」

と言った。

レイテ沖海戦が始まってからは、どこの分隊でも甲板整列はもうなかった。新兵たちは、

「戦闘のほうが気持が楽だな、殴られんもの」

と言い合った。

内田は柔道部があったころの活気を思いだし、懐かしかった。柔道部はレイテ沖海戦を控えてシンガポール南沖にあるリンガ泊地で、解散になっていた。

内田の配置は、左舷の九番三連装二五ミリ機銃だった。九番機銃は、昭和十七年までは甲板の上にあったが、その後は甲板から海の上にせりだすように据《す》えられた。三番機銃も同様だった。配置は艦橋の横のやや前あたりで、指揮官、射手、旋回手、弾丸をこめる数人の兵たちがいた。

内田のレイテ沖海戦は、二十三日の早朝から始まる。露天甲板で顔を洗っていると、ドーンという鈍い轟音《ごうおん》がとどろいた。まだうす暗い左前方の海面に水柱と人間が噴き上げられているのが見えた。

旗艦の「愛宕」だった。夕方、接舷《せつげん》した駆逐艦から偉いさんらしい人が腕をとられるようにして「大和」の右舷を登ってきた。

「あれ、だれやろう」

と内田は、言った。

栗田長官だったことは、あとになってわかった。

内田は「武蔵」が旗艦だとばかり思っていたが、この時「愛宕」だと初めて知った。内田の記憶では「武蔵」を旗艦のように見せかけていたように思えてならない。だから、その翌日は「武蔵」に敵の攻撃が集中したように思う。

二日間にわたるシブヤン海での対空戦闘では、なるほど戦闘というものは凄いものだと思い知らされはしたが、恐ろしいとは感じなかった。内田が戦争の恐ろしさを身をもって味わったのは、二十五日以降である。

シブヤン海のパラワン水道は、内田には郷里の伊勢湾より狭く思われた。ただし、米爆撃機の直撃を危機一髪のところで危うく右に左にかわす森下艦長の操舵術には、脱帽した。感動さえ覚えた。

敵の機銃掃射が艦上をかすめ、海面を叩きつけて水しぶきを上げるのを見ながら、

「なんや、爆弾も弾丸も案外と当たらんもんやなァ」

と思った。

敵の弾丸も当たらなかったが、こちらの撃つ弾丸も艦の転舵で弾道が定まらないのか、なかなか命中しない。内田は面白くなかった。

ただ、森下艦長に対しては、操舵も見事だったが、この海戦の最初の水葬のとき以来心服し、もう、「まいった」というしかない気持になっていた。

初めての戦死者は、安原水兵長という機銃の電動照準機射手だった。

敵弾は安原の体を貫通していた。普通なら即死だが、なぜか安原はまだ息があった。病

室に「大和」の最初の怪我人として運び込まれた。

内田は病室からの知らせで飛んで行った。

内田が、「安原……」と呼ぶと、「ハハハ……」と笑った。生きた顔色ではなかった。

軍医がかたわらで首を振った。

そうだと、内田は思い出した。安原水兵長の弟が主計科に新兵として乗り込んでいた。たしか安原武といったはずだ。

内田は機銃の分隊長に、

「弟が主計科に乗っとるで、面会さしてやってください」

と頼んだ。分隊長は、

「ああ、貴様に任すから、やれ」

と答えた。

内田は主計科の甲板下士官にまず連絡し、事情を説明した。主計科では弟の安原武を病室へよこす許可を与えた。内田は弟を呼びに行き、病室へ連れていった。途中、弟の主計兵は、一言も口をきかず内田のあとに従った。

病室に入った内田が振りかえると、安原の弟は入口に立ち竦《すく》んだままだった。

兄弟といえど、兵隊の身をわきまえていた。

「なにしとるんじゃ、ちゃんと主計科の許可をもろうとるで、安心して入って来い」

弟は片足をそろっと入れた。片足入れた瞬間、自分が兵隊であることを忘れたように、

「兄さん……」

飛びついて行った。

兄の安原水兵長は目を開け、手を出した。弟はその手をにぎりしめた。

安原水兵長はなにか言ったようだったが、内田には弟の泣き声で聞こえなかった。弟は十六、七歳の稚《おさな》い表情になっていた。

内田はふいに、涙がぼろぼろでた。兄弟同士が戦場で対面するなど、いままで見たことがなかった。

弟はかたわらに軍医長やら偉いさんがいるのも忘れ、

「兄さん、死なんでくれーっ」

兄の体にかじりついた。

内田は見ていられなくなって、病室の外へ出た。

安原水兵長は弟の顔を見て安心したのか、昼前に息をひきとった。

「大和」は戦闘状態に入っていたが、「大和」の戦死者の第一号でもあったからか、その日の夕刻艦長命令で水葬が行なわれた。本来、兵の戦死の申告は甲板下士官どまりだが、だれが報告したのか、艦長の耳に届いていた。

遺体は毛布にくるみ、軍艦旗をかぶせた。ロープでしばると、副砲の演習弾を一個くく

りつけた。

水葬は、右舷の後甲板で行なわれた。

内田は一瞬、「大和」での最初の戦死者に、森下艦長は動転したのかと思った。

安原は兵員である。右舷はいかなるときも士官以上にしか立ち入りを許されていなかった。

「森下艦長は……そうかそうだったのか……」

内田は、艦長が一水兵長を、士官並みに葬ろうとしているのに気づいた。

兵員の水葬に、艦長みずから指揮をとるのも稀有《けう》なことだった。

艦長はロープを軍刀で切ろうとし、内田のそばに立っている弟の主計兵を手招きした。

自分のそばに立たせ、一緒にロープを切らせた。

信号兵がラッパで、「命を捨てて」を吹奏した。

遺体はすべり板のようなものを傾け、海へ投じられた。

「兄さーん、兄さーん」

弟は波間に漂う遺体を追って、甲板を走った。

内田は泣いた。森下艦長も泣いていた。

遺体はおもりの砲弾とともに、海ふかく吸いこまれていった。

5

栗田艦隊がサマール島の東岸を南下するにつれ、天候はくもりがちになった。

日の出の前に、レイテ湾口へ四時間余という地点にたどり着いた。

日の出時刻を過ぎたころ、「大和」では乗組員たちが朝食をとっていた。

洋上は、まだ暗い。

副砲の砲員たちは朝食をとりながら、

「レイテ湾に突入したら、思う存分撃ちまくるぞ！」

「大和魂で行くか」

「おい、おれたちが大和魂なら、アメ公はナニ魂やろ」

各自笑っては、元気をつけあった。

どの顔も三日間洗っていないので、テカテカに光っている。

三笠は、微笑を浮かべた。

今日の覚悟はできているらしいが、お互いに自分だけは死ぬことはないと思っている。

だから、戦争ができるのかもしれない。

昨夜はサンベルナルディノ海峡を半ば神に祈るようにして通過したが、海峡を出てみると、意外にも敵機動部隊に出会うことはなかった。三笠は夢を見ているようで、かえって不気味だった。

艦隊は「大和」を中心に、夜の明けはじめた海原をサマール島沖のレイテに向かって南下していた。

どんよりした海面に、航跡が白く曳かれて鮮やかだ。あちらこちらにスコールの幕が降りている。

三笠にはこのスコールがその後の艦隊の運命を大きく変えたように思われてならなかった。


十月二十五日午前六時四十五分、前檣頂《ぜんしょうちょう》の主砲射撃指揮所（艦の中央部で前檣楼の頂点にあって通称トップと呼ばれる）では、水平線を見張っていた中村正助が、

「水平線に豆みたいなモノが見えます」

突如、叫んだ。

主砲方位盤射手の村田元輝、旋回手の家田政六、修正手で班長の竹重忠治、照尺手の岩本正夫、弾着修正の小林健らが次々に双眼鏡で確かめた。

明るさを増してきた洋上に、確かにプッ、プッと豆のように小さな点が見える。

「マストじゃないですか」

旋回手の家田政六が、射手の村田元輝に言った。声は興奮していた。

「マストだ、確かに敵のマストだよ」

マストの先の十字が確かに見えた。

「砲術長、水平線にマスト！」

村田が声をあげた。

下からは見張長も見に来て、

「マストに間違いない」

と言った。

見張長は、

「マスト七本、一一五度、三万五〇〇〇メートル」

そのころ、「長門《ながと》」をはじめ各艦でも遠く水平線上に敵艦らしいマストを発見した。

「長門」からは、

「マスト見ユ、我ヨリノ方位一二〇度、三万二〇〇〇メートル」

と電話で通知してきた。

しかし、「大和」の艦橋では、だれも何も言わず、シーンとしていた。

双眼鏡に映る艦型は、敵空母に見えたが、艦橋では、よもや敵空母に遭遇するとは思いもしなかったのか、沈黙したままだった。

「小沢部隊じゃないのかね」

幕僚の一人が、つぶやくように言った。

主砲射撃指揮所では、しだいに距離が縮まって航空母艦の艦橋が見え、間もなく飛行機が並ぶ飛行甲板があらわれた。

だが、主砲射撃指揮所へは艦橋から何の指示もない。照準鏡に敵空母群をとらえたまま、

「こんな馬鹿な話あるか。まだ艦橋では敵空母が見えんのか」

村田射手も家田旋回手も、あまりの歯痒《はがゆ》さに地団太を踏む思いだった。なぜ、射撃開始の命令を出さないのか。

「敵空母、取舵変針、遠ざかる」

見張員の声と、

「撃ちます、撃ちます」

主砲射撃所の声が重なった。

能村砲術長は、

「待て、待て」

をくり返した。

艦橋では、宇垣纏第一戦隊司令官がむっとした表情で、栗田健男長官をはじめ幕僚たちと、敵とを交互に睨《にら》みつけている。

宇垣の剣幕に小柳富次参謀長は気づき、栗田長官に耳打ちした。長官が、

「宇垣君、第一戦隊の戦闘はきみがやれ」

と言うと、宇垣はすかさず号令した。

「第一戦隊、射撃用意」

森下艦長は声をはりあげ、

「撃ち方はじめ」

はればれした声だった。

「目標敵空母、距離三万二〇〇〇メートル」

能村次郎砲術長が叫んだ。

主砲は間髪を入れず、第一斉射を行なった。

「大和」はこのとき敵の方向に向かって突進中で、目標は艦首の方角にあった。

射撃は第一、第二砲塔の六門で、第三砲塔の三門は加わらない。

「大和」の主砲が発砲した。

砲声は艦隊の全艦をふるわす轟音だった。

「大和」から発艦の観測機が「初弾命中」を報告した。

内田は主砲が撃つと思った瞬間、熱いものが胸にふきあげ、敵空母、逃げるなよと叫びたくなった。

「主砲初弾命中、敵空母大傾斜」

轟沈ではなかったが、艦内拡声機の声に歓声があがった。

三笠たち副砲でも、砲員たちは小躍りした。

「次は副砲の出番だ！」

砲塔内の熱気は上がった。戦場を目前に血が逸《はや》った。

三笠は旋回動輪を操作し、基針を追尾した。

艦首方向の発砲灯が点滅した。

「合わない！」

三笠は、愕然《がくぜん》とした。

基針と追針が合致しなければ弾は発射できない。

三笠の表情はまっさおだった。

砲員が力を合わせて装塡《そうてん》した弾が一発でも発射できないとなっては申しわけない。「月月火水木金金」で練り上げてきた腕は、この一瞬のためのものではなかったのか。

三笠は息をつめた。その間二、三秒に過ぎなかったが、長い時間が流れた思いだった。

「平常心を失ってはならない。静かに、早く、ゆるやかに……」

引き金は引かれ、副砲が発砲した。

右に左に、間断なく火を噴いた。

砲員たちは汗を流し、無心に弾薬を込め、発砲した。

「大和」と「長門」につづき、「金剛《こんごう》」「榛名《はるな》」も砲撃を加えた。駆逐艦「ジョンストン」は、爆煙と火柱をあげた。

「ワレ敵巡一隻ヲ轟沈セリ」

艦内放送が鳴りひびいた。

しかし、「ジョンストン」は命中弾を受けたが、まだ沈んでいなかった。「大和」は駆逐艦を巡洋艦とまちがえ、しかも瞬時に煙幕の中に消えた「ジョンストン」を轟沈としたのである。

そのとき、激しいスコールがきた。

スコールと煙幕に、一転して視界不良になった。

「しまった、スコールか……」

主砲射撃指揮所ではうめき声が聞こえた。

家田政六旋回手は、例の一二センチ望遠鏡に目を当て、煙幕とスコールが切れる瞬間を待ち、目をこらした。

敵空母は確かにいるはずだが、どこにいるのか。

「スコールまで、敵に味方する」

家田の額《ひたい》から脂汗がしたたった。

信号員のけたたましい叫び声がひびいた。

「榛名、近づきます」

どうしたことか、「榛名」が「大和」に向かって驀進《ばくしん》してくる。

「榛名」は、めいっぱいの速力である。「大和」も最大速力で進んでいた。

「ぶつかる！」

と思った瞬間、「大和」はあやうく「榛名」をかわし面舵をとった。

「榛名」はその途端、平行になってすれちがった。たちまち、角度を開き、駆け去った。

「大和」の左後方を走っていた「榛名」は、速力をあげて敵空母をとらえようとしていた。

「大和」が左に転舵して敵空母を追いはじめたのに気づかず、双方から近寄り合ってしまったのだ。

敵艦発見後つづいた砲戦は、十数分で終わった。敵を見失った栗田艦隊は射撃を中止した。副砲では砲塔内の熱気に、照準孔を開けた。

三笠は艦首方向を見たが、敵も味方も見えずスコールにおおわれていた。

しばらくして、スコールもあがった。

艦隊はふたたび砲撃を開始した。

「大和」は突き進むように針路を変えた。待ち伏せをしていたかのように、敵空母部隊の砲弾が飛んできた。

「大和」の右舷の上甲板兵員烹炊所あたりに黒煙があがった。短艇庫《たんていこ》にも落ちたが、どうやら不発に終わったようだ。

八時少し前、見張員が、

「魚雷ッ、向かってくる」

と叫んだ。

水中からふいにわきでたように六本の雷跡が海面を走った。

「取舵、いっぱい」

森下艦長は防空指揮所の伝声管に向かい、号令した。

面舵をとって右に突っこむか、取舵で左に回避するか。しかし、森下艦長はとっさに転舵が間にあわないと、取舵いっぱいで両舷すれすれにやりすごした。右舷に四本、左舷に二本の魚雷は、「大和」と同じ二六ノットの速さで並行して走った。

「なんてノロい魚雷だ」

森下艦長は舌打ちした。身動きできない状態だった。

日本の酸素魚雷は四二ノット、ふつうでも三五ノットの速力だから、追い越していくと考えたのも無理はない。

この魚雷は、敵駆逐艦が「羽黒《はぐろ》」に向けたものだった。

戦闘のさなか、魚雷と一緒になって敵方向とは逆に走るなど、不測の事態であった。

「此の間約十分なるも一月もかゝる様の思せり」

と宇垣は書いている。艦橋で双眼鏡をにぎりしめ、敵影の見えない水平線に眼をすえた宇垣司令官の憮然《ぶぜん》たるさまが彷彿《ほうふつ》とする。

敵空母はスコールから出ていたが、煙幕を張りながら南へ走った。

「大和」にかまわず、他の戦艦と巡洋艦が突進し、さかんに撃った。

「大和」は敵の状況を確かめるために観測機を射出したが、敵機に攻撃された。

前日以上の激しい戦闘がつづいた。

「大和」は煙幕に見え隠れする敵影をめがけ、主砲斉射を加えた。

敵空母も巧みに回避した。小型な護衛空母であるのが幸いし、舵《かじ》の利きがよいのか命中しなかった。舷側をかすめ海中に落ちた瞬間、着色弾が海を染めた。

アメリカの水兵たちはこれを見て、

「ヘイ、日本はテクニカラーで撃ってくる」

と叫んだそうである。

「大和」は敵空母「ガンビア・ベイ」の沈没場所を横ぎった。

艦尾には「ガンビア・ベイ」の乗組員がむらがり、海に投げだされた米兵たちは泳いだり、浮遊する木材につかまったりしていた。

突然、「大和」の機銃が鳴った。

艦長の「撃ち方はじめ」がないのに、機銃は鳴っていた。

これには森下艦長もびっくりし、

「撃ち方やめ！　やめぇッ！」

と叫んだ。

銃声は消えた。

このとき、機銃を撃ったのは内田たち九番機銃だった。

その前に射手の一人が敵機にやられていた。内田は頭にカッと血がのぼっていた。

日本兵は海に投げだされても黙っているが、米兵たちは、手をあげ、

「ハロー」

という。これも癪《しゃく》にさわってならなかった。

内田は、機銃射撃指揮装置による管制射撃から銃側照準による個別射撃に切りかえて撃った。

のちに、森下艦長から海に投げ出された者は敵兵であろうと撃ってはならんと怒られた。

森下久機銃射手がやられたのは、その直後の空襲のさなかである。敵機は艦首方向から急角度で右舷一三ミリ連装機銃を目がけてきた。

森下は狙《ねら》い撃ちしようとして、倒れた。

気を失っていた。

その間が数分だったか、十数分であったかも、記憶はとぎれてはっきりしない。

気がつき、首に右手をまわすとべっとり血がついた。

「大丈夫か」

かたわらでだれかが心配そうに聞いている。

「ああ……」

大丈夫だと答えたいが、言葉にならなかった。

それでも手は無意識にポケットの応急手当の脱脂綿を取りだし、配置をはいずり出た。

負傷したところを押えた途端、ふたたび意識を失った。

胸のあたりの痛みに気がつき、目をあけた。

軍医長の顔が間近に見えた。

胸に強心剤が数本うたれ、気をとりもどした。

軍医長は鋏《はさみ》で戦闘服から下着まで切断したのか、このとき、母親から送られてきた成田山のお守りを失った。顔いっぱいに包帯《ほうたい》をまかれた。

森下は竹で編んだ患者護送用具にのせられた。

中甲板の戦闘臨時傷病室に担ぎ込まれたところまで覚えているが、またもや気が遠くなった。

「水、水……」

声が聞こえている。

その声で森下の意識は回復した。

中甲板の傷病室のラッタルの下に寝かされていた。

「耳は聞こえる」

しかし、目は見えるだろうか。

森下は心配になって腕を動かした。目の上の包帯をそっとひろげた。

「左は見える」

包帯を大きく持ち上げた。

「右も、見える」

森下は安心した。目と耳が大丈夫なら生きられる。

安心すると急に喉《のど》がかわいた。

「水、水……」

近くで、水を求める声がする、森下も、

「水、……水ください」

声をしぼって叫んだ。

何度か叫んだあと、だれかが口に水を入れてくれた。冷たく、おいしかった。砲撃はまだつづけられているのか、中甲板全体が震動した。砲声も聞こえた。森下は急に恐ろしさを覚えた。

戦わずにじっとしていると、恐怖心にかられる。戦闘配置にいたときには考えられない恐ろしさに、ふるえがとまらなかった。

宮武正一機銃照準手が、

「やられた！」

と思ったのは、この日三回目の空襲が終わった直後だった。

三回目の空襲で、宮武たちはカーチス「ヘルダイヴァー」を一機撃墜した。

敵の攻撃が終わり、指揮官は艦長に報告した。

「発射弾数何千何百発、人員、兵器損傷なし、一機撃墜」

報告が終わったあと、昼に食べ残した戦闘食の握りめしを、硝煙と汗に汚れた片手でつかみ、口にほおばった。気勢をあげるためか、酒を飲んでいる者もいた。

握りめしを食べていると、右足がむず痒《かゆ》かった。

宮武は何気なしに足に触った。手がゴソッと足の中に入った。白い軍手をつけた手には肉塊がついてきた。

「分隊士、怪我したらしい」

指揮官の分隊士は、

「どこ、怪我した」

宮武の血で汚れた軍手をつけた手を見ると、

「手ェか……」

「手やない、足らしいです」

防弾チョッキを着けているから体が容易に動かない。初めて体をうしろにのけぞらせると右足も左足もズボンが破れ、血みどろになっている。

指揮官は慌てた。艦長に人員、兵器損傷なし、と報告して三分も経っていなかった。

看護兵は負傷者の世話に追われていて、すぐには来なかった。

宮武は戦闘配置を出て、甲板に寝かされていた。

艦内はレイテ沖海戦に向かう前にあらゆる可燃物が撤去された。むきだしの鉄甲板になっていた。

真昼の太陽が、甲板を焼きつけている。出血もひどくなったのか、宮武の意識は朦朧《もうろう》としてきた。

同年兵の唐木正秋たちが心配そうにとりまいている。

宮武がつい目をつぶり、眠りに引き込まれると、だれかが殴った。そのたび、目を開けた。

分隊士が眠ったら駄目だと言いながら、各自一本ずつ配給された戦闘用の水を口に入れてくれた。口がうまく開かず、鼻に入った。おかげでとろとろしかけた意識が戻った。ようやく看護兵が来た。森下を運んだのと同じ竹で編んだ患者護送用具で、戦闘臨時傷病室に担ぎこまれた。

宮武の母親が送ってきたたくさんのお守りはどれも血にまみれ、成田山の札は二つに割れていた。

終戦後に交付された宮武の診断書には、このときの負傷が、次のように記されている。

呉徴水第四七〇〇号　元海軍上等兵曹宮武正一
傷名　右大腿《だいたい》貫通爆弾弾片創左下腿盲管爆弾片創同下腿骨複雑骨折右脛骨《けいこつ》神経損傷後胎症
昭和十九年十月二十五日　軍艦大和乗艦トシテ比島沖海戦中爆弾ニヨリ戦傷ヲ受ク

三回目の空襲が終わったあと、栗田艦隊は突然、北へ反転した。その前の九時十一分には、

「逐次集レ」

集結命令が出されている。各艦は間もなく連続的な空襲を受け、各艦が集結するのにほぼ二時間かかった。艦隊は針路を二二五度とし、レイテに向かった。それから二時間余り後の再反転だった。

「北にいる敵機動部隊攻撃に向かうと、拡声器で知らされたのが、われわれの知っている反転に関するすべてだった」

副砲の三笠逸男上曹は、こう語っている。

空母をふくむ有力な機動部隊らしい一群が北方にいると知らせる電報が入り、北に反転した。しかし敵機動部隊は存在しなかったというのが、戦後になって伝えられる公刊戦史の内容である。

三笠はまた、述べている。

「いつになったら敵機動部隊に会えるのだろう。戦闘は気合いなのだ、緊張緊張と思いながらも、つい気がゆるんだのを覚えている。レイテ湾に突入するために、艦隊は大きな犠牲を払ってきた。レイテを目前にして、敵機動部隊攻撃のためと言われ、ひたすら北上した。だが、米軍はその後も艦隊に対し、くり返し空襲をかけてきた」

このときの反転に関して、第二艦隊司令部が、十一時三十六分に連合艦隊司令部ほかに宛《あ》てた電報は次の通りである。

「第一遊撃部隊ハ『レイテ』泊地突入ヲ止メ『サマール』東岸ヲ北上シ　敵機動部隊ヲ求

メ決戦爾後《じご》『サンベルナルヂノ』水道ヲ突破セントス」

前夜半、狭い水道を通過するため隊形を縦陣列に変え、ようやく越えた「サンベルナルディノ」に、もう一度帰るというのだ。

艦橋にいた宇垣司令官は、

「参謀長、北へ行くのか」

敵は南ではないかと、問いつめるように、小柳富次参謀長に言ったという。

「ああ、北へ行くよ」

栗田長官は答えたそうだ。

宇垣はその日の日記に、

「再び動揺してレイテ湾突入を止め、北方の敵機動部隊を求めて決戦せんとし、針路零度サマール東岸を北上す」

また、

「戦さが杓子定規に行くものならば何でも無きも時に過誤あり、出来事もあり、殊に友軍飛行機の攻撃進出を見るに於ては一応は追撃し見るべきものと考へたり。大体に闘志と機敏性に不充分の点ありと同一艦橋に在りて相当やきもきもしたり。保有燃料の考が先きに立てば自然と足はサンベルに向ふ事となる。敵さへやっつけ得れば駆逐艦には夜間戦艦より補給するも可なる筈《はず》なり」

と記した。宇垣の胸中を伝える一文である。

青年士官たちの中にも、

「帰るとは、どういうことだ！」

血相を変えて怒りをあらわす者も多かったという。その一人、副砲長だった深井俊之助は、

「われわれは、レイテ湾に突入して敵の輸送船なり機動部隊なりとさしちがえて死ぬんだということでスタートした作戦だと受けとめていた。ところがレイテに突入の直前になって、適当な理由で、反転して引き返した。このとき、われわれ若い士官たちは砲術長の能村さんと非常に意見がちがい、論争になった。われわれは司令部の参謀連中のやり方はおかしいんじゃないかとさかんに言った。しかし、問いつめた連中は呉へ戻るや転勤だった。ほとんどが、死ぬような激戦地にばかりやらされた」

と言っている。

深井俊之助と同じ岡山県高梁《たかはし》出身の「大和」の分隊長もその一人だった。このあと呉軍港に「大和」が戻ると、フィリピンの陸戦隊にまわされ、戦死した。当時、フィリピンの陸戦隊に行くことは死ぬことと同じだと言われていた。

深井俊之助はさらに言葉をつづける。

「参謀だの砲術長だのつかまえて文句を言った連中で、生き残ったのは私一人くらいかも

しれない」

艦隊が北に針路を変えたとき、主砲射撃指揮所旋回手の家田政六は、その日の明け方と同様に、敵空母を見つけている。

村田元輝射手が、

「砲術長、敵戦艦のマスト左九〇度方向」

と報告した。

能村次郎砲術長も、はるか水平線のかなたのサマール島を背景に、主力艦のマストを二つ見つけた。前檣頂の一五メートル測距儀を旋回して距離を測らせると、平均測距四万メートルの主砲射程内にあった。

能村砲術長は伝令を介し、艦橋に向かって、

「左二六五度、敵の主力艦、距離四万メートル、主砲射撃準備良し」

と報告して艦橋からの指令を待った。しかし、艦橋からは何の指令もなく、無言だったという。

あとで艦隊がブルネイ基地に帰ったとき、宇垣第一戦隊司令官は能村に訊ねた。

「砲術長、レイテ沖の帰りに見えた敵主力艦、あれは本当だったのかね」

能村は答えた。

「間違いありません、村田射手も見たのですから」

戦後になって能村次郎は『慟哭《どうこく》の海』の中で、このときの宇垣がいかにも残念そうな表情だったと記し、

「いずれにしても、好機永遠に来たらずの嘆を、私をはじめ射撃関係者がいだいたのも無理からぬことであろう」

と結んでいる。

旋回手の家田政六は、こう言っている。

「二十五日のこの早朝、森下艦長の突っ込めの指令で撃った。初弾が命中し、一隻が傾いた。そのとき、つづけて発射していれば、ほかの艦も全滅していたかもしれない。そのあと敵のマストを発見したときも、司令部は敵艦か味方か判断に迷った。自分は撃つことを主張したのだが……。敵に遭遇しながら無能な司令部のためにみすみす逃したという思いでいっぱいだ。戦後、砲術長だった能村氏に会ったとき、そのときの判断を話題にしたが、要領を得ない返事だった」

宇垣は当初、家田の言うマストを、東航してくる第二戦隊「西村艦隊」ではないかと思っていた。参謀たちも、たしかにペンシルバニア型戦艦のマストと煙突が見えるが一隻だけだとし、それより北方にあると信じ込んでいる敵機動部隊を追い、北上したのはよく知られている。

らしい。

だが、宇垣は第二戦隊ではないかと言ったものの、参謀たちがうなずくと心配になった
その日の日記に、

「然らば確認を要すと助言せるに二十分前北及レイテ湾偵察には向はしめたる大和飛行機に命じ遂に自ら近接する事を為《な》さゞりしは今に於《お》いても遺憾《いかんじ》事とするなり」

と記している。

このとき、「大和」の主砲射撃指揮所が見つけたマストは、米戦艦の「テネシー」「カリフォルニア」「ペンシルバニア」の三隻と重巡五隻だったようだ。オルデンドルフ少将指揮のこの艦隊は、前夜スリガオ海峡に入ってきた西村祥治司令官率いる第二戦隊を潰滅《かいめつ》させてレイテ湾から来たのである。

西村の第二戦隊は、速力の遅い老朽戦艦の「扶桑《ふそう》」「山城《やましろ》」に、重巡「最上《もがみ》」、駆逐艦「満潮」「山雲」「朝雲」「時雨《しぐれ》」を従え、栗田艦隊とレイテ湾で合流すべく南まわりで進んでいた。しかし、栗田艦隊が遅れているために単独で突っこみ、「時雨」一隻を残すだけの結果となった。西村司令官をはじめ、「山城」「扶桑」「最上」の艦長は戦死した。

また、小沢治三郎指揮の空母四隻は、この日、ハルゼー機動部隊を北へ吊《つ》りあげて囮《おとり》としての役目を果たし、全滅した。

北上を始めた栗田艦隊に対し、米軍はその後もくり返し攻撃した。第二艦隊は重巡「鈴谷《すずや》」「鳥海《ちょうかい》」「筑摩《ちくま》」、駆逐艦「野分《のわき》」を失い、重巡「熊野《くまの》」は大破というありさまだった。

最後の空襲が午後五時前に終わると、栗田艦隊はサンベルナルディノ海峡へと向かった。海峡の方角は夕焼けだった。

三笠は夕映えの彼方《かなた》を見ていた。

艦首に魚雷一本を受け、隊列をはなれた重巡「熊野」は、昭和十二年十一月、神戸で艤装中に乗艦した懐かしいフネだった。また、魚雷を受け炎をあげていた駆逐艦「島風《しまかぜ》」には、ブルネイ湾での給油のときに再会した同年兵の隅田陽兵曹が乗っている。

「おい、三笠……」

呼ばれて振り返ると、機銃砲台の小林健兵曹だった。小林は三笠の同年兵だった。

「見ろよ……」

小林兵曹は、露天甲板の機銃掃射の跡を示した。裸の単装機銃が一騎討ちをやったところだった。

小林は声を落として言った。

「一人、やられてね、さっきなんだ」

そのあたりの甲板は、血の跡が海水で流されていた。

小林は通風塔の壁に付着している肉片を見つけると、

「きれいに片付けたのだが……」

と言い、ハンカチに包むと土産があったら、甲板に突き刺したままにしてくれよ」

「おい、アメ公の機銃弾の土産があったら、甲板に突き刺したままにしてくれよ」

三笠は言った。この小林ものちの戦闘で戦死した。

一番砲塔は弾片も当たらず、対空弾も半分残っていた。

その日、十一時三十分、艦隊はサンベルナルディノ海峡を西へ通過した。


シブヤン海を抜けた「大和」は、十月二十六日の朝を迎えた。

ブルネイを出撃したときは三二隻だった艦隊も、いまや一五隻に減っていた。

この朝もまた、敵機の大群が襲ってきた。

第一波の空襲は八時半すぎに始まった。

艦隊は「大和」を中心に輪型陣で進んでいたが、先頭にいた第二水雷戦隊の旗艦「能代《のしろ》」が集中攻撃を受け、左に一六度傾いて航行不能となった。

「大和」も前甲板に二発の直撃弾を受けた。一弾は一番砲塔の肩に命中し炸裂《さくれつ》しただけだったが、もう一弾は前部の最上甲板を貫通、兵員室に被害を与えた。

第二波は一時間後に、B24陸軍爆撃機が二七機来襲した。

「大和」は主砲射撃をしたが、三発の至近弾を受けた。

その日最後の空襲のとき、内田は左舷九番機銃の塔の上にいた。

九番機銃では、指揮官が倒れ、射手の内田が代わっていた。内田の部下の兵もやられ、甲板は血の海だった。

「あいつら、撃ってやる！」

内田は叫んだ。

だが、真下の海面で爆発した爆弾の破片で、三連装の水平に並んだ真ん中の銃身がまげられてしまった。それを外さないと機銃が旋回しない。

内田は急いで銃身を外そうとした。

焦っているからか、今まで何度も訓練をしているはずなのに上手《うま》くいかない。リンガ泊地では機銃の止めを外す研究をし、競争では最も早く銃身を替えたこともある。鉄工所の息子だった内田は、工作科へ行って銃身を素早く外せる工夫をしていた。彼の機銃には特別の細工がしてあり、ふつうは右左のどちらかを外さないと真ん中が外れないのをいきなり中央の銃身を取り外せるようにしてあった。

内田は灼《や》けて火のようになった銃身を、とっさに素手でつかみ、海に放り込んだ。

手は真っ白になった。

雑巾《ソーフ》をまきつけ水で冷やすことも忘れていた。夢中になっているからか焼けただれた手は熱くも、痛くもなかった。ひっきりなしの敵の空襲に気が動転していた。

内田は機銃の銃身の方に登ると、艦橋に向かい、

「九番機銃、旋回よし！」

手を振った。正常に戻ったことを早く伝えたいと気持が昂《たか》ぶっていた。

内田の配置は逃げ場がなく、恐怖心の入りこむ余地はなかった。

「よし」

と手をあげた途端、至近弾が海面に落下した。爆風に吹きあげられ、内田は甲板に叩きつけられた。炸裂した破片で左眼をやられ、尻《しり》から股《また》にかけ銃弾が貫通した。

「あかん、わし、死ぬんやな」

もう駄目だと思った一瞬、母親の顔が浮かんだ。

彼は戦争の恐ろしさをそのとき初めて感じた。戦争はこわいと思った。

目がかすんだ。頬《ほお》に何かぶら下がっているようでうっとうしかった。よもやその肉塊が、爆弾の破片で神経や筋糸が切れて垂れ下がった眼球だとは思わなかった。

「内田兵曹、大丈夫ですか」

兵の声に、

「おれの顔、大丈夫か」

内田は聞いた。

「大丈夫です」

兵が真っ青な表情で答えた。

内田の顔は血だらけだった。頬にぶら下がっている肉塊をひっつかんだ。瞬間、ツーンと頭が痺《しび》れた。引きちぎったものを見て、

「目玉や、これ」

内田は無意識に目玉をポケットの中に突っこんだ。戦闘臨時傷病室に連れて行こうとする兵の手を振り切り、言った。

「おまえら、弾込めとれ。まだ戦闘中や」

右脚もやられていたのか、立ち上がれなかった。

内田は這《は》って戦闘臨時傷病室へたどり着いた。

そこは負傷者であふれかえっていた。衛生兵は内田を見て一瞬ぎょっとしながらも、目と足に応急手当をした。すぐそばで腹をやられた兵が、はみ出した腸をズルズル引っぱってうめいている。

「おい、注射してやらんか」

内田は声をあげた。

傷病室をはいずり出ようとする内田に、

「寝ていてください」

衛生兵が言った。

「もう、大丈夫や」

気も張っていたし、指揮官の代行をしていたので、緊張していた。なにより、

「あいつら、撃ってやらにゃ」

という気持が、戦闘配置にかりたてた。

配置に戻った内田を見て、みんな驚いた。

機銃座に入ると、今度は旋回手の椅子《いす》に坐《すわ》った。右目からは涙がでてしかたがない。痛いのか、負傷して口惜しいのかわからないが、涙がでた。甲板兼役割でもある彼は、兵たちに弱味を見せたくなかった。

甲板には空《から》の薬莢《やっきょう》がころがって足の踏み場もない。機銃員たちは海へ放り出す暇も惜しみ、撃ちまくっていた。

負傷した内田は旋回手の椅子に腰かけた。しばらくして銃側照準を射撃指揮装置による管制射撃に切り替えた。

この管制射撃中に内田は椅子から振り落とされ、機銃座の外へ飛び出したように記憶している。もはや、頭は朦朧《もうろう》とし、目はかすんだ。だれかが内田を医務室に連れて行けと言ったような気がするが、はっきりしない。

甲板にはいおりた。空の薬莢がころがっているなと思った瞬間、内田は坐ったままの姿

勢で吹き飛ばされていた。至近弾が落ちてきたのだ。

内田は吹き飛ばされたとき、胸に多量の破片を喰《くら》い、血を激しく吐いた。そのまま、昏《こん》倒《とう》した。

内田がかすかに意識を取り戻したとき、戦闘は終わっていたのか、砲声は聞こえなかった。だれか人の上に横たわっていた。起き上がらねばと思いながら、体を動かす気力もなかった。声もでなかった。

このとき、内田は戦死者の死体の上に積まれていた。

やがて、唐木正秋たち柔道部員たちが部員の手で水葬しようと、内田を担架で運びに来た。湯灌《ゆかん》のために兵員浴室《バス》へと運んで行った。内田は浴室に運ばれると裸にされ、全身を拭《ふ》かれた。

内田は朦朧とした意識の中で、仲間の部員たちが消毒をし、きちんと手当をしてくれているのだと思っていた。よもや死体となった自分の体を潔《きよ》めているのだとは思ってもいなかった。

やがて、内田は毛布の上へ裸のまま寝かされた。副砲弾を数個抱かせ、柔道部員が三人がかりで毛布にくるみ、勢いよく押した。

内田はころがされた痛みで、うめき声をあげた。初めて声がでた。

「あれッ、声がしとる」

とだれかが言った。

「こら、あかん、医務室へ連れて行かにゃ」

「生きとる、内田が生きとる」

という声が、内田の耳にかすかに聞こえた。

唐木正秋の声のようだった。

四章　特攻

1

「出港用意」のラッパが鳴っている。

真珠湾奇襲作戦から四年目の春を迎えた昭和二十年三月二十八日、外舷《がいげん》を銀ねず色に塗装した戦艦「大和」は、呉《くれ》軍港一番沖の大型浮標《ブイ》に繋留《けいりゅう》されていた。早朝からの出港準備では前甲板では甲板員が、「舫索《もやい》はなせ」の号令を待っていた。早朝からの出港準備ではカッター、内火艇《ないかてい》各一隻《せき》を搭載《とうさい》したのみで、他のランチなどすべて港務部に預けられた。

出港準備作業の終わった一番副砲砲員長の三笠逸男は、同年兵たちと煙草盆《たばこ》で煙草をふかしていた。煙草盆には細い火縄が吊《つ》り下げられ、煙草を吸う者はそれぞれ顔を寄せ、火縄の先の火で煙草をつけた。ラッパの音に煙草を捨てると、各自の受持甲板に整列するため走った。

三笠は、分隊の整列人員がいつもの出入港時に比べて多いのに気づいた。今までは顔を見せたことのない従兵たちまで並んでいる。他分隊の甲板整列人員も平素の二倍近くいた。三笠には、各自が出撃の発令を待つばかりと知って、母港に別れを惜しんでいるように思えた。母港という言葉は、今も三笠に懐かしくひびく。出入港のたびに、なだらかなスロープを見せる灰ケ峰《はいがみね》や、土の感触を確かめるように踏んだ第一上陸場、そして、呉の町筋の一つ一つを新たな感慨をもって眺めた。これが見納めになるかもしれぬと思うと、いつもと異なって感じられた。

「舫索はなせ！」

前甲板の艦長伝令が叫ぶ。

艦上に出撃ラッパが鳴りわたった。錨鎖《いかりぐさり》を巻き上げる音が聞こえる。

「右後進半速」「左前進原速」

艦尾に大きな渦を残し、やがて「大和」は静かに前進を始めた。

米軍が沖縄の慶良間《けらま》列島に突如上陸したのは、二日前の三月二十六日である。さらにその二日前の二十四日、横浜日吉の慶応大学地下壕《ごう》におかれた連合艦隊司令部から「大和」に対し、「出撃準備命令」が出されていた。

出撃方面にはふれてないが、沖縄らしいことは、三笠逸男にもわかった。どこで聞いて来るのか同年兵が集まると、近く特攻隊が編成されるという噂《うわさ》話も持ちだされた。三月二十五日から二十八日までの四日間、全乗組員に交代で上陸が許可されると聞いたとき、分隊長から砲員たちに身のまわりの整理をさせるように耳打ちされていたので、これが最後の上陸になるかもしれないと思った。

総員三三〇〇余名、二十歳以下は数百名でその大半は二十代前半の年齢だった。三笠自身、二十六歳の一番副砲砲員長で上等兵曹である。

三月二十五日の夕刻、三笠は艦内で夕食を済ませると上陸した。ランチに乗って第一上陸場へ着いた。三笠の足は、なぜか和庄通り四丁目の日高神社の上にあるもとの下宿先に向かっていた。本来なら辰川町の小学校近くにある下宿に行くはずだった。そこは、レイテ沖海戦から帰った昭和十九年十二月二十三日に結婚した彼の妻の親戚《しんせき》の家であった。

三笠はレイテ沖海戦の始まる前、広島県安佐郡安佐町大字《おおあざ》飯室《いむろ》字《あざ》下烏帽子《えぼし》に一人で住んでいる母親に、一通の手紙を書いた。筆不精を自認している三笠だったが、この手紙だけは是非とも書かねばならなかった。

三笠が数日の休暇を得て久しぶりに生家に帰ったのは、「大和」が呉のドックに入渠《にゅうきょ》中の昭和十九年春だった。三笠の家では五人の息子のすべてが戦地に征《ゆ》き、残った一人娘も挺身《ていしん》隊にとられていた。

「逸男さん、畑へ行くけん、水を下げてってな」

働き者の母親は、三笠の元気な顔を見ると安心したのか、いつもの畑仕事に出かけた。

山と山にはさまれた谷あいの日蔭《ひかげ》の村で、裏に行くと、すぐ山になる。裏の小高い山の中腹には、二・二六事件の年に亡くなった父親が眠っていた。見晴らしがよく集落中がその墓地からは見渡せた。

三笠は母のタマヨの嫁入りの話を思い出す。母の生まれた在所はこの下烏帽子より、もう一つ山を越えたところだったが、広い盆地で陽がよくあたっていた。母は父親と二人で三時間歩いてこの村に嫁入りした。父親は山径《やまみち》の途中で、

「タマヨ、おまいの嫁に行く家はあの谷の村じゃ」

と谷底を指さした。

「わし、あんな狭いところに行かにゃあなるまぁか」

タマヨは急に心細くなったという。

五男一女を生み、腹を痛めた男の子をすべて戦場に出して、今日死ぬか明日死ぬかと思いながら、愚痴一つこぼさなかった。

いつだったか、母がぽつりと言った。

「逸男さんの乗っとるのは、どげなフネかのう」

「わしのフネは大きな新しいフネじゃ。このフネの沈むときは、日本も終わりじゃ」

三笠は答えた。

三笠は母と畑への道を歩いた。母は一人でこんまい畑に玉葱《たまねぎ》をこしらえていた。先に歩いていた母が足をすべらせてころんだ。三笠が抱き起こすと、母の体は藁束《わらたば》をさげたほどの軽さだった。

「逸男さん、あんた、結婚せんかいのう」

母親が、ふいに言った。

「わし、月給五五円や、まだ、女房を食わせていけん」

母親はうんうんとうなずいた。しばらくして、

「養子に行かんかのう」

と言った。養子は嫌じゃと三笠は答えた。

「大和」の三笠の許に母親から、養子を約束してしまったという手紙が届いたのは、それから間もなくだった。知り合いから先方は娘二人、そちらは五人も息子がいるのだからと催促され、断われずに約束したと書かれていた。

「動機が悪かった。わしにも、ほんの少し野心が起きたんじゃろうか」

三笠はそのときの心境をこう言っている。

養子を承諾したものの、レイテ沖海戦出撃前に、今度は死ぬなと思った。相手の女性とは、「大和」が呉に入港中、一度だけ会っていた。呉の海軍工廠《こうしょう》の挺身隊に来ていた、十八歳のまだおさげの少女だった。

死ぬのだと思ったら、あの話はなんとしても断わらねばと心に決めた。

三笠は母親に、結婚の話は解消してほしいとだけ短く書いた。

レイテ沖海戦で「大和」が命中弾を受けたとき、ふと、あの手紙は日本に着いただろうかと空を見上げながら思った。空襲のさなか、そんなことを考えている自分に驚いた。

レイテ沖海戦での「大和」の戦死者は二九名、重傷者五五名、軽傷者は六九名だった。

十月二十三日から二十六日までの戦闘が終わると、夜に後甲板で戦死者の水葬が行なわれた。手足や首の飛ばされた遺体もあったと聞いたが、三笠はかすり傷ひとつ負わなかった。

ブルネイから内地に帰還の途中、米潜水艦の攻撃で「浦風《うらかぜ》」が轟沈《ごうちん》、ついで「金剛《こんごう》」が被雷して沈没、レイテ沖海戦の結果は惨澹《さんたん》たるものだった。

十一月二十四日、「大和」はようやく呉へと入港した。七月八日に歩兵第一〇六連隊をのせて出港して以来、一三九日ぶりの帰港だった。

呉に帰った「大和」での三笠は忙しかった。娑婆《しゃば》のことも気になったが、「大和」のほうが大事であった。

ある日、和庄通り四丁目の下宿に行くと、母からの手紙が届いていた。やはり、レイテ沖海戦前に出した手紙は母の元へは着いていなかった。母の手紙には、十二月末には結婚式をあげる予定なので休暇を知らせるように、と書かれていた。

三笠は「大和」へ帰ってからも気になりながら、つい返事を出さずにいた。「大和」にいると、娑婆っ気は消えてしまう。

十二月二十三日は日曜日だった。日曜日の上陸は朝からである。

三笠は上陸すると、まず散髪屋へ行った。それから呉の映画館へ入り、映画を観た。やはり気になっていたのか、下宿へ帰ったほうがいいかなと思った。二時ごろ、和庄通り四丁目のほうの下宿に帰ってみると、縁側に相手方の親が腰を下ろし、煙草をふかして三笠を待っていた。

三笠は呆然《ぼうぜん》として突っ立っていた。

「あんた、どうしたん、黙って立って。三笠さん、結婚するんでしょう」

下宿のおばさんが言った。

その晩、親戚の家で結婚式を挙げた。三笠の知らないうちに結婚式の準備は万端整っていたようだった。

三笠は年若い妻の親戚筋にあたる辰川町の下宿に移った。近くに小学校があった。十二月二十三日の晩から翌年の一月八日までの短い新婚生活だった。

そのころ「大和」は、レイテ沖海戦で受けた爆弾による被害の修理のため、海軍工廠の第四ドックに入渠していたが、その修理と改装も終え、呉から柱島《はしらじま》泊地へ入ることになった。

柱島泊地では対潜警戒をつづけながら、訓練を再開した。

三笠が「大和」に戻ったあと、妻は下宿先から実家へ帰った。つかのまの「娑婆」は、しだいに遠くなった。三笠にも稚《おさな》い新妻をいとおしいと思う気持がなかったわけではなかったが、愛情を育てるには時間はあまりに少なすぎた。

戦況は日一日と日本軍に不利に傾き、その頽勢《たいせい》はなすすべもなく、敵機による本土空襲も日増しに激しさを増していた。

訓練は、戦闘態勢のまま総員を二直、三直、四直等にわけ、間髪を入れず発砲可能の態勢で待機した。予告なしに随時行なう猛訓練の結果、消灯の状態で総員の配置に要する時間は、約一分半に短縮された。対空戦闘訓練では、柱島泊地からクダコ水道を抜け伊予灘《いよなだ》に出ると、周防《すおう》大島の安下庄《あげのしょう》や、八島《やしま》錨地《びょうち》に仮泊した。

深刻な燃料不足は、三笠くらいの古い下士官になると、しばしば耳にしている。「大和」は停泊中でも日に三〇トン、二〇ノット航走で六〇〇トンの重油を消費するといわれた。あの開戦時に連合艦隊旗艦を務めた「長門《ながと》」も、油は一切もらえず砲塔に覆《おお》いをかぶせているという噂だった。

昭和十九年十一月十五日から、艦隊の再編成が行なわれた。第五艦隊は廃止され、「大和」は第二艦隊旗艦になった。もはや連合艦隊主力の第二艦隊といっても、戦艦三隻、空母四隻、巡洋艦一隻、駆逐艦一二隻の編成にすぎない。

第二艦隊司令長官には、軍令部次長の伊藤整一中将が、また、「大和」五代目艦長には森下艦長に代わって有賀幸作大佐が赴任《ふにん》した。

艦長が交代するという噂が艦内に走ると、乗組員たちの間には少なからず動揺が起きたという。そうしたことは、「大和」では初めてだった。しかし、森下信衛艦長は少将となり、第二艦隊参謀長になって再び「大和」に勤務することになった。石田恒夫主計長は第二艦隊副官になり、代わって堀井正主計長が赴任した。副長兼砲術長の能村次郎は副長専任に、砲術長には館山海軍砲術学校付の黒田吉郎が着任した。機関長、軍医長、航海長、副砲長も艦隊編成替えにともなって大幅な人事異動が行なわれ、士官、下士官兵も入れ替わった。新しく乗組員となった兵員たちの中には、戦後三笠と肝胆相照らす仲となった八《や》杉《すぎ》康夫もいた。

昭和二十年三月二十五日からの自由上陸の第一日目、前の下宿に戻った三笠は、その夜下宿の人たちと酒を飲んだ。話は自然と先だっての三月十九日、呉市を襲った初空襲でもちきりだった。空襲は午前七時二十分ごろから十一時すぎまでのおよそ四時間つづいた。在泊艦艇、軍事施設が爆撃目標で、敵機は呉工廠を襲撃したという。

「松葉いぶしの訓練もやっとったのに、空襲警報が出たときには、いきなりグラマンが舞い下りてきてね」

下宿のおばさんは、言った。

「松葉いぶしとは、なんじゃね」

三笠が尋ねると、下宿のおばさんは説明した。

呉市では前年末ごろから防空訓練と称して、警防団や町内会が市民を動員し、市周辺の山々から青松葉を集めさせた。この松葉を道路や空地でいっせいにくすぶらせ、敵機が来襲したときは煙幕で市全体を包み隠すのだという。

「お国のためやとみんな煙で目を泣きはらしてやっとるのに、そんなとき敵機が来んでね」

「まるで、忍術みたいだ」

三笠は思わず笑いかけ、慌てて表情を引き締めた。

呉市初空襲による軍港在泊の艦艇被害は想像を越えていた。航空戦艦「伊勢《いせ》」「日向《ひゅうが》」、戦艦「榛名《はるな》」、建造中の空母「天城《あまぎ》」のほか「龍鳳《りゅうほう》」、重巡「利根《とね》」、軽巡「大淀《おおよど》」の各々が命中弾または至近弾を受けた。「日向」「伊勢」「龍鳳」はこののち、重油不足もあって呉軍港周辺の島陰に放置されることになった。

「三笠さんのフネ、どこにおったの」

下宿のおばさんは何気ない口調で訊ねた。三笠が「大和」に乗っていることは知っていた。黙っているのに気づき、

「そんなこと、いわれんよね」

笑って話を逸《そ》らした。

このとき、「大和」は柱島沖にいた。

前部測的所の測的発信手の八杉康夫は、この柱島泊地での呉へ向かう敵艦載機との交戦を鮮明に記憶している。

八杉康夫は昭和十八年の志願兵で、「大和」には二十年初めに十七歳で乗艦している。八杉にとってこの約七〇機の大群の来襲は、敵とまみえた最初だった。対空砲火の凄《すさ》まじさに目をみはった。戦闘配置は艦橋最上部のため、下から撃ちあげる高角砲の発射音が耳に鋭く響き、急いで護耳器《ごじき》をはめたのを覚えている。

それから数日後、「大和」は柱島泊地より呉港へ帰る途中、対潜訓練を行なった。八杉は右舷《みぎげん》に波を切る潜望鏡を初めて見た。潜水艦からは模擬弾頭を着けた魚雷が発射された。なぜかこの魚雷は命中し、直径七〇センチほどの測距儀《そっきょぎ》が振動で大きく揺れた。八杉の左にいた班長の石田直義二番測的手が、

「本物だったら大事だのう」

と言って笑った。

三笠はその晩下宿に泊まると、翌朝午前四時には起きた。フネへ戻る時刻は日出《にっしゅつ》四五分前と決められていた。敵の攻撃を警戒し、日の出の四五分前にはフネへ戻らねばならなかった。

和庄通り四丁目の下宿から第一上陸場までは三〇分の距離だった。第一上陸場まで来て、三笠は怪訝《けげん》な顔つきになった。

「大和」の乗組員たちは、第一上陸場の大時計の下に集まることになっている。まだ薄暗い早朝の波止場には、副長の能村次郎がつくねんと立っているだけだった。三笠は所在なさそうに立っている小柄でのっぺりした副長の顔を見て、みんなが帰って来るかどうか心配しとるんじゃなあ、と思った。能村は兵員たちが集合してからも、別に文句を言うでも、点呼をとるでもなかった。どこか、うろうろした感じだった。三笠は二十八日の早朝にも、大時計の下に立っている能村副長の落ち着かない姿を見た。

三笠は二十七日の夕刻にも、呉へ上陸した。和庄通り四丁目の下宿には妻がきていた。下宿の人がこの日上陸することを知らせてくれていた。その晩は辰川町の方の下宿で一緒にいた。

二十八日の早朝、妻は送っていくと言い、ついて来た。途中、田中清兵曹と一緒になった。田中清も新婚間もない妻と一緒だった。二組の夫婦は連れ立って歩いた。第一上陸場の近くまで来たとき、三笠の妻はアッと声をあげた。下駄の鼻緒が切れ、泣きだしそうな表情だった。

三笠は立ちどまったが、道幅いっぱいにフネに帰る兵隊が通り過ぎる。立ちどまっていると、何度もぶつかりそうになった。

「もうここでいいから、おまえ、帰れや」

三笠は、妻に言った。

妻は片方の下駄をにぎりしめたまま、三笠をみつめた。

主計科で給与関係の仕事をしていた上等水兵鶴身《つるみ》直市の最後の上陸は、三月二十六日の一度だけだった。鶴身が「大和」に乗艦したのは、昭和十九年五月である。

日本が太平洋戦争に突入して五か月後の昭和十七年四月、鶴身は大阪で食料品販売の仕事をしていた。主に輸入食料品の洋酒、珈琲《コーヒー》、紅茶を扱っていた。その輸入も止まり、手持ちの在庫品も品薄になりつつあった。シロップ製造の工場の仕事も砂糖が配給制になったため、本店の工場では軍納入シロップにかぎられた。

ある日、鶴身のもとに徴用工として神戸製鋼所へ入社すべしという令状が届いた。鶴身は考えた末に海軍に志願することにした。そのころ、夜間の関西簿記専門学校に二年半通っていた鶴身は、主計科を志願しようと思った。翌十八年四月、当時十八歳の鶴身は持ち前の地道な努力と克己心で三か月の新兵教育を海兵団長賞を得て終えると、すぐに空母「隼鷹《じゅんよう》」乗組みになった。十八年十一月には「隼鷹」を退艦、海軍経理学校に普通科練習生として入校した。品川の校舎で六か月の練習課程を終え、「大和」乗組みを命ぜられた。昭和十九年五月中旬、当時ボルネオ北東部に近いタウイタウイ島沖にいた「大和」には「武蔵」に便乗して着任した。だからシブヤン海での「武蔵」の死闘は衝撃だった。第二艦橋の戦闘記録員だった鶴身は、「大和」に乗って初めて砲戦を経験した。このときの闘いで突撃してきた敵駆逐艦の砲弾が主計科の烹炊《ほうすい》所に命中、幸いに不発弾だったが、烹炊所の壁に破片がささっていた。

二十六日の上陸では、鶴身は下士官兵の保安休養のために設けられた集会所へ行った。そこには売店、食堂、浴室や柔道場、相撲場があった。鶴身はまず、集会所に入って左手にある浴室に入った。艦では貴重な真水の感触を味わいたかった。彼は今度の上陸が、大きな戦闘を前にしたものであることにうすうす気づいていた。風呂《ふろ》から上がると食堂に行った。メニューにはカレー、ハヤシライス、うどん類などがあった。このとき、自分が何を食べたかは思いだせない。食事を済ませ、散髪屋へ行った。鶴身は呉の街をうろついても巡邏《じゅんら》がねり歩いているし、敬礼ばかりしなければならないのが面倒で、最後の上陸の一日を集会所の中だけで過ごした。夜の七時ごろ、フネに戻った。


昭和十九年の徴募兵である大森義一の上陸も、三月二十六日だった。

大森は鶴身と同じ主計科の新兵で、配置は庶務だった。主計科は経理（庶務、給与）と、衣糧（衣服の管理事務、糧食）に分かれている。

海兵団での三か月の新兵教育のあと、大森は品川の海軍経理学校に入った。「大和」に配属されたのは二十年の一月である。主計科庶務といっても沈没まで三か月間の海軍生活は、気ぜわしく士官たちの雑用に追われたくらいの記憶しかない。

乗艦して最初に言われたセリフは強烈だった。

「おまえらは、消耗品だ。馬より劣るんじゃ。おまえらはハガキ一枚で赤飯炊いてホイホイ来よるが、馬はハガキ一本じゃ来ん、連れて来なあかんからな」

大森はひどいところに来たものだと思った。毎晩、精神注入棒で思いきり尻《しり》をドつくのは、大森より三つか四つ年若い上等兵か兵長級だった。なんでこんな子供のような顔の兵隊に叩《たた》かれねばならんのだと情けなかった。徴用の大森は二十二歳になっていた。

海軍は徒弟制度みたいなもので、海軍のめしを何杯食べたかで、何もかも決まる。海軍経理学校を出たのに、オレは上の人の洗濯や身のまわりの世話の一切にあくせく追われ、まるでこれでは嫁さんと一緒だと思った。大森の戦闘配置は第一艦橋の戦闘記録員。初めて敵というものに出会ったのは八杉康夫と同じく三月十九日の柱島沖だった。戦闘のほうが叱《しか》られないから楽だというのが、正直な気持だった。

生命の危険や怪我の心配より罰直のないことが嬉《うれ》しかった。これは海軍を新兵のままで終わった者の等しい実感なのか、同様な感想を語る者は多い。

「おまえら、何をぼやぼやしとる。ここはな、戦争でもなけりゃ、無駄めしを食わせてうろちょろさせとくとこじゃない。おまえらは娑婆に長くおりすぎたから、精神を叩きなおさなならん」

バッターで叩くときの口癖である。古参兵に口ぎたなく罵《ののし》られたりすると、

「おれたちだって、好きでこんなところへ来たんじゃないよな」

つい、同年兵同士でぼやきたくなるが、経理学校から一緒に来た仲間たちは、同じ主計科でも衣糧に配置されていて滅多に会えなかった。

しかし、大森は娑婆に長くいただけにふてぶてしい一面もあったのか、最後の上陸のときは第一上陸場から二、三〇分ほどの一三丁目へあがった。

上陸のときには新兵でも、一種の通行札である「突撃一番」と印刷された表に鉄カブト

の絵の描かれた衛生サックと、小さなチューブ入りのクリームを受けとる。

新兵も古参兵も、前甲板にあがって分隊番号順に整列しているときの顔は、いつもの表情とは全く違って見えた。下士官や兵長、上等兵たちの上衣はしわひとつなく、ズボンも折り目が通っている。靴もピカピカで、それは前夜遅くまで大森たちがアイロンをかけ、磨いたものだった。

二十二歳の独身の大森のところに来た女は、三十すぎていた。女は大森の顔を見ると、

「あんた、大和の兵隊さんね。今日は欲得抜きでサービスしてあげる」

と言った。

「そら、どういう意味やねん？」

大阪育ちの大森はぶっきら棒に聞いた。

「大和、最後の出港で、沖縄へ行くのよ」

大森は女の言葉に度肝を抜かれた。彼には「大和」が沖縄に行くなど寝耳に水だった。

確かに朝から大勢の男たちが遊廓《ゆうかく》にあがるのだから、他のフネではなく「大和」ぐらいの察しはつくだろう。しかし、沖縄に行くなど「大和」に乗っている自分が知らないのに、女が知っているというのは、どういうことなのか。

大森は女のひと言に、「突撃一番」を使う気も萎《な》えた。

「兵隊さん、おなかすかない？」

女は畳の上に憮然《ぶぜん》として坐《すわ》り込んだ大森に声をかけた。黙ったままの大森を、精いっぱいもてなそうと思ったのか、食事や果物を運んできた。

「兵隊さんはどこの生まれ？」

女が尋ねた。大森は小豆島《しょうどしま》に生まれたが、

「わいは、大阪や」

と答えた。

「そう、私は東京……」

女は明るい声で笑った。

この最後の上陸のとき、面会に来た父親が息子を一三丁目の遊廓に今生の思い出として連れて行ったという話もある。

一五分隊工作科の前宮正一も、二十年一月二十日付で「大和」に乗った。大森義一と同様、このときの上陸が、「大和」に乗って、最初で最後だった。

前宮正一は、二十七日の昼すぎに上陸した。呉に下宿先はなかったから、同じ一五分隊の仲間数人と盛り場を散歩した。中通りを歩いていると、小さな古びた机に布をかけ、手相見をやっている易者がいた。前宮たちは面白半分に手相を見てもらう。

前宮が最初に見てもらうことになり、右手をさしだした。天眼鏡をかざして前宮ので

ひらを見ていた易者が、

「あなたは、この一か月気をつけられたほうがいい。長寿の卦《け》が出ているが、この一か月は一番危ない」

と言った。

この一か月が危ないと言われ、さすがに面白半分でも気落ちした。

「前宮、気にすんなよ。こんなに大勢の兵隊が歩いていれば、だれだって出港前の上陸だ、ぐらいわかるよ。ああ言っておけば間違いないから、言ったまでさ」

仲間の兵隊たちは、慰める口調になった。

確かに、上陸した「大和」の水兵たちが、中通りを思い思いに散策していた。

前宮は何気なく気軽な気分で手相を見てもらったが、気持の底にこだわりを覚えた。

夕方、仲間と呉の街で食事をすませると、

「ちょっと、街をぶらついてくるよ」

と言い、仲間とは別れた。やはり十九歳の前宮には易者の言葉が気になったが、そうした気持を仲間に知られるのも恥ずかしかった。映画を観る気分にもなれず、街をほっつき歩いたあと、ランチの最終便で戻った。

中甲板の居住区に帰ろうとし、前宮は入口がどこだったかわからなくなった。後部の主砲の後ろが入口だったが、乗艦して二か月の前宮には、「大和」のフネの様相が昼と夜とではまるで違って見える。はじめての上陸なのでしっかり覚えて出たはずなのにと焦った。前宮は艦内をぐるぐる廻った。いつまでたっても自分の居住区が見当たらないので、しまいには泣き出しそうになった。こんなことなら仲間と一緒に帰ってくればよかったと後悔した。

ようやく居住区にたどり着いたときには、十一時を過ぎていた。一時間以上も艦内をうろついていたらしく、すでに消灯時間のあとだった。叱られると覚悟したが、班長は不思議に何も言わず、罰直もなかった。

前宮正一と親しい同じ工作科の舌崎《したざき》省吾もこの日、上陸した。実家は呉の吉浦《よしうら》にある。舌崎の上陸時間は、夕方から翌二十八日の明け方までだ。

舌崎は三重県出身の工作科の辻極《つじきわ》松太郎工作兵曹と一緒だった。辻極の妻は吉浦の生まれで、実家に戻って娘を出産して間がない。

「一週間前に生まれたよ」

辻極は歩きながら、嬉《うれ》しそうだった。

その夜は、満天の星、呉の夜空を仰ぐのもこれが最後になるのかと不安が掠《かす》めた。また、班長は借金のある者はきちんと返済してこい、親兄妹に別れを言ってこいよと話した。「大和」の乗組員として恥ずかしくない行動をしろとも言ったが、あれはどういう意味だったのかと、とりとめもなく考えた。

家に着いたときは、七時を過ぎていた。玄関の戸を開けると、

「よオ、今着いたか、みんな待っとったぞ」

兄が飛びだしてきた。

家族の者はすでに、舌崎が最後の上陸をしたことを知っていた。居間には夕食の用意が整っていた。

「まあ、いっぱいやれ」

兄がとっておきの配給のビールの栓《せん》を抜いた。

「おまえ、元気でがんばれよ」

兄はビールをつぎながら声をかけた。父は黙っていた。母も言葉少なだった。

第一上陸場から吉浦まで四〇分以上も歩いてきた舌崎は喉《のど》が渇いていたのか、一気に飲み乾《ほ》した。下戸《げこ》の舌崎は、すぐに真っ赤な顔になった。

「省ちゃんも、たくましくなって……」

母の声を、舌崎はうつむいて聞いていた。

茶碗《ちゃわん》も皿も、艦でのアルミの食器にくらべると、口あたりがやわらかだった。

食事を済ませて風呂に入ると、もう十時すぎだった。「大和」ではゆっくり風呂に入れなかったので、たっぷり水の使える家の風呂は天国だと思った。

風呂からあがって畳の上にねそべった。のびのびと畳の上に体を横たえるのも、乗艦以来初めてである。不思議なもので畳の上に思い切り体を伸ばしていても、どこか体全体が揺れているようだった。いつの間にか、艦の生活がしみ込んでしまっていた。

「ほれ、そんなとこで寝て、風邪を引くよ」

母が言った。

母は舌崎のそばにくっついて離れなかった。

「どうなの、軍艦ってつらくないの」

舌崎の顔いろをよむように低い声だった。彼は眠ったふりをして、答えなかった。

蒲団《ふとん》に入ってとろとろしかけたとき、警戒警報のサイレンが不気味に鳴り響いた。反射的に蒲団から飛び起き、枕元《まくらもと》にきっちり折りたたんでおいた軍服を急いで身につけた。ねむかった。

二階にあがってきた母が軍服を着ている舌崎を見て、もう行くんか、と声をかけた。

「ああ、行く」

舌崎は階段をかけ下り、母がそろえてくれていた軍靴をはいた。

振り向くと、母が疲れた顔で立っていた。

「元気でな、体に気をつけて、みんなと仲良くしなさいよ」

舌崎は、うなずいた。家を飛び出し、走った。

灯火管制のため、舌崎の生まれ育った吉浦の町は真っ暗だった。天上に光る星と月の明りだけだった。

吉浦の港に沿って歩いていると、小さな波音が聞こえた。小さいころからこの港や海岸でよく泳いだっけ、海はいいなと思った。舌崎は小柄だったが、水泳はだれにも負けなかった。子供のときはよかった、と懐かしかった。

舌崎は十八歳だった。ギンバイも機敏にできるほうではなく、上官にかわいがられるタイプでもなかった。フネは「大和」が初めてだったこともあり、甲板整列のときの精神注入棒は、肉体はもとより精神的にこたえた。

三月十九日の柱島沖での敵艦載機来襲のときには初陣だったが、戦闘配置は第二応急部の八班だった。

「おい、何か遺言はないか」

小塚栄三工作兵長が声をかけた。中甲板にいた舌崎は敵機が見えるわけでもないのにと、ニタッと笑った。

「笑いごとではない。敵機は本艦上空だ。一発爆弾が落ちたら終わりだぞ」

この小塚兵長も、辻極松太郎兵曹も、十数日後には戦死するなど思ってもいなかった。

舌崎は戦後三六年経って、呉市長迫《ながさこ》の海軍墓地で辻極の一人娘と出会った。辻極の娘は一葉の写真を見せた。兵曹姿の辻極が写っていた。写真の裏には、幼い文字で「おとうさん」と書かれてある。字を覚えたときに、まず書いたのだろうか。父が死んだのは、彼女の生後十数日目だった。

呉の第一上陸場に着いたときは、夜中の一時近かった。舌崎の他にも警戒警報で急いで戻って来た連中が大勢いた。迎えのランチが慌ただしく桟橋に横づけされていた。衛兵のところをこんな夜中に通れるのだろうかと思ったが、「大和」の番号を言うと、すぐに通してくれた。

舌崎はランチに乗り、今何時だろうかと腕を見て、実家に時計を置いてきたのに気づいた。舌崎にしてみれば、形見のつもりだった。

この夜、測的員の北川茂は、身のまわりを整理しておくように坂本一郎上曹から言われ、上陸すると下宿先に向かった。坂本上曹は、

「まあ、こんな時世やから、もしものことがあったら田舎へ送ってもらうように、住所と名前はきちんと書いとけよ」

北川茂は「大和」に二月十七日に乗ったばかりなので、例の艦内旅行も数日しか経験していない。迷路のような広い艦内をひとりで歩くのに、方角と位置を覚えるのがようやくだった。昭和十七年後期の志願兵で「日向」「隼鷹」と乗り、「大和」のときは水兵長になっていたので、制裁の記憶もあまりなかった。同じ分隊の班では大村兵三と親しかった。

戦後になって戦死者名簿に海兵団の同年兵の名前を十数人も見つけ、あいつもこいつも「大和」にいたのかと感慨深かった。艦内が広いため、同年兵には偶然二人に会っただけで、話をする余裕もなく別れた。

呉の下宿は別の艦の兵隊と六、七人で借りていた。

晩の七時ごろだったか、北川が身のまわり品を風呂敷に包んでいると、

「北川さん、お酒はないからせめて汁粉《しるこ》でも食べてね」

下宿の未亡人が声をかけてくれた。この人の夫も上等兵曹で戦死していた。

「ありがとうございます」

北川は砂糖など手に入らない今日このごろに、汁粉をつくってくれた未亡人の好意が身にしみて嬉しかった。

出撃を覚悟の上陸であるが、

「こんど出港したら、しばらく帰れないと思います」

「元気でね」

伝えたい感謝の気持も正直に表わせないもどかしさで、帰艦時刻の門限より少し早めに下宿をあとにした。

主計兵曹の丸野正八は、四日間の自由上陸のあいだ、米、野菜、肉などの糧食需品の補

給があるため、毎日、上陸した。

二十六日の夕方、丸野は艦で軽い夕食を済ませ、主計科の特権で缶詰や酒、煙草を持つとランチに乗り上陸した。丸野の姉が呉市内で旅館「喜代水」を経営していたから、主計科の何人かを連れて行った。旅館「喜代水」には離れがあり、そこで夜から酒を飲んだ。

「思う存分、飲んでええのよ」

姉が言った。姉の亭主も一緒になって飲んだ。姉婿は呉の中心街で映画館もやっていた。

離れの丸野たちの部屋に、本館のほうでもどこかの艦の水兵たちがどんちゃん騒ぎをしているらしく、歓声が聞こえた。

酔った丸野が本館の廊下を歩いていると、

「丸野じゃないか」

声をかけられた。見ると、駆逐艦「冬月《ふゆづき》」の主計科にいる同年兵だった。彼ら「冬月」の連中も酒を飲んで騒いでいた。

離れ座敷の前には池があり、酒を飲んだ連中が池の中に煙草の吸いがらをポイポイ放り込んだ。そのため丸野たちの出港したあと、池の鯉《こい》が水面に浮き上がって全部死んでしまった。丸野があとで聞いた話では、

「今度は何かおかしい。正八は駄目かもしれない」

と姉たちは噂したそうだ。

この二十六日、米軍は沖縄の慶良間《けらま》列島に上陸した。沖縄本島への米軍の攻略が切迫していたが、丸野正八にはうかがい知れぬことだった。

第二艦隊司令長官となった伊藤整一中将は、連合艦隊参謀三上作夫中佐らに、「大和」をはじめ水上艦隊が総合的な威力を発揮できる作戦を示唆していたが、連合艦隊司令部ではレイテ沖海戦のときの小沢部隊と同様の「囮《おとり》」作戦を計画していた。連合艦隊司令部は「天」一号作戦を発動し、「大和」以下の第二艦隊を佐世保《させぼ》に進出させ、敵機動部隊を味方基地の航空機の勢力圏内に誘いだして痛撃を加えるため、佐世保への回航を三月二十六日に命じた。

このとき、連合艦隊司令部が「大和」以下第二艦隊を佐世保に回航する案をだした根拠は、作戦参謀三上作夫によると次のようだった。

「大和以下を瀬戸内海西部に置いたのでは、太平洋に出るまでに時間がかかる。米軍としては、所在を確認さえしておけば安心である。しかし佐世保にいる場合は、夕方出港すると全速力でその日のうちに沖縄に着く。それだけでも米軍には脅威となり、作戦の目標になってくる。これを潰《つぶ》すために敵機動部隊が北上して来る。

一方わが艦隊は基地防空隊の砲火が加わり、防禦《ぼうぎょ》が強力になる。しかも敵が九州に近づけば、五航艦の足の短い飛行機と足の長い飛行機が、寄ってたかってこれを叩くことが出来る。いわば位置を利かして敵を引きつける構想であった」

当時、九州の鹿屋《かのや》基地にいた五航艦（第五航空艦隊）司令長官の宇垣纏は、これには反対だった。

「其の目的が残敵掃蕩《そうとう》に使する点は若干許容すべきも、九州東岸南下により敵機動部隊を誘出し当隊をして攻撃せしめんとする常套《じょうとう》の小細工に至りては笑止千万なり。（略）敵は容易に予定を変更せんとせず。又優勢を以てせば察機機動の必要も寡《すくな》しと見られ牽《けん》制《せい》誘導に仲々乗らず可なり乗りたりと思ふは偶然の一致に過ぎずと為《な》す。殊に燃料少き現下依然1YBは内海待機を適当とするなり」

と『戦藻録』の三月二十七日付で述べている。1YBは第一遊撃部隊で、「大和」はその旗艦である。

二十七日、丸野正八たち主計科では、午前中に軍需部へ行った。「大和」用の新鮮な魚、肉、野菜を受け取ると、ランチに乗り込み、「大和」へ戻った。夜にはふたたび呉に上陸し、姉の旅館「喜代水」の離れで、親戚の者たちと酔って騒いだ。

「あんた、もう、いい加減にしたら」

丸野の妻が言った。当時二十六歳だった丸野は、五歳になる子供の父親でもあった。

丸野の妻は、義姉から今度の上陸が最後になるかもしれないと聞き、家族だけの静かな一夜を望んでいた。

しかし、丸野は銚子《ちょうし》を次々と乾《ほ》し、酔ってまたもや離れの池に吸いがらを投げた。丸野は呉に健在な姉に会うと、あの時池の鯉を殺したから死ぬと思ったと言われる。

自由上陸最終日の翌二十八日の午前中も軍需部へ寄り、肉、野菜、魚などを受け取り、昼に「大和」へ帰った。

二十七日、正午ごろ、副長の能村次郎が艦長室前の通路を歩いていると、濃紺の詰《つ》め襟《えり》の一種軍装に、大佐の襟章をつけた有賀幸作艦長に、呼びとめられた。

「本艦は明二十八日十七時三十分に出港する。三田尻《みたじり》沖に向かうことになった」

能村は、いよいよ出港だなと思った。呉から内海西部の三田尻沖へ移動するのは、出撃の際に豊後《ぶんご》水道を一気に南下するためだった。佐世保への水路は下関《しものせき》海峡が近いが、水深は一〇メートルと浅い。巨艦「大和」には坐礁《ざしょう》の懸念もあったし、米軍の機雷に触れる危険も大きかった。

自由上陸から帰艦の最終は日出四五分前だった。能村は毎日、遅刻者の出るのを心配して、第一上陸場まで出た。

桟橋は灯火管制下で、顔も姿も定かではないが、別れを惜しむ家族や親しい者たちで満ちていた。

「大和」の総員は三三三二名。伊藤司令長官、有賀艦長から十五、六歳の少年兵にいたるまで、ここには三三三二の「人生」が乗り合わせていた。実は、員数外のもう一人の「人生」も乗っていたのだが、能村は知らなかった。このときの能村は、乗組員たちが二十五日から四日間にわたる上陸を、各自満喫してきただろうかと思っていた。

上陸の数日前、分隊長を通じて各分隊に次のような指示を与えた。

「長男である者、または、自分が一家の中心とならねばならない事情をもつ者は申告せよ」

ほとんどの者が、「後顧の憂いなし」と記した。

最後の上陸にはまた、各人各様の人生がかいま見られた。

能村は新婚早々の司令部付軍医長石塚一貫の話を聞いていた。十八歳の新婚の妻は遠路呉まで駆けつけ、旅館で待っていた。しかし、石塚軍医長は自分の上陸時間に折あしく盲腸炎患者が発生、急遽《きゅうきょ》その手術を行なわねばならなかった。事情を話せば代わってくれる者もいただろうに、能村がその話を人伝てに耳にしたのは出港後だった。

一一分隊電探《レーダー》の正木雄荘《ゆうそう》の母あや子は、三月二十五日が日曜日だったので息子に面会ができるかもしれないと、好物の牡蠣《かき》飯《めし》をこしらえて呉へ行った。呉線矢野駅から呉までは四〇分ほどだった。

正木は昭和五年生まれの少年兵である。「大和」には昭和十九年十二月に乗った。家への手紙には、楽しくやっているから心配しないように、面会は来なくてよいですと、かならず末尾に書かれていた。六人兄妹の次男である正木の下には、小さな弟妹がいた。行ってやりたいと思いながらも、面会はこれが初めてだった。一緒に食べようと牡蠣飯を重箱に詰めて呉に行った。ちょうどその日が上陸日だった正木は、家へ向かっていた。入れ違いで呉に着いた母は、どうやったら息子に会えるかとうろうろ探しまわったが、ついに息子に会えずじまいだった。安宿でまんじりともできずにいた。その晩から雪が降りはじめ、三月も終わりなのにこんなに寒くてとうつらうつら思いながら眠れぬまま夜明けを迎えた。藤沢の海軍電測学校の入学式に十四歳の息子について行ったときの光景が思い浮んだ。あたりはいちめんの麦畑だった。麦畑に息子はすっぽり隠れてしまうほど小さかった。

翌朝早く、持ってきた牡蠣飯の重箱を抱え、矢野に戻った。家で待っていた子供たちは久しぶりの御馳走《ごちそう》に不思議がりながら、歓声をあげて食べた。

「雄ちゃんに食べさせようと思ったんに」

正木の母は牡蠣飯を一口も口にせず、これっきり会えなかったらどうしようと思った。

三月二十六日の朝が大雪になったことを、八杉康夫の母も、鮮明に記憶している。

八杉の上陸は、二十五日の午後から翌二十六日にかけてだった。二十五日の晩、桟橋から歩いて七、八分の堺川通り一丁目の旅館「紅葉館」で母と面会した。常宿の「紅葉館」

では母のまきえと二人で夕食を摂った。すでに外食券でなければ食事のできない時勢だったが、士官が出入りするこの旅館に、八杉の家から油や米などを送っていたため、旅館では特別扱いだった。すでに両親は、八杉が「ウの五五六」に乗っていることを知っていた。「大和」の機密保持のため、手紙も「呉鎮守府気付ウの五五六」とされ、この呼び名か、もしくは「有賀部隊」と言うように厳命されていた。

一月に八杉が両親と面会したとき、

「おまえ、大和に乗っとんのか」

と言われ、びっくりした覚えがある。だれにも喋《しゃべ》っていないのにどうして知ったのかと聞くと、八杉がいた九州の佐伯《さいき》防備隊に出した小包が福山の実家へ返送されたとき、それとわかったと言った。小包には寒がりやの八杉のために特別に手に入れたカシミヤのセーターを入れておいた。返送してくれたのは、八杉をかわいがってくれていた先任下士官の有田留一上曹だった。

母のまきえは返送されてきた小包の二か所ほどが破れ、破れた上に別の紙が貼《は》られていたので剝《は》がしてみた。すると、剝がした紙の下に「大和」と書いてあった。それを見てまきえは、八杉が小包と入れ違いに転任したらしいと知った。

そのとき八杉の母と祖母は呉の海兵団へ駆けつけた。祖母は初孫の康夫を溺愛《できあい》していたので、わずかのちがいで海兵団付から「大和」に移ったことを知り、へたへたとその場に

崩れ落ちそうになるほど落胆した。海兵団の人は、

「おばあさん、心配ありませんよ。この人の乗られたフネは、絶対に大丈夫です。もしものことがあったときは、日本の国が揺らぐようなフネですから、安心して帰ってください」

と言った。艦名はむろん教えなかったが、まきえにはわかっていた。

八杉には、この三月二十五日に母とどうして面会ができたか記憶が定かでない。まきえはこの日が日曜日なので、正木の母と同様に面会できるかもしれないと駆けつけたのか、それとも知り合いの呉市の奥迫《おくさこ》豆腐店で聞いたのか、今もって不思議でならない。

日付は明確ではないが、八杉は「大和」が呉に停泊中、一度上陸している。このとき、八杉は奥迫豆腐店に行き、市外電話を頼んだ。当時、父の正夫は、豆腐組合の役員をしていたので、奥迫の家では日ごろから連絡先に使ってくれと言ってくれていた。

電話は共用で野外の屋根付きの場所にあった。奥迫の家の人が電話をかけ、福山局を呼び出してくれた。

このとき、八杉は電話口に出た父に、

「いろいろお世話になりました。近々前線へ出撃します。長い間、お世話になりました」

と言った。十七歳の八杉は自分でも意外なほど冷静に言えた。父が大声で、

「おーい、康夫からの電話じゃ、みんな、早《はよ》うこい」

家族を呼んでいる声がよく聞こえた。

母、弟、妹、そして、当時同居していた母の妹まで交代で電話にでた。

母のまきえはたった一言、

「元気でな、体に気をつけてな」

その声は、いつもと変わらなかった。夜の八時ごろだった記憶がある。八杉は家族の一人一人と電話でお別れをした。

まきえが旅館に着いたときは、まだ八杉は来ていなかった。旅館では防空壕に近い部屋を取ってくれ、数日前に呉でも空襲があったと言った。

当時、福山から呉までは、列車で約三時間であった。乗車券は知り合いの福山の警察の司法主任が手配してくれた。

夜になって着いた八杉は、母のまきえが家から持参したタケノコの煮つけや好物の金時豆を黙々と食べた。

二十六日の早朝、目を覚ました八杉に母が大雪だと告げた。

窓から外を見ると、呉の街は一面の雪だった。外はまだ暗く、雪の白さが鮮烈だった。入湯《にゅうとう》上陸の場合はふつう朝食までに帰艦すればよいのだが、このときは黎明《れいめい》時の襲撃を危惧《きぐ》し、早く戻らねばならなかった。

八杉は母と別れ、第一上陸場へ走った。これが自分の踏む最後の祖国の土かもしれない

と思いながら、雪道を急いだ。桟橋にも雪が積もっていた。桟橋で佐伯防備隊から一緒に転勤した上水の森幸夫が、

「大和は、どこやねん」

関西弁で何度か聞いていた。「大和」のランチはどこかと訊ねたのだが、そばで下士官が聞きつけ、

「このやろう」

とけわしい表情で睨《にら》みつけた。「有賀部隊」と言わねばならぬことになっていたからである。

早朝の呉の街は一面の雪におおわれ、冷え冷えと眠っていた。

「大和」に戻った八杉を追うようにして手袋が届けられた。茶色に横線の入った手袋は、母のまきえが福山から寒がりの息子のために持ってきたものだった。二十五日の朝から、急激な寒波が訪れていた。

八杉の母は、第一上陸場に走った。モンペ姿に下駄を履いていたので歯の間に雪がつまって走りにくかった。桟橋まで来ると、

「ウの五五六の人はいませんか」

通りすがりの兵隊をつかまえては声をかけ、託したのだった。

まきえが家へ戻ると、福山市内も大雪だった。家への道を歩いていると、

「あんた、ようこの大雪の中、戻って来ちゃったなあ」

知人が言った。

福山には陸軍の部隊と海軍の航空隊があった。八杉の家では陸軍へ豆腐を納入していた。陸軍の兵隊も、海軍の飛行機乗りも、よく八杉の家に遊びにきていた。八杉の父が出征した息子の分もと若い者たちをかわいがっていたので、彼らは「お父さん」と呼んで親しんだ。

大津野の海軍航空隊にいた高橋という飛行科の上等兵曹が来て、

「私らが飛行機で大和を警戒しよりますから、どこにいるか見て来ますよ」

八杉の母に言った。それで、母のまきえは、

「あんたらも出撃するんじゃ、今夜は送別会しようね。康夫もひとつ仲間へ入れてやってな」

息子の写真を食卓に立て、その晩、まきえは航空隊の隊員たちの送別会をした。

2

四日間にわたる全乗組員交代での自由上陸も終え、「大和」は出港した。秘密裡の出港だったが、呉軍港に在泊していた艦船の乗組員たちは甲板に集まり、帽子を打ち振って見送った。

「帽振れ」は出港時における慣例の挨拶《あいさつ》だが、艦隊出撃を知らされている「大和」乗組員の気持は一入《ひとしお》だった。

工作科の森川時巳《ときみ》のように七日前の三月二十一日に柱島で急遽乗組みを命じられた兵隊もいる。このとき森川工作兵と一緒に乗艦したのは三人だった。

総員三三三二名を乗せた「大和」は、軍港の沖を大きく迂回《うかい》すると、三田尻沖に向かって速力をしだいに増した。

甲板に立っていた副長の能村次郎は、無事出港できたことに満足していた。出撃に際し、能村は未帰艦者の有無を何度も確かめた。今朝も八時三十分に、最終便の内火艇を第一上陸場に向かわせ、未帰艦者の有無を確認させ、未帰艦者、残留者なしの報告を受けていた。しかし、上陸札のない乗組員が一名まぎれ込んでいたことを、前述したように能村は知らなかった。

レイテ沖海戦で片目を失い、水葬寸前のところを救われ、シンガポールの一〇一海軍病院へ送られた内田貢だった。

内田は、レイテ沖海戦で負傷した「大和」の重軽傷者一二〇余名と一緒にシンガポールの海軍病院に運ばれた。重傷者の中には片足切断の宮武正一もいた。

昭和十九年十一月末ごろ、内田や宮武たち重傷者はシンガポールのセレターの波止場から病院船「第二氷川《ひかわ》丸」で内地へ向かった。

波止場には担架で運ばれる内田を見送るため、同じ病院に入院していた高角砲二番砲手の杉浦喜久男がつきそってきた。

「さびしいなア、もうこれが最後かなあ」

杉浦は心細そうな声で言った。

杉浦喜久男は、昭和十八年の志願兵で、「大和」にはその年の七月から乗っていた。内田と同じ三重県四日市の出身だった。

「大和」では三重県出身者の県人会があったので、内田は町も同じ杉浦に何かにつけて目をかけていた。

内田は、この杉浦が新兵時分、呉へやって来た母親との面会に特別な便宜をはかってやったことがある。あるとき、杉浦が、

「おふくろが呉へ来ているのだが……」

と内田に打ち明けた。杉浦はまだ十八歳の新兵。内田は母親と面会させてやりたかった。そこで、杉浦を柔道部員にしたて、部員上陸の名目で一緒につきそって上陸した。杉浦の母は、旅館で待っていた。

帰り際になって、杉浦は靴がないと真っ青になった。それを聞きつけ、杉浦の母親はおろおろした。

内田は杉浦の母が心臓が悪いのをおして息子に会いにきたのを知っていた。

とっさに、

「おまえ、なにいうとる。靴、あるやないか」

内田の指さした軍靴は、杉浦のものではなかった。杉浦よりずっと寸法の大きな内田の軍靴だった。

「お母さん、靴あったから心配せんでください」

内田の声に、杉浦の母親は安心したようだった。

内田は灯火管制の夜道を黒い靴下のまま歩いて帰った。途中、衛兵のいる衛門では暗がりだからわからんと思い、平然と敬礼して通った。ところが、衛兵は目ざとく内田の足元に気がついた。

「おい、ちょっと待て！　おまえ、靴はどうした」

内田は旅館で盗まれたと言ったが、

「盗まれたとは、なんだ」

衛兵は顔色を変えて怒鳴った。内田は最終便のランチにぎりぎりの時間なので焦った。乗り遅れると明朝まで便がないし、大事《おおごと》になる。

「衛兵長を呼んでください」

内田は言った。衛兵は横柄な奴だと思ったが衛兵長を呼んだ。内田は衛兵長とは部員上陸の折など、部員用の陸揚げの糧食を渡したりして親しくしていた。

「内田、おまえ、何しておるんや」

衛兵長は来るなり、言った。

「いや、実は靴を紛失してしまって……」

「そうか、早う行かないかんな」

衛兵長のお目こぼしで、内田はようやく最終便のランチに間に合ったのだ。

別れ際、杉浦が小さな声で言った。

「わしがこんな目に遭うて病院に入っとること、母親に言わんでください」

内田は「うん、うん」とうなずいた。内田には杉浦の気持が痛いほどよくわかった。彼もまたレイテ沖海戦で露天甲板に叩きつけられたとき、駆けよった友達に最初に告げたのは、

「わしが死んでも、おふくろには爆弾が落ちたとは言わんといてな」

内田はもう自分は死ぬと思って、そう言った。しかし、内田は死ななかった。

「第二氷川丸」の病室は畳敷きだった。内田は寝たきりで内地に着いた。呉の海軍病院へ行くものと思ったのに、行く先は横須賀だった。

シンガポールから遠ざかるにつれ、しだいに寒くなってきたが、白衣に毛布一枚が与えられただけだった。横須賀海軍病院から、昭和二十年の正月には大津日赤病院に移された。

内田の記憶では松の内だった気がする。大津日赤病院には、四日市から母と妹が面会にきた。内田に食べさせようと、母親は砂糖を工面してボタモチをこしらえて持ってきた。病院の患者下士官はボタモチを一つ一つ点検し、取りあげた。

内田はそれでも面会させてくれるのだからと、

「ありがとうございます、ありがとうございます」

二度言って頭を下げた。頸動脈《けいどうみゃく》に弾丸の破片が突きささったままだったので、まだ声はかすれていた。

しばらく黙っていた下士官は、

「面会は規則により許可するわけにはいかん」

にべもなかった。この下士官は応召兵上がりだった。

内田の顔色がみるみる変わった。

「ほな、なんで肉親の持ってきたボタモチを食べたりするんや」

内田は喰ってかかった。

「貴様、文句があるか。会わさんといったら会わさん」

内田はいきなり松葉杖《まつばづえ》でその下士官をどついた。どついて、ひっくり返し、殴った。

その物音を聞きつけ、母親が病室へ駆け込んだ。

「みっちゃん、やめて、やめんさい」

母親は狂ったように暴れだした内田を止めた。

翌日の朝食のあと、内田は病院の事務所へ呼びだされた。おまえは事故退院だ、と言われた。体《てい》のいい罰直だった。二週間足らずで大津日赤病院を追い出された。

一月十二日だった。内田はその日付を、はっきり覚えている。その日退院したのは八人で、内田ひとりが正式退院ではなかった。八人の中に古参の下士官が一人いた。

大津駅の寒いホームに立ったとき、その下士官が、

「おまえら、家へ帰りたいだろう」

と言った。

「はい、帰りたいです」

内田が答えると、

「よし、それじゃ十五日の昼までに集会所へ帰ってこい。なに、書類の十二日を十四日に直せばよいわな」

内田は大津駅からそのまま、四日市の実家へ帰った。母親は眼帯をして松葉杖の内田が帰ってきたのを見ると、びっくりした。昨日の今日のことだから、息子が病院を脱走したのだと思った。

内田は十五日に呉海兵団へ戻った。衛兵が内田の顔を見て、ニタッと笑った。

「貴様、役者だな」

内田は最初、なんのことかわからなかった。

大津日赤病院からの書類は十二日付で退院となって、すでに呉鎮守府宛てに送られてきていたのだ。

そこに、呉鎮守府の顔見知りの士官が走ってきて、

「おまえ、えらいことやったそうだな」

と言った。しかし、このときはなぜか罰直はなかった。普通だったら大変な罰直を受けるはずだった。内田も意外だったが、ほかの者たちはもっと驚いたろう。

そのあと、内田は呉の山の手にある呉海軍病院へ入院させられた。

内田が入院して間もなく、一人の兵隊が担架で運ばれてきた。負傷兵は内田のベッドのすぐ下に置かれた。内田はかすれた声で、その兵隊に声をかけた。彼のもう片方の眼も視力が落ち、霞《かす》んできていた。

「わたくしは海軍一等兵の内田紋次郎です」

内田は、びっくりした。

「おい、もう一度、いわんか」

同じ返答がかえってきた。

その兵隊は、弟の紋次郎だった。

「紋次郎か、おまえ、どこやられた」

弟は手と足を怪我し、ギプスをはめていると言った。巡洋艦「八雲」に乗っていてやられたのだった。

内田の横のベッドには上等兵曹が寝ていた。このとき内田は二等兵曹だった。内田はその上等兵曹に、これは、わしの弟だ、ベッドを代わってもらえんかと頼んだ。上等兵曹は内田の必死の剣幕におそれをなしたのか、文句も言わずベッドをあけた。

内田は、あのレイテ沖海戦での安原兄弟の対面を思い出していたのかもしれない。病室に入った途端、兵隊であることも忘れ、

「兄さん、死なんでくれーっ」

と兄の体にすがりついていた主計科の新兵、安原武のあのときの姿を思い浮かべていたのだろう。

しかし、その翌朝になると途端に内田の態度は変わった。病院でも起床ラッパで起きる日課は変わらない。

内田は弟を起こしたが、兄のそばで安心したのか疲れたと言って寝たままだった。内田は弟の毛布を剝《は》いだ。

「紋次郎、何しとる。足やられたぐらいでへこたれんな。立て！」

出ない声を張りあげて怒っている兄を見て、弟はびっくりして立ち上がった。

この弟が、ある日、内田に言ったことがある。

「兄貴のこと、他の兵隊がなんて言っとるか、知ってるか。もうやめてくれ、兄貴の悪口をみんな言っとる」

内田と紋次郎とが実の兄弟とは知らず、まともに弟の耳に悪口が入ってくるらしい。

「なんや、何を言うとる」

「兄貴、なんで髪を刈らんの？　髪伸ばすのやめてくれよ」

海軍では長髪がいけない、という規則はなかったが、士官は別として、髪を伸ばしている兵隊はいなかった。

海軍経理学校の教官になったある主計大尉など、教官もすべて丸坊主になれという達しに反発して、一人だけ髪を切らないままにしていると、考課表に丙《へい》をつけられたという。

「大和」で内田が髪をオールバックにしていたのは、そうした風潮への反逆というより、彼自身の好みに正直だったからといえよう。

内田は香水も好きだった。海軍ではハイカラな気風があって、香水を使っている者は少なくなかった。マリアナ沖海戦で初陣の若い士官が、昔の武将が出陣のときに鎧兜《よろいかぶと》に香をたき込めたひそみにならい、ガンルーム（第一士官次室）で帽子に香水をふったという話もある。艦から上陸するときは、新兵も折目のあるきちんとした服を着た。ブラシはどんなときも手放さなかった。

内田は艦内ではあまりつけなかったが、上陸時には香水を欠かさなかった。かすかな匂《にお》いなので気づかぬ者もいたが、内田は自分の香りを楽しんでいた。

上陸したときは化粧品屋で香水を買うのが楽しみだった。シンガポールではシャネルの5番を買った。上陸のとき危険だといわれていた対岸のジョホールの路地の奥へ入って、香水を買ったこともある。

内田は呉海軍病院で寝ている間も、山本五十六《いそろく》長官からもらった茶掛と短剣が気になってならなかった。とくに、「五十六」と鞘《さや》に銘の彫られてある短剣は、いまとなっては長官その人のように思えた。負傷し、病院を転々としていた間もいつも内田の心から離れなかった。

三月中旬ごろ、「大和」の柔道仲間だった角野《かどの》が見舞いに来た。角野は内田の衣嚢《いのう》を持ってきてくれると、

「内田、えろう盗まれとるのォ」

気の毒そうな表情で言った。

内田は小さく萎《しぼ》んで見るかげもない衣嚢を、なんとも情けない顔つきで眺めた。

意外だったのは、衣嚢の底に紙にくるんで入れてあった黒砂糖の塊が盗られずに残っていたことである。ぼろ紙と思い、そのままにしておいたのかもしれない。

「内田、フネが出るらしいぞ」

角野がなにげない調子で言った。角野はこのころ、「大和」を退艦していた。

「また、柱島泊地か」

「わからん」

角野も詳しくは知らないようだった。

角野が帰ったあと、内田は黒砂糖の塊をぼんやり眺めていた。休暇で四日市の実家に戻ったとき、おふくろに食べさせてやりたいと口に入れず、大事に衣嚢にしまい込んでいた黒砂糖だった。

内田は「大和」が出航するらしいと聞いて、そうや、短剣と茶掛をチェスト（ロッカー）に入れとったと思った。レイテ沖海戦前、可燃物などは陸揚げしたが、内田は「大和」より安心な場所はないとそのままにしていた。山本長官の短剣は、自分のそばから離さず守り札のように思っていたから、布に巻いてチェストに入れておいた。

だが、白衣を着たまま「大和」へ戻るわけにはいかない。何とか軍服を手に入れたいと思った。呉の街へ行けば、古着屋に海軍の軍服はいくらでも売っている。白衣で病院を抜け出すわけにもいかないし、大体、お金を持っていない。柔道部員で金に困ったことのなかった内田は、金を持ってないのが情けなかった。病院の中で調達するより他にない。

内田は三月二十八日の早朝、呉海軍病院を脱走した。軍服と外套《がいとう》は手に入れていた。持ち主はだれかわからないが、黙って拝借することにした。衛生兵のもので等級マークの錨《いかり》の上の桜は赤い色。長身で大柄の内田には少し窮屈だった。

呉海軍病院から上陸栈橋まではかなり距離があった。弾の破片の残っている足が痛かった。激痛が走った。病院では松葉杖をついて歩いていたのだから無理もなかった。それでも衛兵の前を通るときは、姿勢をしゃんとして歩いた。

「ビッコでもひこうもんなら、衛兵に呼びとめられるもんな」

内田は自分に言い聞かせた。普通の兵隊のように歩いていれば、咎《とが》められることはあるまい。その日は、寒かった。

栈橋に着いた。第一上陸場の一五畳ほどの広さの待合室に入った。そこは、いくらか暖かかった。

だれもまだいなかった。待合室の隅のベンチに横になった。横になって少し体が暖まると眠気がさした。つい、うとうとしていた内田は人の声で目を覚ました。兵隊たちが大勢待合室にきてランチを待っているようだった。待合室の窓から栈橋を見ると、内火艇が出たり入ったりしている。ランチも頻繁に発着し、人が乗ったり、下りたりしている。内田は十数人固まっている兵隊たちを見た。各自、手に何か荷物を持っている。手ぶらでまずいかな、と思った。

眼帯にマスクの内田はランチに乗り込んだ。内田を怪しむ者はいないようだった。内田は、自分はツイていると思った。衛門でも第一上陸場でも不審の眼を向ける者はいなかった。混雑していたこともあるが、いつもの上陸とは違い、他人に関心をはらう余裕はなかったからだろう。衛門哨兵《しょうへい》も出撃を知ってかいつもの厳しさは見せなかったのだが、内田にはそうした事情はわからなかった。ランチの中で泣いている兵隊がいたが、内田はなぜ泣いているのか不思議だった。

舷門《げんもん》に入ると、四角な一畳半ぐらいのテーブルの上に上陸札が横に並べてある。内田には上陸札がない。内田は顔見知りの鬼頭光吉兵曹が立っているので、ほっとした。

「鬼頭兵曹」

小声で声をかけた。鬼頭は怪訝な顔をして面相の変わった内田を見たが、早く向こうへ行っとれと目配せをした。内田はちょっと会釈し、歩いていった。鬼頭は小走りに内田のほうへ来ると、

「おまえ、生きとったんか。わし、もうあかんと思っていた」

鬼頭は内田を片隅に引っぱって行った。

「おまえ、なんでこんなところに……」

鬼頭は咎めるというより、当惑した表情だった。

「とにかく、こっちにこい」

鬼頭は内田を隠すように引っぱった。二人は、最下甲板の「電線通路」に行った。

「わしなあ、山本長官から短剣と茶掛をもろうとったろう」

「ああ、そんなことあったんか」

「あれ、取りにきたんや。わしのチェストを捜してきて欲しいんや。あん中に短剣と茶掛が入っとる」

「おまえ……」

鬼頭は呆《あき》れた顔をした。

「そんなことのために……おまえ、よう、やるよ」

鬼頭は「電線通路」に内田を残すと、チェストへ行ってくれた。どれくらい時間が経ったか、時計をもっていない内田にはわからない。

鬼頭光吉は昭和十六年後期の兵隊で、小柄だったが、声のいい、よく透る発声をした。「大和」に乗って三年余、ずっと伝令だった。「ホーヒー、ヒーホ」と号笛《ごうてき》を鳴らし艦内を走っていたので、艦の内情にもくわしかった。

やがて、鬼頭が唐木正秋を連れてきた。

「内田、生きとったか、足あるな」

唐木は内田を驚いて見ていた。

「内田、おまえの名前あらへんがな。チェストの名前、別の者になっとる」

鬼頭が言った。

内田は思わず、へたへたとその場に崩れた。チェストの名前が変わっているとは、思ってもみなかった。内田は「大和」の退艦命令を受けていなかった。自分のチェストはまだそのままあると思い込んでいた。

「わし、どないしたらいいんよ」

内田は口をきく気力もなくなり、うめいた。

3

三月二十八日の夕刻、出航した「大和」は、三田尻沖に錨をおろした。

日没前、「総員集合」がかけられ、前甲板に集まった乗組員たちを前に、有賀幸作艦長は「天」一号作戦の目的と「大和」の使命を述べ、

「乗員各員は捨身必殺の攻撃精神を発揮し、日本海軍最後の艦隊として全国民の輿望《よぼう》にこたえるべく、総員は奮起されたし」

と結んだ。

三笠逸男は、号令台下で分隊の先頭に立って訥々《とつとつ》と語る有賀艦長を見ていた。有賀艦長が「大和」の五代目艦長として十一月に着任したときのことを三笠は思いだした。雨まじりの曇った寒い日だった。初訓示で、

「私は大和艦長の辞令をうけてすぐ、東京二重橋前にぬかずき、皇居を拝し、この重大な職務に一切をなげ捨て、ご奉公する決意をお誓いしてきた」

と語った。

三笠は艦長の訓示を聞きながら、早晩訪れると予想していた時が、ついに来たのだと思っていた。出撃の日時は後令とのことで、艦長の訓示も短かった。

前甲板は、戦闘服姿の乗組員たちで埋まっていた。

日はすでに、三田尻沖の島陰に傾いていた。

艦長につづき能村次郎副長が、艦内閉鎖や出撃までの訓練の方針などについて喋《しゃべ》った。

艦内閉鎖とは、戦闘開始に備えて火災や浸水の予防のために通路のハッチや各室の鉄扉をすべて閉鎖することである。

総員集合は、終わった。乗組員たちは駆け足で各自の分隊へと散った。

しかし、三笠たち乗組員はもとより、伊藤整一第二艦隊司令長官や有賀艦長さえ予想をしていなかった「大和」の運命を変えるドラマが起きていた。

この日、軍令部総長及川古志郎《おいかわこしろう》は、皇居に参内し、南西諸島方面の戦況を奏上した際に、天皇陛下より次のようなお言葉を賜わった。

「天一号作戦ハ帝国安危ノ決スルトコロ、挙軍奮励モッテソノ目的達成ニ違算ナカラシメヨ」

及川軍令部総長は、飛行機をもって特攻作戦を展開する旨を奏上、これに対し天皇陛下より重ねて、

「海軍ニハモウ艦《ふね》ハナイノカ、海上部隊ハナイノカ」

　とのご下問があったという。

　及川軍令部総長の報告を受けた豊田副武《とよだそえむ》連合艦隊司令長官は、ただちに「天」一号作戦部隊に対し、緊急電報を発した。

「畏《おそ》レ多キ御言葉ヲ拝シ、恐懼《きょうく》ニ堪ヘズ、臣《しん》副武以下全将兵殲《せん》死《し》奮戦誓ツテ聖慮ヲ安ンジ奉リ、靭強執拗《じんきょうしつよう》飽ク迄《まで》天一号作戦ノ完遂ヲ期スベシ」

　宇垣纏の『戦藻録』には、それに関わる次の記述がある。

「抑々茲《そもそもここ》に至れる主因は軍令部総長奏上の際航空部隊丈《だけ》の総攻撃なるやの御下問に対し海軍の全兵力を使用致すと奉答せるに在りと伝ふ。帷幄《いあく》に在りて籌画補翼《ちゅうかくほよく》の任にある総長の責任蓋《けだ》し軽しとせざるなり」

　宇垣のこの日記は、四月七日に記されている。「大和」をはじめとする第二艦隊（第一遊撃部隊）が米軍の航空攻撃によって全滅した日である。

　四月一日、米軍は沖縄本島に上陸した。その日夕刻には北・中の飛行場は米軍に占領された。米軍の航空基地占領を封止するため、陸海軍中央部からは沖縄守備の陸軍部隊第三二軍（牛島満《みつる》中将）に対し、即刻の攻撃を要望した。第三二軍の攻撃開始は四月八日とされた。その総攻撃に呼応し、豊田副武連合艦隊司令長官より第二艦隊に「菊水」一号作戦が指示され、さらに四月五日の午後一時五十九分、海上特攻準備に関する次の命令が発せられた。

GF（連合艦隊）電令作第六〇三号

「第一遊撃部隊（大和、第二水雷戦隊〈矢矧《やはぎ》及駆逐艦六〉）ハ海上特攻トシテ八日黎明沖縄ニ突入ヲ目途トシ急遽出撃準備ヲ完成スベシ」

四月五日のこの時点では、駆逐艦は六隻だったが、第一遊撃部隊の要請で八隻になった。

つづいて午後三時、連合艦隊司令部は、次の出撃命令を発した。

GF電令作第六一一号

「海上特攻隊ハY―1日黎明時豊後水道出撃、Y日黎明時沖縄西方海面ニ突入、敵水上艦艇並ニ輸送船団ヲ攻撃撃滅スベシ。Y日ヲ八日トス」

そして、第一遊撃部隊の編成が、次の通り定められた。

第二艦隊　司令長官　伊藤整一中将

旗艦戦艦「大和」及ビ第二水雷戦隊九隻

第二水雷戦隊　司令官　古村啓蔵少将

旗艦巡洋艦「矢矧」

第四一駆逐隊「冬月」、「涼月《すずつき》」

第一七駆逐隊「磯風《いそかぜ》」、「浜風《はまかぜ》」、「雪風《ゆきかぜ》」

第二一駆逐隊「朝霜《あさしも》」、「霞《かすみ》」、「初霜《はつしも》」

第二水雷戦隊司令官古村啓蔵は、のちに私記『沖縄海上特攻作戦』で、

「突如伊藤第二艦隊司令長官以下六千八百余名の将士に沖縄海上特攻準備命令は下令され、問答無用とばかり、一時間一分後の午後三時、本命令は下ったのである」

と書いている。

古村啓蔵は第二艦隊司令部参謀長となった先の四代目「大和」艦長森下信衛と、五代目艦長有賀幸作とは、海兵同期である。とくに、有賀とは同郷だった。

二月末から三月中旬にかけ、古村の第二水雷戦隊は「大和」とともに瀬戸内海西部で訓練を行なっていたが、毎日午前、午後の二回B29が偵察に来た。高角砲の届かない高々度からの艦隊行動の監視だった。そのころ、有賀艦長は、

「燃料不足で、大和の主砲の訓練まで制限せねばならんのはよわった」

と古村にこぼした。

「猛訓練の好きな貴様も、青菜に塩だな」

古村は、笑って言ったものだった。

第二水雷戦隊の旗艦を軽巡「矢矧」に定めた古村は、「矢矧」の二二〇号電探《レーダー》が旧式で能力の劣るため、新式に取り換えてほしいと呉工廠長に要請している。しかし、特攻兵器

（回天《かいてん》、蛟龍《こうりゅう》、海龍《かいりゅう》、震洋《しんよう》等）の生産順序が第一順位で、巡洋艦の整備は第七順位であたると、取り上げてもらえなかった。

古村は、米軍の攻撃は沖縄であろうと推察していた。そのときは残存海上兵力の全力をあげねばならないはずである。当然「大和」とともに第二水雷戦隊の突入作戦はあるものと判断し、艦の整備に全力を尽くそうとしていた。そこで、原為一「矢矧」艦長を東京に出張させ、艦政本部や電波本部にも同じ訴えをしたが、そこでも断わられている。

そうした状況から、古村は軍令部の作戦当局が戦艦および巡洋艦の出動を急に発令することはありえないと思っていた。

「われわれ生き残りの艦隊将士は既に一死奉公の覚悟はしていたものの、死地に乗り込む艦艇は、緩急順序第七だといって、整備もろくろくやってくれなかったのに、準備命令から一時間一分で、本命令は下されたのである。しかも燃料は片道だけというのでは、一寸小馬鹿にされたような不満な感情が涌《わ》くのも当然である。中央には軍令部も海軍省も艦政本部もある。第二艦隊を特攻として沖縄に突入させるならば十分、その準備をさせてもらいたかった」

と、古村は鬱憤《うっぷん》を洩《も》らしている。

しかし、古村にも第二艦隊の「海上特攻隊」の編成および作戦準備自体が、「畏レ多キ御言葉ヲ拝シ、恐懼ニ堪ヘズ」とその活用を焦り、軍令部総長および連合艦隊司令長官が急ぎ出撃命令を下した経緯《いきさつ》は想像もつかぬことだった。

有賀幸作艦長より副長の能村次郎が、特攻出撃の命令書の写しを見せられたのは、四月五日の午後三時を過ぎたころだった。

その日、能村が艦内作業の見まわりを終えて最上甲板の主砲第一砲塔右舷《みぎげん》で休んでいると、通称艦長ハッチから、有賀艦長が出て来た。能村の前へ来ると、無言で一枚の紙を差しだした。能村は姿勢を正し、その紙に目を通した。

「発連合艦隊司令長官
宛第二艦隊司令長官
第二艦隊『大和』以下ハ、水上特別攻撃隊トシ、沖縄ノ敵泊地ニ突入シ、所在ノ敵輸送船団ヲ攻撃撃滅スベシ」

司令部暗号班が受信翻訳した電報命令であった。

「命令の内容は、われわれを死地に導く冷厳深刻なものであった。一瞬心の中では『やっぱり沖縄か、いよいよきたるべきものが来たな』と思ったものの、急にはその感覚がわかず、反射的にいつもの通り、命令に対する処置をまず考えた」

と能村は、『慟哭《どうこく》の海』の中で記述している。

能村は、主砲第一砲塔と第二砲塔の間にある装甲された円形のボックスから、マイクを取り出した。

「准士官以上集合、第一砲塔右舷、急げ」

副砲長の清水芳人が、前甲板に駆けつけたときは、まだ、だれも集まっていなかった。副長は艦長から渡された命令書の写しを見せてくれた。「水上特別攻撃隊」という文字を見て、一瞬、目の中を射られたような気がした。清水は昭和十九年十二月一日付で「大和」に着任した。その前は巡洋艦「阿武隈《あぶくま》」の砲術長である。「阿武隈」はレイテ沖海戦のとき米軍の爆撃を受けて沈没したが、清水は二時間余り漂流し、駆逐艦に救助されて内地に帰還した。疲労の回復する暇もなく、「大和」に乗り込んだ。

清水芳人はこれまでも、出撃のたびに、死を覚悟している軍人として、生きて帰るなど考えてもみなかった。一方では、どのような熾烈《しれつ》な戦闘でも「おれは、死なぬ」という感じもあった。しかし、このとき彼を一瞬名状しがたい心持にさせたのは、「特攻」ということになると確実に「死ぬ」という思いだった。清水のような歴戦の士にも、「特攻」としての出撃は初めてだった。しかし、すぐに、

「いよいよ来るべき時が来たのだ。部下と思いきりやってやろう」

という意気込みに切り替えていた。

准士官以上八〇余名が参集した。草色の戦闘服姿の者もいたし、作業服のまま走ってきた者もいた。艦長から連合艦隊の命令が伝達されると、副長から出港前になすべき作業の指示があり、五分足らずで終わった。

つづいて、能村はマイクの前へ行き、

「総員集合、前甲板」

を下令、総員を前甲板に集めた。

前甲板には、当直配置員を除いた手空き乗組員が整列した。


三番主砲右砲員長の奥谷美佐雄は、いよいよ沖縄方面への出撃のときがきたと思った。このところ、全員への自由上陸の許可や各個人の身上調査書の提出、私物の整理と今までにない命令、処置が次々となされていたので、心中ひそかに期するものはあった。

奥谷は三月二十六日の午後に上陸した。海軍下士官兵集会所の後方を少し登った所にある亀山神社へまず参拝した。彼は神社の受付で祈禱《きとう》料を払い、武運長久を祈った。それから、部下のために三二個のお守りを求めた。

彼の家は歩いて二〇分ほどの長迫町にあった。家には四月に出産予定の妻がいた。その夜は、妻と妻の両親も一緒に夕食を摂り、酒を飲んだ。奥谷はこれが最後の上陸になることはわかっていたが、妻には言わなかった。

有賀艦長は姿をあらわすと、臨時に設けられた壇上に立ち、全員の敬礼にこたえたあと、連合艦隊命令を読みあげた。

「特攻か、これで終わりだな」

奥谷は一瞬、身重の妻を思った。艦長の一言一言が深く胸にしみ入った。

一瞬、あたりは深閑としたようだった。

「出撃にあたり、いまさら改めて何も言うことはない。乗員各員が捨身の攻撃精神を発揮し、日本海軍最後の艦隊として、全国民の輿望にこたえるよう」

と結んだ。

短い訓示を終えると壇を降り、ひとり艦長室のハッチへと歩み去った。乗組員たちの視線は艦長の背中に注がれていた。

つづいて副長の能村が立ち、

「ただいま、艦長の読まれた艦隊命令の通り、その時が来た。日ごろの鍛練を十二分に発揮し、戦勢を挽回《ばんかい》する真の神風大和になりたいと思う」

副長の訓示はよどみがなく、威勢がよかった。

「解散」の令があり、各自がそれぞれの配置に戻った。各科各分隊に分かれ、科長、分隊長からの注意示達があった。ただちに各部が点検、最後の出撃準備作業に取りかかった。可燃物の処理のため輸送短艇を準備し、椅子《いす》、テーブルなど一切の陸揚げも決まった。私有物は下甲板に格納した。

その夜、奥谷は眠りにつくあいだ、奈良に住む老いた母のこと、生まれてくる子供のことなど思い浮かべた。母は氏神様へお参りしていると手紙に書いてよこした。どちらにしても沖縄特攻は決まってしまったし、覚悟もできていた。ただ、できれば、一目、生まれてくる子供の顔を見たかった。


十五歳の少年兵である正木雄荘の戦闘配置は電波探信儀である。当直配置員を置く必要がなかったので、全員集合した。有賀艦長の訓示を聞きながら、次男だし自分が死んでも家の者に迷惑をかけることもない、と気負っていた。死ぬことがこわいとも思わず、気持は少年ながら張りつめていた。少年だったから、純粋にそう思えた。

日没後の六時、

「酒保開け」

「各分隊、酒を受け取れ」

艦内スピーカーの声が流れた。

酒、ビールが各班にとどき、宴がはじまった。正木は酒、煙草には縁のない年齢だった。

「正木、甘いものもってきたぞ。煙草と交換しよう」

兵長がやってきた。

正木は居住区の隅に坐っていた。雑談するといっても、彼には周囲の兵隊との共通の話題もなかった。目立たないように、ただおとなしくしていた。「大和」で一番年少の兵だった。

正木は最後の上陸の日のことを思い浮かべた。汽車を降り、矢野の実家まで田圃《たんぼ》道を歩いて行った。チロチロと雪が降ってきて、寒かった。

「ただいま、帰りました」

家へ入ったが、だれもいない。小さな弟妹たちもいなかった。妙だな、と感じた。母が精一杯の御馳走をつくり、弟妹たちを知り合いに預けて自分と入れ違いに呉へ行ったことを知らなかった。どこかに出かけているのかとしばらく待ったが、母は戻ってこなかった。このとき正木は半舷上陸で、数時間の猶予しかなかった。フネへ帰る時刻が迫っていた。

正木はもう二度とこの家には戻れないな、と思った。

生家をあとに降る雪の中を呉へ向かった。「大和」の乗組員は、彼にはすべて兄貴か父親のように見えた。小さいときから負けず嫌いだった彼は、「大和」に乗ってからも、小柄ながら懸命だった。予定より早く呉の桟橋に着いた。がんばろう、とあらためて思った。

あの日は、灰ケ峰の頂にも雪が降っていたのか、空もどこも灰色にけむっていた。

〽腰のバンドにすがりつき

連れていきゃんせ　どこまでも
つれていくのは　やすけれど
女のせない　いくさ艦《ぶね》

四日前の四月一日付で海軍上等水兵になった二五ミリ機銃員の小林昌信は、居住区の床にケンパスを敷いた上に坐り、古参兵の唄《うた》を聞いていた。

小林は最後の上陸のとき、埼玉から面会にきてくれた両親と呉市内の下宿で会った。十八歳の小林は、両親の顔を見た途端に涙があふれそうになった。村の鎮守の森で別れてから、一〇か月が過ぎていた。

昭和十九年五月二十三日の早朝、小林は鎮守の森に集まってくれた村人たちの前で頰《ほお》を紅潮させて一席ぶった。

「本日は早朝より私の入団にさいし、村長さんをはじめ、皆々様にかくも盛大なお見送りをいただき、感謝感激であります。私も入団したあかつきには一意専心軍務に精励し……」

一気にそこまで喋《しゃべ》ると、小林はさすがに胸に突き上げるものを覚え、急いで結びの言葉をつけ加えた。

「では皆々様、元気でいってまいります」

小林が海軍に志願したころは、日本中で〝鬼畜米英〟〝撃《う》ちてし止《や》まん〟が叫ばれ、「一億一心」が唱えられていた。

小林は両親に自分が征《い》ったあとの村の変わりようや知人たちの近況をむさぼるように聞いた。娑婆《しゃば》の雰囲気が懐かしかった。

母親が配給の少ない砂糖を何回分もためてつくってくれたまんじゅうはうまかった。

別れ際に、小林は世界最大の戦艦「大和」に乗っていると一言だけ洩らした。間もなく出撃することは、「軍の機密」なので言えなかった。このまま出撃し、戦死すれば二度と両親に会えなくなる。いっそ、ありのままを話してしまいたい衝動にかられながらじっとこらえた。

数日後、小林は三田尻沖に仮泊中の「大和」で、海軍上等水兵を命じられた。両親との面会がこのあとなら、上等水兵の階級章をつけて喜ばすことができたのにと、残念だった。

「おい、次は小林、歌え」

土屋班長が指名した。

歌はオンチのほうだが、声を大きく張りあげてうたった。自分でもまるで歌になっていないと思ったが、みんな手拍子をとってくれた。日ごろから訓練また訓練で、起床から就寝まで緊張の連続の生活をくり返しているので仲間や上官たちと一緒になって騒げるのが嬉しかった。

だれもが、「特攻」のことは口に出さず、湯呑《ゆの》みについだ酒をくみ交わし、歌い踊りして騒いだ。酒の飲めない小林は、ようかんや長久飴《あめ》をかじっていた。

奥谷と同じ配置の三番主砲二番砲手の粟田《あわた》義明は、総員集合のときは当直配置員だったため、有賀艦長の訓示は聞いていなかった。そのあと梅村清松砲台長から、

「特攻というからには、生きて還ることはできないものと覚悟しなければならない。そのつもりで闘い抜いてほしい」

と涙を流しながら訓示されたのが、深く心に残った。死ぬのは怖ろしいとは思わなかった。生き残ることもつらいものだと思っていた。

日本が太平洋戦争に突入して間のない昭和十六年十二月二十四日、粟田の乗っていた駆逐艦「狭霧《さぎり》」は、ボルネオへ船団を護衛していく途中、敵潜水艦の魚雷一本で轟沈してしまった。海中に投げだされた粟田は、漂流中に救助された。「狭霧」には同じ村から乗った同年兵が二人いたが、戦死し、助かったのは粟田だけだった。内地へ送られると沈没を隠すため佐世保の奥に隔離され、しばらく軟禁同様の生活を強いられた。「大和」には十七年三月に乗艦、砲術学校高等科入学のために一時退艦したが、ふたたび十九年十二月末に乗った。

「大和」にまた乗れたときは、嬉しかった。世界一の戦艦という気持もあったが、山本五

十六司令長官の乗っていた艦という思いが強かった。粟田には山本長官が乗っていたころの「大和」が懐かしかった。山本長官は、ときたま通路で会ったときなど、一兵卒の敬礼に、若い士官などよりきちんと挙手の礼をかえしてくれた。昼食時に軍楽隊の奏《かな》でる演奏を聞くのも楽しみだった。あるとき、舷門の当直をしていると、宮さまが少尉候補生として乗ってきた。連合艦隊の司令長官が少尉候補生を鄭重《ていちょう》に出迎えている。このとき、粟田は山本長官が敬礼して出迎えるのを見ていた。久邇宮《くにのみや》殿下である。皇族だから当たり前といえたが、やはり納得できない気持だった。山本長官の戦死を聞いたときは、日本はもう駄目ではないかと思った。

粟田はふたたび「大和」に乗り組み、以前とは雰囲気が違ってしまったことに戸惑った。仲間たちの表情もどことなく暗かった。

「よろしくな、いろいろ頼むでぇ」

粟田が声をかけると、

「おまえ、どうして戻った。戻らんほうがよかったのに」

と言われた。仲間たちはこの日の来るのを知っていたのではないかと思った。

「酒保開け」の号令で始まった最後の宴に先立ち、砲塔に「お神酒《みき》」を供えた。

「死に場所だからな」

だれかが呟やいた。

酒は分隊長の奢《おご》りだった。

「みんなすまんが、命はわしにくれ」

分隊長が言った。

粟田は最後の上陸のときから、死は覚悟していた。呉には数か月前に結婚した妻が間借りしていた。同じ村の出身で従妹《いとこ》である。艦に戻る前、妻には内緒で遺書をしたため、仏壇の奥に入れてきた。


「遺書は書いたかね」

山口博通信長が穏やかな表情で、司令部通信参謀付の渡辺光男に声をかけた。

「まだ、書いてません。何か、書けなくって……」

「そうかね」

山口博通信長は強いてうながさなかった。通信科では、その夜遺書と遺髪を準備するよう指示していたが、渡辺は書かなかった。書けないというのが本当の気持だった。

渡辺には婚約者がいた。幼なじみで十九歳だった。

正月、婚約者が突然会いに来た。呉鎮守府の信号所から面会ありと手旗信号で連絡があり、内火艇で第一上陸場に着くと、防空頭巾《ずきん》にモンペ姿の婚約者がいた。その日は上陸日ではなかったが、元旦だったからか面会が許可された。「大和」に乗り組む前、渡辺は福岡の第一二連合航空隊司令部にいた。婚約者は博多《はかた》に面会に行き、そこで呉への転属を聞いたのだ。

「軍刀をもってきました」

軍刀が欲しいという渡辺の手紙を読み、婚約者は彼の両親と相談し徹夜で並んで切符を手に入れた。暮の二十八日に東京を出発した。途中、大井川の鉄橋が破壊されていたため、塩尻《しおじり》経由で名古屋に出た。博多からさらに呉へと向かったのである。

婚約者とは海軍病院の裏手にある小高い山を一時間ほど散歩しただけで別れた。別れ際に、腕時計を外して渡した。

渡辺はそのときのことを思いだし、もう婚約者との別れの挨拶は済んでいる、そう自分に言いきかせた。

呉での最後の上陸のときには、街の中心にある「グリーン」という店に行った。この店は上陸したとき青年士官が仲間と落ち合うために使っていた。彼は上陸すると、「グリーン」でコーヒーを飲み、本屋に立ち寄るのがコースだった。最後の上陸でもコーヒーを飲み、街の中を少し歩いて艦に戻った。

渡辺は「大和」の艦橋が好きだった。艦橋から水平線を見ると、その向こうに故郷があるような気がした。夜、艦橋に登っては遠くを眺めた。伊藤整一司令長官ともよくこの場所で出会った。

長官室と廊下をへだてて、「大和神社」がしつらえてある。出撃に備え渡辺たち艦隊司令部の少尉は、神社前の横の通路にハンモックを吊《つ》って寝ていた。

数日前、ハンモックに入ってトルストイの「人は何で生きるか」を読んでいると、通りかかった長官が、

「なにを読んでるのかね」

と近寄った。

「よかったら、お茶を飲みに来ないか」

と言い、長官私室に入っていった。

渡辺が入っていくと、長官は寛《くつろ》いだ姿になって待っていた。

「君たちのように学生から海軍に入ってきた人たちは、何を考えているのだろうか。教えてほしいと思ってね」

渡辺はどう返答をしたらよいか戸惑った。

「与えられた職務を忠実に果たし、よき死に場所を得ることです」

渡辺はとっさに答えた。

長官は黙ってうなずいていた。

渡辺は何か言葉たらずの言い方だったと思った。半分は本当だが、半分は違うように思えた。兵学校出の士官たちのようにいさぎよく散るという使命感とは違った、もっと別な

死の位置づけが欲しかった。死を怖れるわけではないが納得して死ねたらと思っていた。軍隊の命令には理由などつけられるわけはないが、死ねというからには何かあって欲しい。しかし、上手く表現できず型通りの返答をしてしまった。

渡辺が「大和」で親しかったのは同じ通信学校出で、慶応大学から学徒出身の竹内英彦だった。竹内は暗号士だった。竹内とは露天甲板に登り、海を見ながらよく語った。娑婆《しゃば》での話が中心で、本や映画や食べ物など話題はつきなかった。夢中になって映画「巴里《パリ》祭《さい》」や「舞踏会の手帖《てちょう》」を観たときの話をした。偶然だったが、二人は同じころに、しかも同じ映画館で「舞踏会の手帖」を観ていた。増上寺《ぞうじょうじ》に近い洋画専門の芝園《しばぞの》館だった。

この夜も渡辺は、ガンルーム（第一士官次室）を抜けだすと、露天甲板へ向かった。通路にでると、艦内のあちこちの兵員居住区からざわめきが潮騒《しおさい》のように響いた。急ぎ足で歩く兵の姿もなく、薄暗い電灯に照らしだされた鉄の通路はいかにも寒々としていた。

「やけ酒飲んでもしようがないものな」

竹内の声がした。

「ああ、でも酒の飲めるやつはいいよ。一刻でも忘れられるからな」

満天の星だった。甲冑《かっちゅう》を思わせる高くそびえるパゴダ風の艦橋を見上げた。あれが、おれの戦闘配置だと、渡辺光男はみつめた。まさに王者の風格を備えているではないか。明日か明後日か、艦橋も甲板も無数の砲身で全身針の山のように変貌《へんぼう》した「大和」をめがけ、飢えた鷹《たか》となって敵機が来襲してくるだろう。

「いよいよだな」

竹内も夜空を見上げながら言った。

二人とも、いつもの何分の一も語り合えぬまま、別れた。別れるとき、互いのお守りを交換した。そのなかに写真が入れてあった。どちらか生き残った者が、家に届けようと約束した。

艦内スピーカーが、「二二〇〇」を告げた。そのあと、能村副長の声がつづいた。

「きょうは、みな愉快にやって大いによろし、これでやめよ」

出撃前夜の祝宴の打ち切りを命じた。

艦内の騒ぎは、収まった。機関と波の音のみが響いた。

「この期《ご》に及んでも艦内の規律は寸毫《すんごう》の狂いもなく、出撃に際し一丸となった意気込みを感じとることができた」

副長の能村次郎は回想している。

その夜、副砲長の清水芳人は、みごとに酔いつぶれて眠った。

士官室での艦長をまじえた壮行会が終わったあと、部下の下士官や兵のいる居住区に行った。車座になって酒を飲んでいた部下の輪の中に入り、彼らの一人一人と乾杯して廻った。酔いが早く、気がつくと先任下士官や班長たちに担がれ、私室のベッドに寝かされていた。

「分隊長、最後ですからみんなで毛布をかけさせてください」

清水は、この「最後ですから」という言葉に酔いを覚まされた気分になった。これはいかんと思い、

「何を言うか。大和は沈まん」

珍しくややつよい語調で言った。

今夜だけでも、「特攻」とか「最後」といった言葉をつかわせたくなかった。

「そうです、分隊長。大和は絶対に沈まんのです」

古参の下士官が大声をあげた。

「よし、この調子で明日もおれを寝かせてくれ。タマは当たるまで当たりゃせん。大和もな、沈むまでは沈みはせんぞ。おれが保証するから間違いない」

清水の声に、笑い声が起きた。

彼らはこの分隊長がふだんはむっつりして無駄口ひとつ叩くこともないのに、思いがけないときに娑婆の話をしたりして打ちとけた雰囲気をつくるのを知っていた。

「そうだ、大和は沈まん、沈んでたまるか」

「撃って撃って、撃ちまくるぞ」

彼らは、互いを奮い立たせるように言って、清水の部屋を出て行った。

間もなく、清水は眠りに落ちた。喉《のど》の渇きを覚えて眼を覚ました。時計を見ると、午前二時を過ぎていた。五日前に乗り込んできた少尉候補生たち四九人も退艦したな、と思った。

「大和」と「矢矧」とには、海軍兵学校、海軍経理学校を三月三十一日に卒業した少尉候補生が総員七三名乗り込んでいた。高田静男たち海兵七四期、四〇余名は、四月一日、徳之島から上陸用舟艇で「大和」に移った。五日夕刻、有賀幸作艦長は同期の森下信衛第二艦隊参謀長に相談すると、伊藤整一長官の同意を得て退艦させることを決意した。乗艦してまだ四日にしかならず、広い艦内の地理も身についていなかったからである。事実、艦内で迷子になり、兵をつかまえて道を聞く。なんともいえない表情をした兵が候補生を連れてガンルームに行く光景も見られた。

「われわれは大和艦上で倒れる覚悟はできております。いま降ろされては残念でなりません。是非、われわれを連れて行ってもらえるように、艦長にお願いして下さい」

退艦命令は納得できないと申し入れてきた高田たち十数人を前に、初級士官指導官の清水は、返事に窮した。艦長直訴となったが、

「残って奉公するのも国のためだ」

艦長に言われ、もはや言葉を返す者はいなかった。

候補生のほかに、重症の病人と同じく戦闘配置に不慣れな呉からの新乗艦の補充兵十数名も、ともに退艦することになった。

このとき、退艦者の一人に、秘かに新妻への手紙を託した青年士官がいた。四月一日付で「長門」から突然の転勤命令を受けた福岡県若松市出身の中島武大尉である。郷里の若松市の実家に新妻を伴い、四月四日に親戚をまじえて披露をすませると、翌五日、戦艦「大和」に乗り込むため、若松を発った。新妻とは下関のホームで別れると、「大和」が沈没する二日前、三田尻から乗艦したのである。この日の午後、「大和」は徳山沖へ移動した。

おそらく、中島は乗艦して数時間後に特攻を知らされたのであろう。その瞬間、この若い海軍士官は何を思ったであろうか。

中島が手紙を託した新妻は、三月末に結婚したばかりであった。

「天佑神助ヲ確信シテ、勇躍壮途ニツク」と書かれた手紙の末尾に、

「小生コノ世ニ生ヲウケ、アナタト結婚デキテ仕合セデアッタ」と結んであった。

中島大尉のこの手紙は、遺書となって「大和」の沈没後に届けられた。

特攻と知り、退艦したいと願った兵たちも、おそらくいただろう。

司令部通信参謀付の渡辺光男は、沖縄出撃前に首をくくって自殺をはかった志願の若い通信兵がいたことを記憶している。

に覚えている。

この日、砲塔付近の黒板に「死に方用意」と書かれていた。川瀬寅雄や舌崎省吾は鮮烈に覚えている。

四月六日午前六時、徳山沖に仮泊していた第二艦隊は、前日に引きつづき不要物件、機密書類等の陸揚げをした。また、この日の夜明け前から、「大和」の両舷に駆逐艦を一隻《せき》ずつ横づけにし、燃料を移す作業がつづけられた。

「大和」の燃料の搭載《とうさい》量について、副長の能村次郎は、次のように記している。

「大和の保有燃料は、呉出港前にタンクの底をはたいて搭載した約六〇〇〇トン、連合艦隊からの命令は、沖縄までの片道分、すなわち二〇〇〇トン余。巡洋艦『矢矧《やはぎ》』はすでに満載だったので、大和が無事沖縄に到着、敵泊地に突入できるよう、途中護衛の任に当たる駆逐艦八隻全部に満載させた」

この能村の述べる「連合艦隊からの命令は片道分」とされるのは、連合艦隊参謀長より第一遊撃部隊司令官宛《あ》ての「GF機密第〇六〇八二七番電」の電文が示している。

受信　四月六日　〇九五〇

「出撃兵力及ビ出撃時機ハ、貴要望通リトセラレタルモ、燃料ニ付テハ戦争指導ノ要求ニ基キ、連合艦隊機密〇五一四四六番電通リ、二〇〇〇トン以内トセラレ度《タシ》」

碇泊中の徳山沖から沖縄までの距離は約七五〇キロ、豊後水道経由で沖縄までは、往復最低でも四〇〇〇トンの燃料が必要とされる。その半分の搭載量しか認めぬというのは、帰りを保証しないという命令でもある。

しかし、この「片道燃料」についてはさまざまの説がある。のちに呉や徳山の燃料廠の責任者が中央に内緒で約六〇〇〇トン補給したとする説も語られている。三笠逸男は、徳山沖に仮泊中の「大和」に横づけして直接燃料補給を受けている駆逐艦の姿を見たという。

しかし、戦闘詳報には、「大和」四〇〇〇トン、「矢矧」は一二五〇トンと記されている。

戦後、豊田副武連合艦隊司令長官は、「帰ってきていかんとはいわないが、燃料があったら帰ってこい、ということにした」と述べている。片道であろうとなかろうと、この作戦の無謀さには変わりがない。

緊迫する沖縄攻防に関連し、昭和二十年三月中旬ごろから半月間のあいだに、「大和」の使い方をめぐって連合艦隊司令部の作戦が幾度も変わったことはよく知られている。

当初は、航空作戦が有利に展開した場合、敵攻撃部隊の撃滅に使用させるという案が連合艦隊司令部の趨勢《すうせい》だった。しかし、三月二十六日の米軍の慶良間列島上陸を契機に、「大和」以下を佐世保に配置し、敵機動部隊をそこに誘致して航空部隊で叩くという一種の囮《おとり》作戦に変わった。そして、土壇場で沖縄への特攻突入という突然の決定が下された。

第二艦隊の沖縄特攻命令が下った背景について、当時の連合艦隊参謀長草鹿龍之介は次のように、回想している。

「私は、ちょうどそのころ、九州鹿屋《かのや》の基地へ行っていた。

　確か三日か四日だったと思うが、神奈川・日吉の連合艦隊司令部から電話があって、内地におった『大和』以下残存水上艦艇、つまり『大和』と巡洋艦『矢矧』、駆逐艦八隻、これだけをもって目前の敵に対し、特攻切り込みをやらせるというのである。

　実はこの残存水上艦艇（第二艦隊）の用法と、使用時期、場所に関して、われわれは非常に頭を悩ましていた。一部のものは激化する敵空襲下にさらして、ついに何らなすこともなく沈められてしまうかも知れない。また、全軍が特攻隊として敢闘しているときに、水上部隊だけが拱手《こうしゅ》傍観していてもいいものかどうか、なるべく早く使ったほうが良いという意見である。

　私は反対だった。といっても具体的にどうするかという名案もなかったが、いずれは最期はくるだろうが、世界最強の戦艦として悔いなき死所を得させねばならぬ、時と場所を選んでやらねばならぬ、といって日吉にいるときから反対していた。『大和』の早期使用について一番強く主張していたのは連合艦隊作戦参謀の神重徳海軍大佐だったが、私が留守になったので切り込みを決めてしまったのではないかと思う。

　電話がかかって来たとき『このことはもう長官も決裁されたのですが、参謀長の意見はいかがですか』というのだ。『長官の決裁をとってしまってから、参謀長の意見はいかがですかもないものだ。決まったものならしようがないじゃないか』とおこったが、あとの祭りだった。そのうえ悪いことに、鹿屋は内海の泊地に近いから、参謀長が直々に第二艦隊へ行って出撃命令を伝えてほしいという。平たい言葉で言えば〝引導を渡してくれ〟というわけだ」

沖縄特攻作戦のいわば作成者が、連合艦隊先任参謀の神《かけ》重徳大佐であったことは草鹿龍之介もこの一文で明らかにしている。神参謀は、かねてから敵地への戦艦突入作戦を主張してきた。沖縄に敵機が来襲すると、戦艦突入を強硬に主張した。しかし、神参謀の上司である草鹿参謀長が沖縄特攻作戦決定に鹿屋に出張していて関与しなかったというのは、弁明にすぎない。おそらく、出撃の時期などの細目を知らなかったというのが本当のところではないかと思われる。たとえ、神作戦参謀が戦艦突入主義者であったとしても、個人が決定できるわけではない。草鹿龍之介がこの一文の中で洩《も》らしているように、「大和」に「悔いなき死所」を得させる、というのが連合艦隊司令部の当時の大勢だったのだ。

連合艦隊司令部から海上特攻の計画を知らされたとき、作戦の成功率に大きな不安をもち、その撤回をはげしく求めたのは、小沢治三郎軍令部次長だという。豊田司令長官をはじめ一部の幕僚たちが強硬に決行を主張したといわれている。

この小沢軍令部次長のみが、「連合艦隊長官がそうしたいという決意ならよかろうと了承を与えた。その時は軍令部総長も聞いていた。全般の空気よりして、当時も今日も特攻出撃は当然と思う。多少の成算はあった。軍令部次長たりし僕に一番の責任がある」と、戦後その責任を明らかにしている。

草鹿が、「引導を渡し」に出撃部隊の指揮官を訪問せねばならなかったのは、伊藤司令長官が特攻出撃命令に反対を表明していたからである。

草鹿参謀長が三上作夫連合艦隊参謀を連れて水上偵察機に乗り、「大和」に着いたのは六日午後だった。草鹿参謀長が海上特攻作戦への決定に至った経緯を説明したあとも、伊藤司令長官は容易に納得しなかった。「援護の飛行機もなく、しかも片道燃料ていどの作戦が成功すると思うのか」と、参謀長につめよった。かたわらにいた三上参謀はたまりかねて、

「本作戦は陸軍の総反撃に呼応して敵の上陸地点にのし上げ、陸兵になるところまで考えられております」

とロをはさんだ。

「要するに、死んでもらいたい。一億総特攻の規範《きはん》となるよう、立派に死んでもらいたいのだ」

草鹿参謀長は言った。

「それならば何をかいわんやだ。よく了承した」

伊藤司令長官は、答えた。

ただし、一つだけ条件があると言い、

「もし、征途の半ばで艦隊が大半を失い、沖縄突入ができなくなったときは、指揮官として作戦の変更をしてもよいか」

と念を押した。

ただ一人の乗組員たちも無駄死にさせたくないという思いが言外にこめられていた。

「一意、敵殲滅《せんめつ》に邁進《まいしん》するとき、かくのごときことはおのずから決することで、一《いつ》にこれは長官たる貴方の心にあることではないか。連合艦隊司令部としても、その時に臨んで適当な処置はする」

草鹿参謀長は答えた。

「両者の対話は息詰まるような情景だった」

と三上作夫参謀はのちに語っている。

当時、第二艦隊司令部をはじめ各駆逐艦の艦長たちは、あまりにも無謀なこの作戦に反対した。

第一七駆逐隊司令新谷喜一大佐は、

「艦隊が全滅すれば本土決戦はだれがやるのか、敵と刺し違えるのはそのときだ」

と語気鋭く主張し、第二一駆逐隊司令小滝久雄大佐は、

「連合艦隊司令部は日吉台の防空壕《ごう》で何をしているのか。国の興亡を賭《と》する沖縄大決戦を何と心得ているのか。みずから陣頭に立って指揮すべきだ。東郷元帥を見よ、ネルソンを

見よ」

と声をあらげた。

この日、第二水雷艦隊司令部、第二水雷戦隊司令部、そして各艦長たちが作戦の打ち合わせに参集した。伊藤司令長官は彼らを司令長官室に呼んだ。草鹿参謀長の訓示が終わったあとも、しばらくは冷ややかな沈黙がつづいた。やがて小滝第二一駆逐隊司令が、

「連合艦隊最後の作戦と言われるなら、なぜ、豊田司令長官も参謀長も、日吉の防空壕を出て、この特攻出撃の陣頭指揮をとらんのですか」

強い口調で迫まった。

しばらくして、伊藤司令長官はただ一言、万斛《ばんこく》の思いをこめて言った。

「われわれに、一億玉砕の先駆けになれということだ。死に場所を与えられたのだ」

「大和」の第四代艦長でもあった第二艦隊参謀長森下信衛は、その日のことを回想し、

「草鹿参謀長の作戦細目説明に対し、第二艦隊司令部が研究して立てた意見を具申すべきであるという議論が盛んであったが、伊藤長官は、『われわれは死場所を与えられた』と一言いわれ、議論は止んでしまった」

と、「帝国海軍最後の突撃」と題した短かい一文に記している。

簡略な言葉の背後に、「大和」の置かれた運命と、森下の無念さがこめられている。森下はこの一文のほかには何も書き残していない。

三上作夫参謀は鹿屋を出る前、身のまわりを整理した。そのまま「大和」に乗艦して作戦に従事したいと申し出る決意を固めていた。

伊藤司令長官とは個人的にも親密な間柄だったし、第二艦隊の司令長官に就任したときにも祝いに駆けつけていた。その伊藤司令長官からは、

「最後の水上艦隊だから、下手な使い方をするなよ。不均衡な艦隊だから、総合的に威力を発揮できるようにしてもらいたい」

と言われていた。

この艦隊を特攻に出してしまえば、水上艦艇の作戦参謀としての用も終わる。頼み込んでも「大和」に乗り組む決意だったという。

山本祐二先任参謀には、かつて軍令部の作戦課にいたとき上司として仕えていた。そこで、第二艦隊が公式に特攻出撃命令を受け入れ、伊藤司令長官の訓示も終わると、

「私も連れて行って下さい」と願い出た。

しかし山本先任参謀は、憤懣《ふんまん》やるかたない表情で、

「連合艦隊の監視を受けなくても、われわれは立派にやってみせる」

冷ややかに答えた。

三上参謀は静かに敬礼をした。草鹿参謀長のあとを追って、再び水上偵察機に乗った。

機首が東に向いたとき、一〇隻のマストに出港準備完了を告げる整備旗がひるがえった。

4

第二艦隊は、「矢矧」を先頭にし、菊水《きくすい》の幟《のぼり》を立てた八隻の駆逐艦のしんがりに「大和」がつづいた。一列縦隊となって内海西部から太平洋に通じる速吸《はやすい》瀬戸に入った。

別府《べっぷ》湾の沖合いを通過したとき、艦橋では見張員が、

「桜だ、桜が咲いている」

と思わず声をあげた。

主砲射撃指揮所では、家田政六も、

「桜じゃないか」

とつぶやいた。早咲きの山桜が遠く、おぼろに霞《かす》んでいる。これが内地の見納めだなと思った。

四月六日の夕刻、「総員前甲板集合」との命令に、当直をのこして総員が前甲板に集まった。

航海中のため、有賀艦長は艦橋から離れなかった。副長の能村次郎が代わって豊田副武連合艦隊司令長官の訓示を伝達した。そのあと、

「いまからのわれわれは、水上特攻隊として、沖縄へ突入する。二度と祖国の土をふむこ

とはできないと覚悟してほしい。乗組員一同は精神を引きしめてがんばり、国のために尽くしてもらいたい」

と静かな口調で語った。

准士官以上は、乗組員と向きあうように整列していた。

このとき、高角砲発令所長の細田久一は、一瞬、みんなの顔が青くなった気がしたが、すぐに上気した表情に変わった。

「くそ、やっちゃろう」

という気持が顔に出たのだろう。これこそ敵を殲滅せんとする大和魂なのだと思った。

細田は上陸のとき、呉の家に帰り一泊した。妻も子供もいた。今度出撃すれば特攻だろうと感じていたが、妻にもだれにも言わなかった。言いたくなかった。彼は昭和十六年四月、呉海軍工廠で「大和」が艤装《ぎそう》中から艤装員として乗っていた。

副長の訓示のあと、乗組員は皇居の方角に向かって遥拝《ようはい》した。「君が代斉唱」がすむと、副長の音頭で「皇国万歳」を三唱した。

乗組員たちはすべて戦闘服に身をかためた。この日の朝は、だれもが新しい肌着を着けていた。

副長の解散の号令がかかったが、しばらくはだれもその場を去ろうとせず夕闇《ゆうやみ》せまる甲板に立ちつくしていた。四国の海岸の松の木が、夕陽のなかにシルエットをつくっていた。

家郷の方角に姿勢を正して帽子を脱ぎ、頭を下げて動かぬ者がいる。両手を高く挙げ、ちぎれるほど振っている者もいた。見えない父母弟妹に、妻や子に、恋人に、最後の別れをした。みんな、泣いていた。

測距儀の石田直義班長も、「君が代」を歌いはじめたとき、涙が出た。最後に家に帰った時のことがまぶたに浮かんだ。長男が誕生して一週間目だった。家を出て歩きだしたが、ふたたび家の回りをまわった。息子をもう一ぺん、この腕でしっかり抱きしめたかった。妻や息子のことが思い出され、涙がにじんだ。

〽ああ　堂々の輸送船
さらば祖国よ　栄《さかえ》あれ

だれかが小声で歌いだすと、その歌声に誘われ、甲板を去りかけた者も立ち止まって歌いはじめた。

遥かに拝む　宮城の
空にちかった　この決意

暗くなりかけた海の彼方《かなた》へ、大合唱となって広がった。漆黒の海面には艦の航跡が白く尾をひいていた。

三笠は総員集合の終わったあと、掲示板に書かれている「出撃命令」を読んでいた。

要　旨

本日茲《ここ》ニ海上特攻隊ヲ編成シ、壮烈無比ナル沖縄突入作戦ヲ命ジタルハ光輝アル皇国海軍ノ伝統ヲ後世ニ伝ヘントスルニ外ナラズ。各員奮戦其ノ職ニ殲死《せんし》セヨ

いつの間にか周囲の乗組員の数はしだいに増していた。声もなく読むその表情はかたかった。

三笠も二度、三度とくり返し読んだ。穴のあくほどみつめた。後ろで肩を叩く者がいる。振り返ると艤装時から一緒に乗り組んでいた広島県出身の泉雅晴兵曹だった。

「おい、ついにきたな」

三笠は黙ったまま、うなずいた。

「八日未明、中城湾《なかぐすく》に突入の予定だそうだ」

大詔奉戴日《たいしょうほうたいび》じゃないかと、三笠は一瞬、思った。

「おまえの配置、鉄板は薄いし、直撃弾でいちころやな」

泉が冗談めかして言った。彼は、中央発令所の射撃盤長だった。

「なあに、おまえの配置こそフナ底に近いから、よれよれしよったら魚雷が頭出すよ。そしたら、おまえら一番先に水漬けや」

二人とも、自分の戦闘配置こそが安全だと信じていた。自分の配置ほど心強い場所はなかった。

「泉、親父《おやじ》に今度の出撃をしらせておいたか」

泉の父親は呉工廠に出ていた。

「いや、なにも言わんかった。おふくろが気づくとかわいそうだからな」

泉の声が、湿った。

「親父は、気づいてるかもしれん。工廠にいるからな。朝出がけにおれを呼んで言った。死ぬときがきたら、きれいに死ねよ、ってね」

甲板下士官の泉は、いつも持っている細長い棒の先で、甲板になにか書くような仕種《しぐさ》をしながら言った。

「泉、遺書を書いたか」

「いや、おまえは……」

三笠もまだ書いてなかった。

そのころ、内田貢は最下甲板の電線通路にいた。ハッチを開けると、八畳ぐらいの広さの部屋のようになっている。鉄のワイヤーが奥のほうでとぐろを巻いていた。部屋には独特の臭《にお》いがある。鼻を突く臭いで、どこからか漂ってくるガスがかすかに溜《たま》っているらしかった。

内田は「大和」がまだ艤装中のころから乗っていたので、この電線通路はよく知っていた。知っていたどころか、内田や唐木正秋は、隠れ部屋と呼んで、寒い日の塗装作業の時など隙《すき》を見て逃げ出し、作業をサボったものだ。

唐木の姿が見当たらないと、

「あいつ、また、サボってあそこへ行ったのか」

と言ったりした。

冬の寒い作業を抜け出し、そこにくると暖かかった。艦の推進機の震動と音で、心地よく眠れた。

この電線通路に入って外からハッチを閉められると、二度と外へは出られない。内側からは開かなかった。そこで内田や唐木たちは、三尺ぐらいの細目の鉄の棒を調達し、隙間にその鉄の棒を噛《か》ませた。誰かが開けた時など音ですぐわかるし、閉められることもない。

その用心のためだった。ハッチを閉めてしまうと、中は真っ暗だった。

「なんのためにこんな部屋、つくったのやろ」

と唐木と言ったものだ。

電線のほかに、水圧、ガスなどの重要な配線もある。

「内田、懐かしいな」

唐木は食事を運んでくるたびに、呑気《のんき》な声で言った。内田の食事は唐木と鬼頭と、もう一人相撲部員の北栄二が持ってきてくれた。大抵は缶詰だが、内田のためにそれぞれ食事を残して持って来てくれるらしい。

内田は「大和」が動きだしたとき、「しまった」と思った。しかし、「大和」が沖縄特攻に行くとは考えてもいなかったし、知るはずもなかった。彼のこれまでの経験から柱島へ仮泊するにちがいない。そのときランチがかならず来るか、「大和」から出るかするはずで、その機会を狙《ねら》って降りればよいと考えた。内田はまだ、「軽い気持」でいた。よしんば、フネが動き出して見つかってもそのとき次第との気持もあった。

四月五日の日は、拡声器で何か言っているらしい声が内田の耳にも聞こえた。そのうち、「総員前甲板集合」という拡声器の声が電線通路の内田のところにも伝わってきた。

「内田、どうする。えらいことになったぞ」

鬼頭が来ると、「大和」はこのまま沖縄へ特攻することになったと告げた。内田はしばらく黙りこんだ。

「特攻か……」

内田は、溜息をついた。その夜、唐木と北栄二がようかんなどの甘いものをたくさん持ってきた。「酒保開け」の号令がかかったのだ。

「内田、いつまでもここにはおられんぞ。どっかへ行かんことには……」

鬼頭がつぶやいた。

「わし、戦闘配置、ないものな」

内田の声も湿った。

北が、言った。

「おまえ、そんな体して何を言うとる」

「そんなにおまえ、山本長官からもらった短剣が大事なんか。おまえ、死にに征《い》くんだぜ」

北は、そんな内田を信じられない顔で見た。

懐中電灯を工作科からギンバイしてきた唐木が、

「まァ、いいわな、内田らしいよ」

と言った。

内田にも自分の気持がうまく説明できなかった。唐木たちは内田のチェストに入っていた短剣の行方をひそかに聞き出してくれているらしいが、さっぱりわからなかった。

下《しも》の小のほうはたれ流しにしたが、大のほうは人目を盗み、階段をあがってすぐ上の兵員用の厠《かわや》に行ってこっそり用を足した。しかし、一番困ったのは、水だった。喉《のど》がしきりに渇いた。唐木と北が、巧《うま》く缶詰の空缶に水を入れて運んでくれた。

「降りたよ」

と鬼頭が来て言った。少尉候補生や病人が下艦して行ったことを知らせた。しかし、鬼頭は、内田、おまえも降りろ、とは言わなかった。

午後七時半すぎ、艦は豊後《ぶんご》水道の出口にかかった。

「対潜関係員配置につけ」

号令がくだった。

豊後水道を一歩出れば、もはや敵地である。本土から目と鼻の距離にある海域にもかかわらず、制海制空権はすでになかった。戦闘見張員、電探員、探照灯、副砲、高角砲の各関係員は配置についた。

三笠は対潜射撃準備を終えると塔外に出た。風がつよかった。艦首の切る波が左右に広がり、夜光虫が青白く光った。艦は電探で探知されるのを避けるため、海岸沿いに走った。

警戒一時間、第二配備になった。

副砲砲員長の三笠は塔内を出て居住区に戻ると、分隊員に最後の挨拶をした。

「大和の最後を飾るため、副砲の動くかぎり、最後の一人になるまで砲撃をつづけようではないか」

砲員たちは、うなずいた。

十時十五分、通信指揮室から甲高い声が叫んだ。

「敵通信傍受、敵潜水艦発信。ヤマト脱出、地点二一七五、速力二〇ノット、全軍警戒セヨ」

暗号ではなく平文で電波を出し、しかも「ヤマト」と名ざしで第二艦隊の針路、位置、速力を伝えていた。

第一艦橋では航海長の茂木史朗が、

「これじゃ、敵さんに誘導してもらったほうが早いな」

とうかぬ顔でうめいた。

その日、第二艦隊上空は、曇、雲量八、南東の風一〇・五メートル、気温摂氏一〇・五度。

肌寒く、全天雨意を孕《はら》んでいた。

ハルキ文庫

へ 1-3

決定版《けっていばん》 男《おとこ》たちの大和《やまと》㊤

著者 辺見《へんみ》じゅん

2004年8月18日第 一 刷発行
2015年7月28日第十九刷発行

発行者 角川春樹

発行所 株式会社角川春樹事務所
〒102-0074 東京都千代田区九段南2-1-30 イタリア文化会館

電話 03(3263)5247(編集)
03(3263)5881(営業)

印刷・製本 中央精版印刷株式会社

フォーマット・デザイン 芦澤泰偉
表紙イラストレーション 門坂 流

ISBN4-7584-3124-8 C0195 ©2004 Jun Henmi Printed in Japan
http://www.kadokawaharuki.co.jp/[営業]
fanmail@kadokawaharuki.co.jp[編集] ご意見・ご感想をお寄せください。

JASRAC 出 0409726-401

辺見じゅんの本

決定版　男たちの大和〈下〉

「一片の骨もありやせん。役場でもろうた木箱の中は、半紙一枚だけじゃ。（略）死んだ場所もわからんで、どうして息子が死んだと思えるじゃろか」——沖縄への特攻に出撃した翌日、昭和二十年四月七日十四時二十三分、戦艦「大和」、米航空機部隊の攻撃により沈没。死者三〇〇〇余名。東シナ海の海底に散る……壮絶な「大和」の最期と生存者、遺族の戦後を描き切り、日本人とは何かを問う、戦後ノンフィクションの金字塔。（解説・富岡幸一郎）

辺見じゅん・原勝洋 編

戦艦大和発見

沖縄特攻作戦に散り、三千余名の将兵とともに東シナ海に眠る戦艦・大和、四十年目の発見——。一九八五年夏の「海の墓標委員会」による、沈没位置の確認から戦没者の鎮魂・慰霊にいたる、戦艦大和探索の完全ルポルタージュに加え、大和の元乗組員百人の証言、建造時の設計秘話など、データとドキュメントで構成する巨大戦艦のすべて。太平洋戦争・悲劇の軍艦の姿が今、甦る！